DE LA LUMIÈRE À L'OUBLI

MICHEL DRUCKER
Avec la collaboration de
Jean-François Kervéan

DE LA LUMIÈRE À L'OUBLI

ROBERT LAFFONT

© Éditions Robert Laffont, S.A., Paris, 2013
ISBN 978-2-221-12707-0

À Dany

À tous ceux qui ont cru que ça durerait toujours

Quand je serai KO

[...]
Quand je serai KO,
Descendu des plateaux de phono,
Poussé en bas
Par des plus beaux, des plus forts que moi,
Est-ce que tu m'aimeras encore
Dans cette petite mort ?

Attention : plus personne
Porteurs de glace de chewing-gum,
Plus de belle allure,
Chevaux glissant sur la Côte d'Azur.
Quand je serai pomme,
Dans les souvenirs, les albums,
Est-ce que tu laisseras
Ta main, sur ma joue, posée comme ça ?
Est-ce que tu m'aimeras encore
Dans cette petite mort ?

De la lumière à l'oubli

When, petite sœur,
We'll just have to remember.
I'll be down,
No more, the old dancing music sound.
All day long in my gown,
When I will be down.

Plus d'atoll
Pour une déprime qu'a du bol,
Plus les folles
Griffonnant « Je t'aime » sur des bristols.
Quand je serai rien
Qu'un chanteur de salle de bains,
Sans clap clap
Sans guitare, sans les batteries qui tapent,
Est-ce que tu m'aimeras encore
Dans cette petite mort ?

Quand je serai KO,
Descendu des plateaux de phono,
Poussé en bas
Par des plus beaux, des plus forts que moi,
Est-ce que tu m'aimeras encore
Dans cette petite mort ?

I'll be down,
No more, the old dancing music sound.
All day long in my gown,
When I will be down.

Alain Souchon

Mistral gagnant

[...]
Te raconter enfin qu'il faut aimer la vie
Et l'aimer même si le temps est assassin
Et emporte avec lui les rires des enfants
Et les mistrals gagnants
Et les mistrals gagnants

Renaud

Chaque année c'est pareil. Je n'imagine pas aller passer mes vacances ailleurs qu'en Provence, à moins de trois heures de Paris et pourtant à l'autre bout de ma vie. Ici, dès l'arrivée en gare d'Avignon, l'espace du ciel, le mistral parfois, le sourire différent des provinciaux et le temps qu'on a pour soi lorsque l'on voyage changent mon rythme. Tout de suite mon corps le sent : j'entre dans l'été.

L'été pour moi est une forme d'hibernation. Tapi à l'ombre des cyprès et de la glycine, je vais passer plusieurs semaines abrité, à réfléchir, revoir

défiler les émissions et imaginer ma saison prochaine. Le farniente est une sagesse que je n'ai pas
encore atteinte. L'agitation me vient de mon père
qui n'a jamais su prendre de vacances, sans cesse
pendu au téléphone avec ses patients. Si j'aime
tant l'été et le Sud, blanc aux mois caniculaires,
c'est que je peux y gamberger à perte d'horizon.

Je suis né plus haut sur l'Hexagone, pas loin
de la Manche, dans cette Basse-Normandie où le
gris du ciel est resté associé aux impasses de ma
jeunesse. Ici j'aime l'azur plat, la douce altitude
bleutée des Alpilles et les cailloux des chemins
poussiéreux. Sans jamais changer de registre, les
cigales m'accueillent en pays d'adoption – celui où
je me préfère, où je me sens le mieux. À peine
arrivé dans notre mas Doliu (diminutif roumain
de mon père qui sonne comme un nom d'ici), je
fais le tour de l'allée de chênes verts qu'aimait tant
ma mère, je regarde où en sont les carrés de
lavande et notre champ d'oliviers. Tout bouge,
pousse et se transforme sous les essaims d'insectes.
En retrouvant ma maison je me retrouve. J'inspire –
j'expire. Je souffle. En trois minutes, je suis chez
moi et je n'ai plus peur.

Dans nos métiers de spectacle, nous vivons la
peur. Rien ne nous rassure longtemps. Toujours
sur la corde raide, on appréhende la montée avant
de redouter la descente. La ronde des décideurs
change à vous donner le tournis. Le public aussi
évolue. Stars, comédiens, ministres, éditorialistes,

animateurs en piste, chez tous ces gens qui sus-
citent parfois l'envie et même la jalousie, chacun
veut tenir son cap dans l'espoir de nouvelles victoires confondues aux parts de marché, accroché
bec et ongles aux audiences aux suffrages aux
ventes et aux bravos... tout en sachant que rien
n'est sûr et que ça ne durera pas. Je ne me plains
pas. Je sais que la crise cogne fort, partout. Sans
parler de cette menace propre à l'existence, des
ombres qui se faufilent dans le soleil. Été, automne,
hiver, trois cent soixante-cinq jours par an, on
cherche, on prend le vent. Il faut éviter les mauvais
coups. Faire aussi bien, et mieux. Toujours plus ! Si
avec la maturité j'apprends à ralentir, depuis plus
de quarante ans, j'obéis à cette frénésie. Progresser,
réussir, évoluer, se maintenir ; quatre obsessions
sur l'échiquier de la reconnaissance. Ceux qui ne
trahissent aucune fixette et ne vous en feront
jamais l'aveu sont des menteurs. Eux aussi gamber-
gent jusqu'à parfois ne pas pouvoir fermer l'œil de
la nuit. Pour moi, dans mon univers d'ambitions et
de triomphes, d'amour-propre et d'amour tout
court, doublé d'inquiétudes et de frustrations,
cette angoisse pourrait s'appeler le royaume de la
lumière et de l'oubli.

Passer de la gloire à l'anonymat, et vice versa,
coûte son prix. Dès les premières minutes où une
personne devient célèbre, elle bascule dans
l'arène. En bientôt un demi-siècle de spectacle
contemporain, je pourrais compter sur les doigts

d'une main les gladiateurs ayant réchappé aux lions. Cette pression a soulevé des montagnes et provoqué des désastres. Toutes les existences se valent, célèbres ou non, simplement les feux de la rampe incendient les apparences. Sur le tapis volant de la célébrité, on ne sent vite plus le sol sous ses pieds. Cette drogue dure vous accroche plus fort que les substances toxiques. Avec le temps je devrais en sourire et d'ailleurs, sur mon vélo entre les vignes, il m'arrive d'en sourire. Mais en vidant ma gourde avant de remettre les pieds dans les cales de mes pédales, heureux d'être seul sur une route brûlante où personne ne me voit suer sous mon casque, je me souviens trop bien de tous ces artistes qui ont valdingué comme des quilles au fond du décor pour éprouver du détachement... Combien de grands soirs pour des petits matins blêmes ? Je n'oublie ni les uns ni les autres. Été, automne, hiver. Je ressens autant de joie pour ceux qui ont couru la course et qui s'y lancent encore que de tendresse envers ceux que la gloire a jetés dans le fossé et qui ne peuvent plus goûter comme je la goûte maintenant la beauté du ciel.

Avoir vaincu un sommet ne suffit pas, c'est plutôt à cet instant-là que commence le danger. De toute façon quand je roule seul, comme ça, je mouline tout, passé, présent et avenir se confondent dans un même braquet.

Mistral gagnant

Entre Cavaillon et Saint-Rémy, sur la route de Jean Moulin, l'actualité de l'année défile dans ma tête, la guitare de Carla Bruni, les Alphajets de la Patrouille de France au-dessus des Champs-Élysées, Jérôme Cahuzac en Suisse, les jambes d'Adriana Karembeu, Jean Ferrat en rêve, Miss France en larmes, Lance Armstrong en bouillie... Je pense à Depardieu, le colosse, l'Orson Welles du métier qui a provoqué l'opinion. Mais je sais bien que l'enjeu pour Gérard sera toujours ailleurs, son errance fiscale signifie un manque d'amour et de reconnaissance. Depuis que la justice a foutu son fils au trou, Depardieu s'est senti de moins en moins aimé en France. Plus on est aimé, plus on veut l'être, cette spirale est sans fin dans nos métiers. Et j'entends encore Gérard me balancer dans un souffle en sortant de mon plateau alors que je lui déconseillais d'enfourcher sa moto : « De toute façon, je vais bientôt rejoindre Guillaume... »

Le ciel est bleu blanc. Il fait moins chaud, je vais partir de la chapelle Saint-Sixte faire une boucle et puis je reviendrai par le cimetière d'Eygalières pour dire bonjour à maman... Sa terre natale, finalement, c'est peut-être autant celle d'où l'on vient que celle où on enterre les siens. Chez les Drucker qui ont traversé l'Histoire et l'Europe centrale, cette terre se trouve maintenant au bord des Alpilles. Habitués aux grands hivers, les Slaves ont toujours rêvé du grand soleil.

Ici je me sens libre.

Les trompettes de la renommée

[...]
Après c'tour d'horizon des mille et un' recettes
Qui vous val'nt à coup sûr les honneurs des gazettes,
J'aime mieux m'en tenir à ma premièr' façon
Et me gratter le ventre en chantant des chansons.
Si le public en veut, je les sors dare-dare,
S'il n'en veut pas je les remets dans ma guitare.
Refusant d'acquitter la rançon de la gloir',
[...]
Trompettes de la renommée
Vous êtes
Bien mal embouchées !

Georges Brassens

J'ai eu du bol, j'ai eu peur d'être oublié avant même de devenir célèbre. Dès l'aube de ma vie professionnelle, jeune recrue de l'ORTF, j'ai vécu dans l'ombre de la star absolue de la télévision. Trois ans plus tard, j'ai vu cette idole s'écrouler de son piédestal et se relever avant de raser les murs. Ce dieu de l'Olympe était Léon, Léon Zitrone, mon mentor.

Durant les années où j'ai été son protégé, je l'ai regardé vivre. Muet, j'ai bu ses paroles, épié ses gestes. Je lui plaçais d'équerre sa pochette blanche dans la poche de son veston juste avant de prendre l'antenne. Les jours où Léon, assez négligé, n'avait pas sa pochette, j'utilisais une carte de visite, à l'écran les téléspectateurs n'y voyaient que du feu. J'étais fier de mon maître. Malgré sa personnalité baroque, sa vanité, je l'ai beaucoup admiré... Du journal télévisé au tiercé, des mariages princiers aux doubles saltos des patineurs, des rencontres avec les chefs d'État aux obsèques des grands de ce monde, à lui seul Zitrone incarnait la télévision. Ce champion polyvalent aurait pu tenir l'antenne du matin au soir. Sa chute était proprement inimaginable.

Pourtant, après mai 1968, presque tous les journalistes vedettes de l'ORTF ont été virés. Léon aussi, Léon surtout. Premier coup de balai de l'histoire médiatique. D'un trait de plume rageur, le Général a fauché cette génération insoumise – raison pour laquelle je ne me suis jamais senti gaulliste. Tous ces pionniers étaient pourtant déjà mythiques. À l'époque, les grandes figures de l'ORTF parlaient à la France entière. Je crois que le Grand Charles en était un peu jaloux. En tout cas il exigeait de ses hommes-troncs une obéissance quasi martiale. La France, c'était lui, pas eux. Quand les clairons de *son* ORTF se sont mis en grève, ça a été le pompon, la «chienlit».

Au printemps 1968, Léon Zitrone n'a pas suivi la grève par conviction profonde, plutôt par solidarité obligée. Certains ricaneurs ont murmuré que son premier acte de courage aura été... le dernier.

Après une période de purgatoire, Zitrone est revenu, mais chancelant. Il a été le plus durement touché. Et le plus épargné ce fut... moi, le petit dernier. Même si je l'ai très mal vécue, mon année d'éviction n'a été qu'une balle perdue. Ne représentant rien, j'ai été réintégré beaucoup plus vite que Zitrone, monarque d'une télé noir et blanc brutalement remise au pas. Imaginez à la fois Claire Chazal, Stéphane Bern et Jean-Pierre Foucault simultanément congédiés par le gouvernement du jour au lendemain. Imaginez Jean-Pierre Pernaut et David Pujadas relégués à commenter des brèves en voix off à la fin du 13 heures comme le pouvoir d'alors l'imposa à Zitrone. Double humiliation, les sujets sont lancés en plateau où certains nouveaux présentateurs poussent le sadisme jusqu'à ne même pas donner de nom à la fameuse voix de Zitrone, que chaque Français reconnaissait. «À vous Longchamp», lançait le JT en le citant à peine. Les élus du jour, subalternes hier, se vengeaient ainsi de celui qui les avait écrasés pendant des années. À l'ORTF, l'après-68 fut la revanche des «collabos» sur les étoiles fondatrices. Dès le mois de juin, ceux qu'on surnommait les «Jaunes» avaient déserté Cognacq-Jay pour assurer le journal télévisé du Général, protégés par des CRS, dans un pilier de la tour Eiffel. Une fois le calme rétabli, ceux-là ont bien sûr été récompensés pour leur loyauté. C'est le jeu, me diront certains – je l'ai trouvé amer.

On n'oublie jamais ce qui vous fait mal à vingt ans. J'ai commencé à ruminer cette leçon, tout en essayant de garder le sourire. Et je n'ai rien oublié. Ce n'est pas de la rancœur, juste de la mémoire. J'aime la mémoire. Elle est meilleure conseillère que la colère.

68 a été ma première guerre de tranchées et l'unique trou d'air de ma carrière. J'y ai mesuré d'emblée la fragilité des statuts et des statues. J'ai compris beaucoup en une seule comédie. La pression de la rue et les cabinets ministériels, les syndicats et les CRS, les pavés à Paris et la province immobile. Quand j'en parle avec Daniel Cohn-Bendit, «Dany le Rouge», aujourd'hui nous en rions. Les étudiants de la fac de Nanterre en mal de flirt ont lancé la révolte pour exiger la mixité des cours... et une drôle de partie a commencé. J'en garde un souvenir mitigé. La France ne fut pas à feu et à sang, l'incendie a pour l'essentiel ravagé le Quartier latin où je vociférais à pleins poumons «CRS... SS!». C'était l'air du temps. Sans le sang-froid de Maurice Grimaud, le préfet de

police, ces affrontements auraient pu très mal tourner. Ce qui s'est passé ensuite, l'asphyxie de la censure et des rétorsions, m'a paru bien pire que les barricades.

Les lettres de licenciement sont arrivées par vagues à l'ORTF via le sinistre SLI – le service de liaison interministériel. La liste des bannis avait été rédigée par le Général en personne, aidé de ses deux lieutenants, Maurice Couve de Murville, Premier ministre, et Alain Peyrefitte, ministre de l'Information. Pas de pseudo « Haute-Autorité » à l'époque. Le cordon ombilical entre la télévision et le pouvoir passait par le fil d'un téléphone rouge permanent. Notre rédaction en chef effective se trouvait dans nos ministères de tutelle.

Et d'un coup j'ai vu l'obscurité recouvrir ceux qui respiraient le parfum de la notoriété. Dans l'indifférence générale, nous les croisions privés d'antenne, encore vivants mais KO debout, le sifflet coupé. La République et l'opinion avaient d'autres soucis. Presque instantanément, ces hommes en qui je voyais mes héros ont été recouverts par une couche de cendres. Plus de support, de vecteur, de caméra. La fameuse petite mort du chômage et de l'anonymat. J'ai senti la lame du couteau passer sur ma nuque, moi qui avais compris que seule cette télé nouvelle et un peu dingue me permettrait de trouver enfin ma voie, de faire mon trou, mon abri pour la vie.

Il fallait le voir pour le croire. Plus aucun passant au coin des rues ne criait à Léon : «Ah, monsieur Zitrone, j'ai gagné le tiercé grâce à vous!», plus personne ne glissait à Roger : «Monsieur Couderc, bonjour... On les a bien enterrés, hein, les Rosbifs à Twickenham!» Sympathie, chaleur, reconnaissance, pfff, envolées, évanouies, finies.

Virés avec de maigres indemnités, les insoumis sont rentrés dans les placards ou chez eux en attendant d'être rappelés. Le plus rebelle d'entre tous arrivait et repartait, toujours à l'heure, sans avoir rien à faire de sa journée. Il a fini par traîner son bureau devant l'ascenseur, avec une carte de visite posée bien en évidence devant lui : *Claude Darget, journaliste libre.* Pro-Algérie française, il était déjà tricard pour avoir affiché ses opinions au moment des accords d'Évian. C'était l'ennemi juré de Zitrone qu'il traitait de valet et à qui, joignant le geste à la parole, il avait offert un gilet rayé, une brosse et du cirage pour ses cinquante ans. Je m'en souviens d'autant mieux que c'est moi qui avais été chargé d'acheter le cadeau. Pour ceux qui ne s'en souviendraient plus, Darget fut aussi l'inoubliable voix de «La vie des animaux» de Frédéric Rossif.

Les mois ont passé, de Gaulle a fini par maugréer : «Allons... reprenons Zitrone, au moins pour le tiercé.» Par la petite porte, on a vu revenir cette ample silhouette à demi brisée. La radio l'avait sauvé, il avait fait des conférences, pas mal

AGENCE DU REVENU DU CA
1 800 959-7383
www.cra-arc.gc.ca

ASSOCIATION QUÉBÉCOISE
DE DÉFENSE DES DROITS DES
PERSONNES RETRAITÉES ET
PRÉRETRAITÉES
(514) 935-1551
www.aqdr.org

BARREAU DU QUÉBEC
1 800 361-8495
www.barreau.qc.ca

COMMISSION DES DROITS DE
LA PERSONNE DU QUÉBEC
1 800 361-6477
www.cdpdj.qc.ca

FÉDÉRATION DES CENTRES
D'ACTION BÉNÉVOLE DU QUÉBEC
1 800 715-7515
www.fcabq.org

OPTION CONSOMMATEURS
1 888 412-1313
www.option-consommateurs.org

RÉGIE DE L'ASSURANCE-
MALADIE DU QUÉBEC
1 800 561-9749
www.ramq.gouv.qc.ca

RÉGIE DES RENTES DU QUÉBEC
1 800 463-5185
www.rrq.gouv.qc.ca

RÉGIE DU LOGEMENT
1 800 683-2245
www.rdl.gouv.qc.ca

RÉGIME DE PENSIONS DU
CANADA ET PROGRAMME DE
LA SÉCURITÉ DE LA VIEILLESSE
1 800 277-9915
www.servicecanada.gc.ca

REVENU QUÉBEC
1 800 267-6299
www.revenu.gouv.qc.ca

SERVICES-QUÉBEC
Renseignements sur les
services gouvernementaux
(provincial)
1 877 644-4545
www.gouv.qc.ca

BEL AGE
MAGAZINE

de «ménages» aussi. Toutes sortes de gagne-pain qui paraissent un peu minables à qui a côtoyé les sommets. Roger Couderc et Robert Chapatte, eux, ont retrouvé leur fauteuil au service des sports, mais Zitrone, trop emblématique, est revenu en subalterne, Gabin de la télévision contraint d'endosser les seconds rôles. L'oubli commence souvent par une traversée du désert. Tous ces punis du régime avaient la cinquantaine. La sanction a brisé leur élan. À cet âge, quelques années de placard valent un siècle. À la télévision encore plus qu'ailleurs, rien ne remplace le temps perdu. Presque tous, je les ai vus prendre ce fameux coup de vieux qui est devenu depuis ma hantise.

Zitrone survit, s'active... en donnant de la voix dans «Intervilles de village» – à ne pas confondre avec «Intervilles», la grand-messe télévisée –, de simples joutes entre municipalités même pas retransmises. Il entretient sa notoriété dans cette queue de comète. En radio, il assure le petit matin sur RTL où vers quatre heures il apparaît débraillé sous les ricanements de collègues qui déjà jalousaient les stars de la télévision. Zitrone était encore quelqu'un mais je le connaissais assez pour percevoir l'humiliation. Obligé d'assurer, de mouliner, faire rire en force. Sa faconde tournait à la grimace, je sentais le gouffre sous ses pas un peu perdus.

Patrick Sébastien m'a raconté qu'un jour, dans les couloirs de TF1, Léon lui avait demandé : «Toi qui es devenu puissant, tu pourrais intervenir pour moi... S'il te plaît, Patrick, parce que je ne fais plus grand-chose. » Sébastien m'a dit en avoir frissonné, comme moi. C'était Zitrone, ce monument, le même à qui vingt-cinq ans auparavant Patrick Sébastien, tout gosse, avait demandé une dédicace à Brive-la-Gaillarde où la municipalité l'accueillait tel un président de la République. Le même qui, aux portes de l'ascenseur, voûté, essoufflé, quémandait un job, n'importe quoi, une pige.

En 1968, ni Léon ni personne ne roulait sur l'or à l'ORTF. L'argent existait à peine en télévision – rien à voir avec aujourd'hui. Un salaire de journaliste-fonctionnaire auquel pouvaient s'ajouter dix pour cent de revenus annexes, niveau au-dessus duquel vous perdiez la carte de presse. Mes mentors ont cachetonné toute leur vie quand certains nouveaux millionnaires du PAF voyagent aujourd'hui en jet privé.

J'ai compris. À la télé, le trou noir est à la mesure de la surexposition. Notre notoriété bizarre brûle davantage que les autres parce que notre image entre chez les gens par la petite lucarne, au quotidien. L'animateur partage un bout de la table familiale. Cette présence paraît un pouvoir. Mais elle est sans fond, sans œuvre. Juste son image, via une caméra, qui jour après jour se propulse directement dans des vies, des salons, des chambres à coucher, dans les cafés. Ce lien sans équivalent n'est en réalité qu'un grésillement de pixels éphémères.

J'ai découvert ce feu cathodique ambivalent à la fin de Mai 68. En plateau, la clarté aveuglante des projecteurs masque les mâchoires d'un oubli plus violent que partout ailleurs. Vous semblez au centre du cercle magique, et vous n'êtes rien qu'un bouton qu'on presse et qu'on éteint.

À la fin des années soixante, quand une vedette de la télévision s'arrêtait à une station-service, le pompiste en parlait pendant huit jours. «Vous ne devinerez jamais qui j'ai vu... Léon Zitrone! En chair et en os!» À la limite, le patron du bistrot offrait sa tournée. J'ai vu ça. Avant 1968, j'ai accompagné Léon partout au sommet de sa gloire. Ses dédicaces en province provoquaient des émeutes. À l'affiche du casino de Granville en Basse-Normandie, le nom de Sylvie Vartan s'inscrivait modestement sous les gros caractères d'une autre étoile : «Conférence de Monsieur Léon Zitrone». C'est pour lui que se déplaçaient les foules. Le coefficient médiatique d'un Zitrone égalait celui d'un Fernandel, d'un Montand, d'un Belmondo... Il a été une légende vivante, comme dans *Network* de Sidney Lumet où une star de la télévision incarnée par Peter Finch vit la grandeur et la déchéance – ce film de 1976 reste mon œuvre de chevet.

Dans l'ombre de Léon, jamais je n'ai envié son aura. La gloire, si on la flaire de trop près, ne donne plus autant envie. Ce rêve de gosse résiste mal à la réalité et n'a jamais été le mien. Tout de suite j'ai été déniaisé, sous la statue de Zitrone l'angoisse a percé. J'ai ressenti le péril avant même d'être «quelqu'un». Sans doute est-ce l'explication de mon long parcours. Avoir deviné que cette débauche de reconnaissance, via la télévision, n'a rien de normal ni de durable – c'est un excès bizarre. J'avais vingt-six ans, comment aurais-je pu imaginer que je serais encore là à cinquante ans?

Depuis cette date, l'amour des foules, l'ostentation des adulations suscitées par la gloire m'effraient. J'y vois un artifice, presque un malentendu. Plus tard, en me rapprochant de Claude François, cette gêne a empiré. Même si une salle de concert soulevée par un chanteur ou l'aura d'une actrice sur l'écran lumineux d'une salle obscure m'éblouissent toujours.

Je suis né socialement en même temps que la société du spectacle. Avec toute la violence des premières fois, j'ai vu surgir cette décennie phénoménale. Qui aujourd'hui pourrait réunir à l'improviste deux cent mille personnes, comme le fit Johnny place de la Nation un fameux soir d'été des années yéyé? Rameutée par quelques annonces radio pour fêter le premier anniversaire de *Salut les copains*, la jeunesse est sortie de partout, sa vague a submergé les forces de l'ordre. Par milliers, des jeunes ont grimpé aux statues, aux lampadaires, dans les arbres. Durant cette décennie, la télévision a vraiment commencé, toute une jeunesse muette s'est mise à bouger. Comme une feuille, j'ai été emporté dans cette double tornade, télé et variétés. De l'intérieur du cyclone, je n'ai plus cessé de voir grossir l'œil de Big Brother.

En ce temps-là, *Télé 7 Jours* imprime trois millions d'exemplaires, tirage qui aujourd'hui paraît surréaliste pour la presse généraliste en crise. L'hebdomadaire nous fournissait gracieusement en centaines de portraits photos qu'on signait à tout va. Très vite, j'ai été et je n'ai pas été une star. Nous, les animateurs télé, sommes le Canada Dry de la gloire. Nous en avons les signes extérieurs : star-system, foule, fans... Nous aussi recevons du courrier hystérico-érotique. Quelques érotomanes nous guettent au fond de notre parking... Mais nous ne laisserons rien d'autre que des minutes de diffusion.

À mes débuts, nous sommes même relativement pauvres, le plus souvent sans un rond. Chez Ventura, Johnny ou Gabin, artistes qui bâtissent une œuvre et une mythologie, l'argent et les cachets affluent. Nous, non. Cette dèche nous fait rire entre copains d'antenne. Nous nous sentons les passagers néophytes d'une révolution médiatique en marche. Je crois que nous n'en avions même pas conscience. Cette bonne franquette a duré longtemps, longtemps... trente ans avant que l'argent déboule via la privatisation de certaines

31

chaînes. Pour qu'Endemol ou AB Production se transforment en machines à gros sous. Dès l'instant où il est arrivé, l'argent est devenu le fric, le fric roi.

Viré en 1968, je touche les petites indemnités de mon salaire minimum, je n'ai presque pas d'ancienneté – la grille des salaires est proportionnelle à l'ancienneté. Je retourne donc souvent chez mes parents, tout en gardant mon studio à Montparnasse. Une cure d'austérité n'est mauvaise ni pour les méninges ni pour le nombril pour qui vient de découvrir le délicieux autobronzant de la notoriété.

Quand on est en rade on réfléchit mieux – mais c'est souvent trop tard. À Vire, à Montparnasse ou chez maman place Clichy, j'ai eu le temps de bien gamberger. Et je n'en suis pas revenu.

Faut se souvenir de ce que c'était, quand même. Zitrone gravissait les cols du Tour dans une berline à toit ouvrant, en bénissant spectateurs et téléspectateurs tel un pape ses fidèles. Derrière, sur la banquette, vérifiant ses mouchoirs en papier et les bidons d'eau, je le voyais quasiment atteindre l'orgasme. Cette vision s'est gravée dans ma mémoire à jamais. Au bord de la route, le grand murmure des foules montait vers lui : «Comme vous êtes beau», «Comme vous êtes grand». Chaque rayon de soleil lui lançait un *je t'aime.*

J'ai vu ce cirque mieux que lui, envoûté par sa notoriété. Un Zitrone paroxystique aux yeux mi-clos de jouissance. Sans scrupule, il volait la vedette à Anquetil, Merckx et Poulidor, tous les forçats en train de se crever dans les cols des Alpes ou des Pyrénées. Je trouvais qu'ils méritaient davantage les hourras que Léon, qui les amassait sans partage.

Le soleil l'aveuglait.

Les pionniers de la télévision sortaient du rang où rien ne les préparait à vivre l'aventure de la renommée – ce qui est d'ailleurs toujours vrai. Pas d'école, de conservatoire. Et, au bout de cinq minutes devant une caméra, on devenait célèbre. Pierre Bellemare et Guy Lux avaient les qualités des bons vendeurs, après leur formation commerciale. Raymond Marcillac, grand patron, était un ex-sportif. Trois, quatre intellectuels sont venus se joindre à Pierre Desgraupes. Une troupe hétéroclite s'est formée sur le tas joyeux des années soixante – la preuve, j'en étais. Denise Fabre avait les plus beaux yeux de la Côte d'Azur. Catherine Langeais, digne épouse du grand manitou Pierre Sabbagh, était la reine des cuisines avec Raymond Oliver, quarante ans avant « Top Chef »... Comme les speakerines, au fond nous étions tous les créatures d'un spectacle neuf.

Entre deux bureaux, deux directs à la volée, anxieux par nature et par éducation, j'étais moins léger que l'air du temps. La légèreté n'est jamais que la plus jolie des apparences. Dans une carrière publique plane toujours une odeur d'orage. La gloire m'intriguait mais elle ne me parlait pas. En fait elle me laissait froid. Ce que je voyais dans son prisme ne me plaisait pas.

Je me suis aperçu que sous un grand journaliste d'antenne sommeillait souvent un comédien. Un refoulé narcissique et artistique, soucieux du désir de plaire. L'exposition peut donner envie de l'exhibition. C'était évident chez Léon qui avait failli devenir avocat mais dont le rêve inavoué avait été d'être acteur. À l'antenne, il savourait autre chose que l'information. Je l'ai vu changer, se mettre à raffoler des fanfares complaisantes, des acclamations, des accueils triomphaux que lui réservaient les jeux du cirque. Je redoutais pour lui le jour où ces flonflons s'arrêteraient. L'heure où un événement le rejetterait, sonné, sur une plage déserte. La gloire m'apparaissait ce qu'il y a de plus proche du naufrage. Mes parents me le disaient aussi, et je les trouvais rabat-joie. Heureusement, quand j'y pense, qu'ils m'ont élevé dans la discrétion et la pudeur. Travailler, travailler et réussir sans la ramener, c'était le credo à la maison. Entre Zitrone qui m'effrayait et mes parents qui me saoulaient, je me disais que, si mon avenir existait, il devait se trouver entre les deux, quelque part...

Sans diplôme on ne se sent le droit de rien. À l'ORTF, j'ai enfin trouvé une poche d'air pour respirer et respirer suffit à votre bonheur quand vous avez manqué d'air. Je suis un grand brûlé qui fait gaffe à tout, avec le sourire. Je n'ai rien à voir avec Johnny et Sylvie, surnaturellement beaux, surnaturellement doués. Au fond, je pressens que l'oubli est pour demain matin et je n'aime pas particulièrement être devant. Je veux juste me trouver un job, rester animateur, journaliste, vivre d'un «vrai» métier. Si on me jette, je ferai assistant metteur en scène ou caméraman. Je ne veux pas devenir une tête d'affiche. En vertu de quoi d'ailleurs? Quel mérite? C'est ce qu'on se balance entre copains de Cognacq-Jay, en rigolant au café Lafon, aujourd'hui café de l'Alma où je continue d'aller prendre mon café chaque matin. «Nous, on n'est pas des vedettes!»

Et mes parents étaient bien d'accord. Des années plus tard, quand je me suis permis de leur avouer que mon Olga avait été élue la chienne la plus célèbre de France, papa Druck et Lola ont levé les yeux au ciel en soupirant.

J'ai toujours pensé que la réponse est plus importante que la question. Quand j'en parle avec Jacques Chancel, prince télévisuel chéri de maman et ma bête noire pendant trente ans, nous tombons d'accord là-dessus : un bon interviewer n'est pas celui qui pose la meilleure question, c'est celui qui obtient la meilleure réponse. Aujourd'hui, les plateaux fourmillent de journalistes-animateurs que leurs brillantes questions passionnent bien davantage que la réponse de leurs invités.

En 1968, ma priorité était de garder un avenir et j'avais déjà mon code de survie : me faire remarquer, percer, me maintenir, m'organiser, m'établir et évoluer. Et enfin être heureux, peut-être ? Accumuler les heures de vol sans être dupe de rien, sans quitter la route, sans excès de vitesse.

À l'ombre du grand Léon, bercé par les hourras et ventilé par les bravos, je m'interrogeais. Pourquoi désire-t-il tant être reconnu, dans la rue, dans les gares, sans cesse ? Ça lui fait du bien où, exactement ? Cette maladie a-t-elle un nom ? C'était déjà celle de la lumière et de l'oubli.

Mon maître Zitrone a été fauché dans la phase la plus violente de notre métier, sur le pic narcissique où chacun risque de devenir l'esclave de son propre show. Cette phase est aussi la moins intéressante, au fond. Pour moi, cet homme admirable reste celui qui a enterré Khrouchtchev et Churchill, interviewé Brejnev, dernier tsar de la guerre froide. Mais à ses yeux, le premier et le plus beau rôle de tous ceux qu'il a joués était celui de grand bateleur à «Intervilles». Là où l'idole remplaçait l'intellectuel cultivé, au sommet de l'adulation nationale. C'était plus fort que lui. Un besoin de reconnaissance sans fin, total. Le même que chez un artiste. Comme Johnny ou Sylvie, il communiait physiquement avec son public.

Je ne trouvais pas cette folie glorieuse. C'est dommage, pensais-je, cette ivresse. Lui, un cerveau, avait muté en une grosse plante avide de lumière.

J'ai commencé à penser à cela à son contact, tout au long des années soixante et je n'ai plus jamais arrêté d'y penser. À cette lumière et à cet oubli qui peuvent vous rétamer un bonhomme, en faire une ombre, des miettes, des confettis. C'est le non-dit de mes quarante dernières années.

Je ne suis pas un artiste. Pas du tout. Au fond, quand on me reconnaît, même si j'en tire du plaisir, ma vérité n'est pas dans cette reconnaissance. C'est un instant d'affection, un jeu de politesse, un échange de sympathie. Un délice, certes – mais un délice mineur.

À l'époque déjà, après avoir fait la couverture de *Télé 7 Jours*, quand j'arrivais dans un stade au côté d'un confrère de la presse écrite et que les spectateurs me saluaient bruyamment, j'étais gêné. Olivier Merlin signait de magnifiques papiers sportifs dans *Le Monde*, personne ne savait qui était cette plume brillante, et moi qui ne signais rien et n'avais pas de vocabulaire, on m'applaudissait.

Pourquoi?

À cette lumière abusive succède un vide équivalent. C'est ce qui rend angoissés et fébriles les gens de télévision. Notre notoriété est construite sur du sable. Nous ne sommes que nous-mêmes et encore, quand les concepts et les formats de nos émissions nous le permettent.

Il y a peu d'exemples de présentateurs ayant accompli une carrière de plus de vingt ans à la télévision. Plus ou moins brutalement, un soir, on tombe. Même le talentueux Patrick Poivre d'Arvor, qui avait annoncé solennellement avoir fixé lui-même la date et le jour de son retrait du 20 heures, s'est vu congédier du jour au lendemain.

Et qui a levé le petit doigt pour PPDA?

Zitrone et Poivre ont un point commun : tous les deux étaient persuadés d'être maîtres de leur destin, tous les deux ont oublié que le patron reste l'actionnaire – public ou privé. Je ne connais pas d'exemple d'un journaliste ou d'un présentateur ayant gagné son bras de fer contre le pouvoir. Thierry Ardisson s'est cru irremplaçable le samedi soir sur France 2 et il a été remplacé (avec brio) par Laurent Ruquier. Les milliers de messages qui sont arrivés pendant des années à la télévision pour y réclamer le retour de Danièle Gilbert sont restés lettres mortes. Le seul à avoir été rappelé, faute d'audience comparable à la sienne, est Philippe Bouvard à la tête de ses insubmersibles « Grosses Têtes ». Et c'était à la radio.

Léon Zitrone a fait une grève de trop – la seule. PPDA a déplu à l'Élysée et à l'actionnaire, une fois de trop. Même histoire à quarante ans d'écart. On peut rendre justice à leur courage, la liberté qu'ils se sont donnée les a perdus. Au sommet de leur position, sans doute se sont-ils crus invincibles. La lumière est un filtre euphorisant, elle peut vous persuader que des milliers de gens feront pression sur les décideurs, que le public qui vous adore descendra dans la rue pour exiger votre rappel. C'est bien sûr un leurre. Il ne se passe absolument rien. Les téléspectateurs ne vont nulle part défendre l'avenir d'un homme de télévision... Ils jugent celui ou celle qui le remplace.

Notre notoriété est une nappe de brouillard. Et le présentateur, au milieu, ressemble à un comprimé effervescent. Ça flotte, ça mousse et à la fin il n'y a plus rien.

J'ai un peu perdu de vue Léon Zitrone au fil des ans, comme souvent dans ces cas-là. Une gêne crée de la distance et nous n'avons jamais reparlé ensemble de Mai 68. Je suis allé à son enterrement. Je vais à presque tous les enterrements du métier. Mais celui de Léon, c'était aussi un pan de ma jeunesse qui partait.

Après sa mort, de temps en temps, j'ai revu son fils, Philippe. Un jour il m'a dit : « Mon garçon – le petit-fils de Léon – aimerait faire un stage à la télévision. » Pour moi la réponse coulait de source : « Tu sais ce que je dois à ton père. Demande-moi ce que tu veux. »

J'ai reçu ce jeune homme que j'ai engagé. Quand je l'ai vu mettre son casque d'assistant sur le plateau de «Vivement dimanche», j'ai pensé à son grand-père, au temps qui passe et à la roue qui tourne. Et j'ai reçu une lettre magnifique de Philippe Zitrone, une de ces lettres que je garde, parce qu'un soir j'aurai le temps et le bonheur de les relire toutes.

En 1965, un géant de l'ORTF a posé le regard sur moi et m'a pris pour assistant. Son talent et sa bienveillance ont changé ma vie. Il m'a transmis beaucoup, malgré lui parfois. Et le plus précieux d'entre tout ce qu'il m'a appris – il ne l'a jamais su –, c'est que cet empereur de la télévision m'a fait toucher du doigt le miroir aux alouettes et, dans son sillage, j'ai compris le danger d'y croire.

Le temps des cerises

[...]
Et dame Fortune en m'étant offerte
Ne pourra jamais calmer ma douleur.
J'aimerai toujours le temps des cerises
Et le souvenir que je garde au cœur.

Jean-Baptiste Clément,
musique : Antoine Renard

Quand on me dit : «Vous n'avez jamais connu de trou d'air dans votre parcours», je ne réponds pas toujours : «Si, en 68.» Aujourd'hui où une carrière en télévision peut durer moins de dix ans, remonter quarante-cinq ans en arrière peut paraître un symptôme de dinosaure. Et puis, à force de s'entendre poser les mêmes questions sur votre inaltérable longévité, vous finissez par y croire et vous laissez dire.

J'ai eu une traversée du désert, une seule, à mes tout débuts, et j'ai bien cru y laisser ma peau.

41

J'ai donc ensuite veillé à ce que cette malheureuse expérience ne se reproduise jamais.

J'ai limité les faux pas et les prétentions, évité de me faire des ennemis inutiles. Et enfin, considérant que la bienveillance des états-majors était relative, le meilleur garde-fou m'a paru être la faveur du public.

Les hommes que j'ai vus tomber ne se sont pas relevés ou mal. C'est souvent comme ça, la guerre. De Gaulle a donc fait tomber Léon Zitrone. Un an plus tard, par référendum, le suffrage universel a chassé le Général. Le Grand Charles est allé retrouver notre grand Léon de l'ORTF dans la lande frisquette des tombés du train. Je me suis dit : Primo, il y a une justice. Deuxio, si des géants peuvent prendre des coups de pied au cul, toi qui n'es rien, méfie-toi doublement.

N'y crois jamais vraiment.

À la télévision depuis trois, quatre ans, heureux à l'ombre de quatre piliers – Couderc, Chapatte, Zitrone et Sabbagh – et occupé à présenter les nouvelles stars de la chanson grâce à la productrice Michèle Arnaud, mon nom grandit. Je campe sur deux domaines, journaliste sportif et M. Loyal d'idoles. Cette ubiquité va me sauver à l'heure où je suis mis à la porte. J'étais le seul junior de l'ORTF. La plus grande chance d'un débutant est sans doute ne pas avoir de rival.

Malheureusement, pour le moment, le pouvoir « fasciste » m'a viré et je tourne en rond en rêvant d'y retourner. Sans emploi et infirme depuis que je me suis cassé le pied au cours d'un match de foot de soutien aux grévistes de l'ORTF, j'apprends à connaître le monde et la capitale.

Je comprends assez vite que l'un comme l'autre se fichent éperdument de mon avenir. À vingt-six ans, j'ai beau essayer de sourire en boitillant, je me fais un sang d'encre – et si je ne revenais pas ? et si c'était fini, déjà ? si Michèle Arnaud ne me rappelait pas ?

Très vite, Georges Pompidou va devenir le nouvel homme fort de la Ve République – ça tombe bien pour moi, c'est un ami de Michèle Arnaud. Mais la partie est tendue. Mon père, qui scrute *Le Monde* et *Le Figaro*, me le résume : « Le pouvoir ne pardonnera jamais à tes patrons d'hier. Ils ne sont pas près de revenir. » Sous-entendu : toi non plus.

Au moment où je commençais à vivre, j'ai l'impression d'être ramené à la case départ. Notre grand soir printanier a fait flop. À présent c'est l'été, les congés payés, d'un coup le pays rêve de maillots de bain et d'épuisettes. Mon plâtre me gratte horriblement, je commence à souffrir d'un début d'ulcère à l'estomac et bientôt d'un zona – ça fait beaucoup à moins de trente ans.

Après l'euphorie du soulèvement, je réalise que si je n'ai rien à faire, je ne suis plus rien. Avant l'invention du terme, je suis déjà «workaholic». Je suis mon travail et pas grand-chose en dehors de ça.

Mon travail, c'est moi.

Je vais voir les syndicats... qui ne vont pas se fouler pour un petit gars même pas encarté. Je prends conscience des corporatismes, des manœuvres et du clientélisme – mal français. Dehors il fait grand beau. À peine en vacances, la machine France reprend en douceur. J'ai existé le temps d'une libellule et les libellules, la France s'en tamponne.

L'Hexagone se remet au boulot, sans Michou.

Ça me fiche un sale coup.

Cette capacité d'oubli me stupéfie. Quoi? Comment? Depuis quatre ans, j'ai fait mon possible pour entrer dans la lumière, être remarqué, j'ai distribué partout mes photos dédicacées... et maintenant je sers à quoi? Je cale mon armoire avec celles qui me restent?

Moi aussi j'endure l'oubli, avec dans le dos le tribunal de la famille. Le désastre pointe. Papa avait encore raison. Je n'ai pas un rond, je traîne mon ennui et mon blues de mini-showman. Quand je retourne à Vire, le docteur Drucker m'accueille avec un nouveau refrain, le «Qu'est-ce qu'on va faire de toi» de mon enfance est devenu comme dans Molière «Que diable allait-il faire dans cette galère!»

Je finis par me le demander. Tout en continuant la lutte, évidemment. Quoi faire d'autre? Entraîné sur les tréteaux subversifs par des chefs de cellule bien plus politisés que moi, je continue à agiter des pancartes «Libérez l'ORTF!». Et à brailler contre la dictature. «L'Élysée... c'est le Kremlin!» D'une inculture politique crasse, je troque mon costume vert olive d'animateur contre le blouson de cuir d'un Cohn-Bendit, prêt à libérer le pays de ses chaînes – ce qui va bien m'occuper jusqu'au 14 Juillet.

J'entends parler de Godard et de Truffaut, de Groucho et de Karl Marx. «Interdit d'interdire!» «Sous les pavés la plage!» Liberté de ton, de parole, et sexuelle aussi! Avec l'enfance qui a été la mienne, quelle joie d'en être.

Mon père, cinglant, me fait remarquer: «Dis donc, je ne savais pas que Mireille Mathieu, Claude François et Johnny étaient les compagnons de route de la lutte finale...»

En vérité, je n'ai nulle part où me raccrocher. Je suis au bout du rouleau tout en hurlant: «Vive Castro, à bas Guy Mollet!» – à peine si je sais qui sont ces gens. J'étais une tête un peu connue au service de la grande cause. Dès que je me suis tu, la panique a commencé.

Les billets du *Monde* en faveur de la réintégration des bannis de l'ORTF deviennent bientôt des brèves... paraissant un jour sur deux, puis un jour sur quatre avant de se rétrécir à une notule hebdomadaire en bas de page, comme me le spécifie papa – encore et toujours lui – en me collant le journal sous le nez.

De sa voix chic, au téléphone, Michèle Arnaud me rassure mollement : « Oui, oui, Drucker... Je vais m'occuper de vous », avant de raccrocher aussi sec, très pressée.

Usant de son influence, elle, l'amie du couple Pompidou, va pourtant plaider ma cause en argumentant que si le modeste journaliste gréviste que je fus doit certes être sanctionné comme les autres... l'animateur de variétés pourrait continuer de distraire la jeunesse en présentant son émission mensuelle « Tilt ».

Tout en me trouvant un peu « province » et même si le foot n'était pas sa tasse de thé, je crois qu'elle m'avait à la bonne. Son magazine avait démarré en fanfare et comme petit nouveau Mme Arnaud n'avait que moi sous la main. Disons qu'elle me préférait à Albert Raisner. Qu'on le veuille ou non, faire carrière dépend toujours du bon vouloir de quelqu'un.

En attendant, je me morfonds en constatant la vitesse supersonique de l'indifférence. Mon vedettariat tout frais a fondu comme sorbet au soleil. C'est dingue, les gens oublient comme ils respirent. J'écoute Pompidou assener en conférence de presse que « les journalistes du service public ne sont pas des journalistes comme les autres, ils devront dorénavant veiller à séparer l'information du commentaire ». Dans mon coin, je ne retourne pas ma veste, je troque l'angoisse du travail contre celle de ne plus travailler – la seconde est pire. Malgré mon trac à l'antenne, je m'aperçois que j'adorais ce que je faisais. Cette double peine va durer un an. Douze mois. Trois cent soixante-cinq jours. Et enfin, enfin, je suis revenu à la variété dans un complet Renoma aussi chic aux yeux de Mme Arnaud que ridicule selon Mme Drucker. La variété m'a sauvé. J'ai honni le chômage et adoré de plus en plus les chansons.

Quand elles m'ont revu dans « Quatre temps », le nouveau magazine de Michèle Arnaud, les instances dirigeantes ont levé une paupière : « Tiens, il est revenu le petit Drucker... Bon, on n'a qu'à le reprendre aux sports aussi. »

Les rangs s'étaient clairsemés, les bannis battaient la campagne. Sans moufter j'ai réintégré le paradis du service des sports. Respiré l'odeur des dépêches et du papier carbone à pleins poumons. Et l'année suivante, en 1970, je me suis retrouvé à commenter ma première Coupe du monde de football au... Mexique avec mon ami Michel Drhey. Au Mexique ! De Vire, capitale de l'andouille, j'ai atterri à Mexico. J'en tremblais de joie tout en me contenant, pour avoir l'air de trouver cela naturel. Moi qui faisais des fautes de français, je me suis acheté un dictionnaire d'espagnol et des disques de María Felix et de Gloria Lasso.

J'étais heureux, tellement heureux. J'avais vingt-huit ans... J'avais eu très chaud, très peur et je ne la ramenais plus.

De ce jour je me suis juré que la lumière ne me quitterait plus. Je ne vous parle pas de gloire, de triomphe. Juste d'une activité sociale, rémunératrice et intégrante. Je me suis promis d'en faire mon assurance-vie. En bon Normand, rejeton du fatalisme ashkénaze, à la fois prudent, pessimiste et têtu.

S'il m'avait fallu rentrer définitivement à Vire, je crois que j'aurais pu me jeter sous le Paris-Granville.

Cinquante ans plus tard, je ne sais rien faire d'autre qu'être dans la lumière. Je ne sais même pas me faire cuire un œuf coque ou dévisser une charnière. Quand je presse un bouton et que l'électricité ou la télévision ne s'allument pas, je reste pétrifié avant de me mettre à appeler à l'aide, complètement paumé.

À l'époque, j'ai passé un pacte avec moi-même. J'étais entré dans le poste de télévision, il y faisait chaud et c'était sympa. Rue Cognacq-Jay, malgré mes limites, personne ne me hurlait dessus et on avait même l'air satisfait de moi, parfois. Plein de gens me regardaient et s'intéressaient à mon bonhomme de chemin, alors je me suis juré de ne plus sortir de la lucarne, de me confondre avec la boîte. Du cathodique, j'ai fait mon oxygène social et mon oxygène tout court. Aujourd'hui j'en suis toujours là, bon à rien d'autre, sauf à entretenir le fond et la forme. Aussi obsédé et angoissé que lorsque j'appelais Michèle Arnaud en croisant les doigts à me les arracher en espérant qu'elle me prenne au téléphone.

Hier, j'ai découpé une interview de George Clooney où il dit : « On se bat davantage pour garder le pouvoir que pour l'obtenir. » C'est vrai, monsieur Clooney. Pouvoir, lumière, succès se conjuguent à des pulsions de survie. Je n'ai pas réussi par ambition mais par énergie vitale.

À l'école, je n'ai pas su apprendre... Mais tout ce que j'ai appris depuis sur le tas, je voudrais continuer de le mettre en pratique. Je veux servir. Dans un monde qui oublie, moi je n'accepte pas l'oubli et je ne veux pas être effacé. Mon corps s'est trop nourri de mon métier. Comme le masque de fer, mon masque de télévision est devenu mon vrai visage. Aujourd'hui je ne pourrais plus l'arracher.

Sur mon lit, à Vire, rêvant de retour, je cogitais, je me demandais : Est-ce légal de reprendre un licencié qui a touché ses indemnités dans la même entreprise ? L'anxiété enfantine a redoublé celle de ma précarité. De mai 68 jusqu'au printemps 69, j'ai revécu cette sensation de noyade mais j'ai gardé ça pour moi parce que nous sommes faits de douleurs dont personne n'a la moindre idée.

Depuis, les virés, les accidentés, les oubliés et les pourchassés, tous les ringards et les « has-been » sont mes frères d'armes. Malgré le succès, c'est à eux que je ressemble au fond. C'est ainsi et ça vient probablement de plus loin encore que de l'ORTF. Ça s'est joué dans les siècles aussi, sans doute, en Europe de l'Est où mes ancêtres inconnus ont fui les pogroms avec un balluchon. Vagues de lumière et de chaleur ne combleront jamais ces failles. Mais peut-être est-ce avec toutes ces angoisses que l'on est vraiment soi-même.

Des ronds dans l'eau

[...]
Aujourd'hui tu ballottes,
Dans des eaux moins tranquilles,
Tu t'acharnes et tu flottes
Mais l'amour, où est-il ?
L'ambition a des lois,
L'ambition est un culte,
Tu voudrais que ta voix
Domine le tumulte.
[...]

Annie Girardot et Nicole Croisille dans *Vivre pour vivre*
de Claude Lelouch, paroles : Pierre Barouh,
musique : Raymond Le Sénéchal

En 1968, je suis peut-être devenu vieux avant la lettre. Tendu, prudent. Échaudé. Les journalistes qui sont restés le plus longtemps sur la touche étaient ceux qui ne disposaient d'aucun réseau autour d'eux. Ceux-là, le pouvoir a laissé traîner longtemps leur réintégration.

J'ai présenté de petits galas, pigé à droite à gauche en gardant le contact avec les grévistes, bien moins nombreux qu'au printemps mais entre parias on se tient chaud. Jusqu'au départ de Charles de Gaulle, la reprise en main a été féroce – on l'a oublié. Une haine violente règne sous le climat délétère des grands barons de la fin du gaullisme.

De partout surgissent de jeunes loups aux longues dents blanches, Giscard et Balladur derrière celles encore plus acérées de Chirac. Chaban-Delmas rêve tout haut d'une Nouvelle Société où il se brisera les reins. La vieille garde lui a tout fait subir – jusqu'à faire publier par la presse sa feuille d'impôts exonérée. Je l'ai vu sortir les larmes aux yeux du JT où il avait dû venir se justifier. Œil pour œil, dent pour dent.

Ayant tout le temps de me pencher sur la politique française, je n'y découvre que des jeux de réseaux.

De 1969 jusqu'à mon entrée à RTL en 1974, où Valéry Giscard d'Estaing tout juste élu gravit de son élégante foulée le perron de l'Élysée, je vais croiser tous ceux qui feront la France de demain. Michèle Arnaud elle aussi pratiquait la polyvalence. Connaître Georges Pompidou ne l'empêchait pas d'être proche, et même très proche, de

François Mitterrand... qui de son côté attend également son heure.

Dans le sillage de ma productrice, j'ai vu naître les cercles de la Chiraquie. On parlait tant du grand Jacques, le dauphin, flanqué de ses deux mentors que furent Marie-France Garaud et Pierre Juillet. Les vieux barons grognaient contre les temps nouveaux, comme Olivier Guichard, le compagnon de Daisy de Galard, directrice de *Elle* et productrice de l'inoubliable «Dim Dam Dom».

Tous ces gens s'intéressent peu à la télévision, entre deux canapés au saumon. Ils lui préfèrent de loin l'ampleur de la radio et la presse écrite surpuissante. Aucun ne devine dans la petite lucarne le média de l'avenir.

Je revois le chignon strict de Mme Garaud osciller, tandis qu'elle interroge :

— Où est passé Jacques, il n'est pas à Paris?

— Il est encore au cul des vaches, en Corrèze.

— Et Edouard?

— Il a préféré rester chez lui avec un bon cigare...

Pierre Juillet s'y connaissait en bétail, être l'éminence grise de la politique ne l'empêchait pas d'élever des moutons en Creuse, près de Guéret. Edouard Balladur et Jacques Chirac, les fameux «amis de trente ans», commençaient une longue et tumultueuse amitié, mais à l'époque je ne savais pas que selon l'adage le pouvoir ne se partage pas.

Pour cette caste, je suis un visage juvénile qui leur dit vaguement quelque chose – à peine un nom. Chez Mme Arnaud, on se serre la main ou on baise celle des dames en échangeant un regard. Le président Pompidou descend de sa Porsche métallisée, pantalon de velours côtelé gris, col roulé en cachemire blanc, sourcils broussailleux, cigarette au coin des lèvres, et me lance :

— Ah, c'est vous, le jeune de la télé !

Je n'avais qu'une trouille, que le brillant normalien et agrégé de lettres me demande si j'avais fait khâgne.

Échanger trois mots suffit pour être vivant dans un réseau. Faire une brèche. «Réseauter», comme on dit aujourd'hui, c'est d'abord de la courtoisie et de la mémoire. Pas un horrible activisme, non, juste une façon de se trouver au bon endroit au bon moment. Au cas où les gens pourraient avoir besoin de vous, il faut bien qu'ils se souviennent que vous existez. J'ai beaucoup pratiqué ça après 68. Le creuset d'une époque se forgeait dimanche après dimanche, à Orvilliers dans les Yvelines, dans la propriété des Arnaud. Les Pompidou avaient leur maison de campagne juste à côté. À Louveciennes, c'était les Lazareff, Pierre et Hélène, couple surpuissant, lui patron de *France-Soir* et coproducteur du fameux «Cinq colonnes à la une», elle à la tête du mythique magazine *Elle*, qui recevaient tout Paris. Derrière les tilleuls, les murs de meulière, les portails de bois peints en blanc ou les élégantes grilles de fer forgé, un monde « arrivé » se recevait le week-end. Guy Béart venait gratter la guitare et à l'heure du thé nous partions en promenade, l'hiver en ciré de marin, avec un chapeau de paille à la belle saison. L'assistante de Michèle Arnaud à l'époque, une jeune fille de mon âge, s'en souvient comme moi. Elle aussi subissait les foudres de la patronne, qui avait la dent dure. Ce qui ne l'a pas détournée de la télévision où elle est devenue à partir des années quatre-vingt une excellente productrice : Pascale Breugnot.

À Paris, je croise les « amazones » de Françoise Giroud selon l'expression contemporaine de Renaud Revel qui vient de consacrer un livre aux femmes proches du pouvoir[1]. Françoise présente Michelle Manceaux, Catherine Nay, Michèle Cotta avec un sourire impérial. Au bras de Jean-Jacques Servan-Schreiber, toujours très bien habillée, elle parle de fonder un hebdomadaire et teste sur l'auditoire le titre auquel ils pensent : *L'Express.* Tout semble détendu, aéré, en fait tout est sérieux et calculé. La valse serrée des ambitions en marche. Un peu plus tard, je croiserai Sylvie Pierre-Brossolette. Toute cette génération de premières

---

1. *Les Amazones de la République : sexe et journalistes à l'Élysée,* First éditions.

journalistes femmes, aussi brillantes que séduisantes dans un sérail de complets noirs.

Moi aussi je débarque et nous nous découvrons. Les « Giroud'Girls », comme on les appelle, m'impressionnent et elles me prennent en sympathie. Sans rivalité et sans façon – nous ne sommes pas du même monde. La télévision n'est pas encore un enjeu. Elles m'apprennent qui est qui. Jean Daniel et Claude Perdriel à l'*Observateur*. Philippe Tesson et son *Quotidien de Paris*. Dominique Jamet, Ivan Levaï, Jean-Pierre Elkabbach, Alain Duhamel... Des cercles qui tournent ensemble dans cette connivence du pouvoir et des médias français – symptôme qui n'a fait que s'accentuer depuis. Ces réseaux vont se tenir les coudes pendant trente ans et occuper toutes les places. Pour eux, je suis exotique, le gamin qui présente Claude François, Françoise Hardy et Sacha Distel. Gentiment, pour se détendre, on me demande (j'ai entendu cette phrase des milliers fois durant ma vie) :

— Alors, il est comment Johnny Hallyday ?
— Il est bath.
— ... Et est-ce vrai que Monsieur Stark, l'imprésario de Mireille Mathieu, lui fait apprendre par cœur toutes les réponses qu'elle donne en interview ? C'est tordant !
— Et Cloclo, il est pas pédé ?
— Vous reprenez du cake au citron ?

— Mike Brant est un agent du Mossad, vous le saviez ?

— Pardon ?

— Le Mossad... les services secrets israéliens.

Etc., autour du buffet... Premier crincrin des coquetèles. Des rumeurs, des réputations et des stratégies. Des amitiés et des fous rires sur un coin de pelouse. Espoirs et petites infamies. Maîtresses de maison et maîtresses tout court, habillées au ras du genou par Courrèges. Des promesses, des soutiens, les premières rancœurs, aussi, qui vont devenir des haines à vie. Le mal des élites françaises, dont on parle tant aujourd'hui avec ses promotions de grandes écoles et ses chapelles en réseau a commencé à la fin des années soixante – ensuite la gauche caviar et la droite bling-bling n'ont rien arrangé. Moi, je regardais les belles jeunes femmes, j'appréciais l'ironie à vif, l'intelligence me fascinait. Et à l'époque je ne disais jamais non à une tranche de cake au citron maison.

Au même moment un autre Drucker, Jean, sort de l'ENA et arrive rue de Valois, au ministère de la Culture où il travaille avec le grand ministre Jacques Duhamel, retrouvant parmi les membres du cabinet Valérie-Anne Giscard d'Estaing. En fait, à Paris, ville lumière, le monde est petit.

Tout ce milieu, je vais apprendre à le connaître. Je veux savoir qui est qui. Je bosse mes fiches, sachant qu'il vaut mieux ne pas faire confiance au hasard. Je sais qui sont Catherine

Tasca et Michel Jobert; Roger Frey et Raymond Marcellin, ministre de l'Intérieur, Pierre Messmer, Premier ministre avant la flamboyante nomination de Jacques Chirac. Et aussi le nom du rapporteur à l'Assemblée du budget de l'ORTF, le lyrique Robert-André Vivien. De soir en soir, d'un week-end l'autre, je vois se bâtir l'organigramme de trente ans de pouvoir. Et je vais le suivre de près. Les décideurs et les hommes politiques méprisent cordialement le petit écran. Pour eux, c'est le Schmilblick. Un gadget qui ne pénètre pas massivement la France profonde. Avant François Mitterrand, la télévision à la botte, inerte politiquement, se résume à ce que déclare de temps en temps le Président via le journal de 20 heures. L'establishment n'y regarde rien d'autre – ni la variété, ni les dramatiques, ni le sport. Seul de Gaulle regardait les émissions d'Henri Salvador. Sénateurs et députés ne se rendent absolument pas compte que les speakerines sont les femmes les plus désirées de l'Hexagone. Je suis le groom d'un cirque ludique et inoffensif.

Au fil de la décennie suivante, tous les hommes politiques et de pouvoir vont se ruer à la télévision. Et moi, j'y serai déjà. Ils connaissent ma tête et ont mon nom sur le bout des lèvres. Je suis celui à qui ils viennent dire bonjour, puisque le plus souvent ils n'identifient personne d'autre dans ce média qui brusquement prend de l'importance.

C'est aussi la somme de tous ces petits riens, une carrière.

La presse écrite reste toute-puissante. Chaque journal exerce une influence bien plus importante qu'aujourd'hui. Le jour où j'ai rencontré Pierre Viansson-Ponté, Jacques Fauvet et Hubert Beuve-Méry, patrons du *Monde* qui jamais n'auraient eu l'idée saugrenue d'aller « chroniquer » à la télévision, j'en ai profité pour aller saluer mon copain de service militaire, Jean-Marie Dupont, secrétaire de rédaction. Quand je vais quelque part, j'aime fureter, faire tous les étages, observer, rencontrer, savoir. L'élite est le milieu où je progresse, pas celui où je vis. Ce n'est pas ma sphère, ce qui ne m'empêche pas de faire ce qu'il faut. Dans les dîners, je regarde, j'écoute et j'enregistre avant de rentrer chez moi.

Je n'en suis pas vraiment.

À l'époque, les journalistes ne rêvent pas de télévision, ce sont les plumes de la presse écrite qui font l'opinion. Ils rêvent d'être lus, de peser et d'être repris – pas d'apparaître. Je mesure l'importance colossale de l'écrit dans nos métiers. Pierre Desgraupes, mon patron (celui qui m'a donné ma phrase totem : « L'image est l'audience de demain »), était un intellectuel issu du club de ceux qui distribuent les bons et mauvais points. Toute une secte à qui l'homme public ne doit pas tourner le dos. Longtemps, les éditorialistes des quotidiens et des hebdomadaires ont fait et défait les carrières dans la politique autant que dans la culture, jusqu'aux tables étoilées des restaurants. Pour un animateur de télévision, un bras de fer avec cette caste est aussi dur à gagner qu'avec le pouvoir politique. Aujourd'hui, la presse n'est plus ce qu'elle était, les gens la lisent de moins en moins parce qu'ils se méfient des journalistes presque autant que de ceux dont elle parle. Avec la crise, la concurrence d'Internet et de tant d'autres supports, les plumes brillantes qui régnaient sur tous les domaines se sont éteintes une à une. Les éditorialistes sont passés en radio et en télévision où leur aura n'est plus si forte. La roue a bien tourné. Parmi les événements de la rentrée médiatique 2013, on parle de Roselyne Bachelot sur iTélé, de l'arrivée de Daniel Cohn-Bendit dans la matinale d'Europe 1 et de l'ancienne ministre de Nicolas Sarkozy Jeannette Bougrab au « Grand Journal » de Canal+.

C'est aussi dans ces années-là que je vais découvrir le cercle mythique des stars internationales. Cette découverte s'est faite de la plus belle façon qui soit... en rencontrant une femme qui est devenue la mienne. Dany Saval, vedette de cinéma, revenait de Hollywood après avoir divorcé du compositeur Maurice Jarre. Nous sommes allés nous marier en secret à Las Vegas. Outre-Atlantique elle me présente ses amis Gregory Peck, Omar Sharif, Tony Curtis, Jerry Lewis, me parle de Bobby

Des ronds dans l'eau

Kennedy qu'elle a bien connu, me fait mieux apprécier Charles Aznavour, son ami de toujours... Presque tous des monstres sacrés. Durant les années soixante-dix, quand certains sont venus sur mes émissions, grâce à Dany nous étions déjà un peu des amis. Cela dit, Dany n'aurait connu que des chiens, des chats et des pigeons blessés, elle aurait quand même été la femme de ma vie.

Je me suis persuadé qu'il vaut mieux tendre plusieurs cordes à son arc. Si l'une casse, vous vous rattrapez sur l'autre. Caméras de télé, micros de radio, bouclages de presse écrite, édition, je veux être partout pour me protéger du vide, de la panne qui préfigure la chute. Mais, si je côtoie le Tout-Paris, je reste un homme de la province. Chaque fin de semaine, je file faire un reportage dans un stade – par chance, le sport a toujours été ma passion. Il n'y a pas de public plus populaire que dans les tribunes. Jusqu'en 1988, je passerai presque tous mes week-ends au bord des pelouses à Metz, Montpellier, Marseille, Brest, Sochaux, Nantes ou Saint-Étienne. Comme un politique, je vais et viens à travers les départements. Pendant que le landernau et les élites ne jurent que par la capitale, je m'en échappe pour retourner là d'où je viens. En sillonnant la province, je vais entrer en contact avec un monde que beaucoup de gens de télévision ignorent : la PQR – la presse quoti- dienne régionale, celle qui fait hausser les épaules des «Parigots». Cette presse qui aujourd'hui sert 80 % des Français, plus solide face à la crise du papier que sa collègue «nationale» qui ne se fait qu'à Paris. Qui sait que le plus gros tirage de la presse quotidienne, c'est *Ouest-France*? 850 000 exemplaires. Rien qu'à Rennes intra-muros, ils impriment 80 000, soit davantage que la diffusion nationale de *Libération.* Je ne passe pas une semaine sans «descendre» dans une mairie, sur un stade, dans une salle des fêtes, avant d'aller boire un coup au zinc du café de la gare et de remonter dans un train.

Aller partout, au maximum. J'ai voulu ça et c'est toujours mon dada. Je n'aime rien laisser dans l'ombre. Les chansons, les gens, les cantines parisiennes, les cabinets ministériels, le top 50 et le club de foot du stade Malherbe caennais, j'ai essayé d'attraper tous les trains, au sens propre comme au figuré. Et le grand réseau de la province s'est retrouvé dans l'audience de mes émissions. Donnant donnant. Ceux que vous voyez vous voient, ceux que vous aimez vous aiment – c'est la loi.

Aujourd'hui, dans les courbes médiamétriques, je vois apparaître une troisième génération de téléspectateurs en régions. Et, contrairement à ce que l'on croit à la terrasse du Flore, cette foule n'est pas particulièrement dépendante des modes de Paris.

Je l'avoue, j'ai voulu me construire une carrière sans faille. On pourra me taxer d'arrivisme et d'ambition, mais je ne me reconnaîtrai jamais vraiment dans ces mots. Ce serait trop simple. J'ai fait le job sans commettre aucun crime et je n'ai presque pas de honte. Quelques culpabilités peut-être, dont je parlerai.

Je n'ai pas d'attachée de presse et n'en aurai jamais. Je suis de Paris et de province, à travers un public qui de Dunkerque à Nice m'a maintenu dans la lumière. J'en parle parce que c'est le sujet de ce livre. Ce sont les gens la lumière. Qu'ils se détournent de vous et il fait noir. Les critiques et décideurs de Paris-sur-Seine n'y changeront rien — bien souvent ils suivent davantage qu'ils n'innovent.

Un pigiste de *La Voix du Nord* ou du *Dauphiné libéré* a mon numéro de portable aussi bien que le rédacteur en chef de *Paris Match*. S'il a besoin de me parler, il tombera sur moi ou je le rappellerai. Huit heures de train dans une journée ne m'ont jamais fait peur : j'aime avaler les kilomètres. La lumière qui dure, celle qui vous assure le soutien populaire, je l'ai toujours vue briller dans le réseau en étoile de la SNCF.

Il faut aller partout où elle est.

J'ai eu de la chance et j'ai beaucoup travaillé, autant que je travaille encore. Dix, douze heures par jour souvent. J'ai fait tout ce qu'il fallait pour entrer et rester dans le cercle où aujourd'hui je respire comme un poisson dans l'eau. Ça a été long, très long. Mais je me souvenais trop bien combien sortir du cercle est douloureux. D'autres ont magnifiquement réussi des métiers publics en s'y prenant différemment. La célébrité rassemble tant de contrastes, de paradoxes. On s'y perd, on revient et ne revient pas. Avant de raconter cette histoire où tant d'hommes et de femmes, rois et reines d'un jour, des artistes, des monuments ont croisé ma route, je voulais définir comment la lumière est née pour moi.

Entrer dans la lumière

Entrer dans la lumière
Comme un insecte fou
Respirer la poussière
Vous venir à genoux
[...]
Toucher des musiciens
Sourire à des visages
À quatre heures du matin
N'être plus qu'une image
[...]
Et vous laisser venir
Comme un amant magique
Et vous ensevelir
Sous mon cri de musique
[...]

Patricia Kaas, paroles : Didier Barbelivien,
musique : François Bernheim

C'est dans l'enfance que naît cet étrange désir de lumière. Pourquoi ? Comment ? Je ne sais pas.

Presque tous les gosses rêvent d'être célèbres. Pourquoi certains vont y consacrer leur vie quand la plupart passeront à autre chose? L'immense majorité des artistes que j'interroge sur l'origine de leur vocation, sans hésiter, foncent vers leur enfance. Karine Viard m'a répondu : «Petite, je piquais les fringues de ma mère pour me déguiser. Je voulais être clown. Ou actrice.» Elle admirait Spencer Tracy. Nicolas Bedos, lui, se plantait devant une glace, attrapait un sèche-cheveux en guise de micro, enfilait une belle veste et une cravate de son père pour s'écrier : «Bonsoir! Je vous présente le sommaire de "Champs-Élysées" avec ce soir...» Il avait huit ans.

La lumière naît de l'enfance. Et de la rue, souvent. Les plus grandes vedettes viennent presque toujours du peuple qui les consacre. Coûte que coûte, elles s'évadent du monde où elles sont nées pour s'élever dans un autre. La première vie de Johnny Hallyday ressemble à *La Strada* de Fellini, c'est le fils de Giulietta Masina et d'Anthony Quinn, un enfant de la balle né sur le pavé où il a commencé par se battre à mains nues. Depuis il n'a pas cessé. Sa bataille aujourd'hui est la même que lorsqu'il avait treize ou quinze ans. Peut-être rêve-t-on plus fort à la lumière quand on n'a pas eu de quoi se chauffer? Comme Piaf, la goualante des pauvres gens. Comme Hervé Vilard, de foyers en familles d'accueil du Berry jusqu'aux bordels de Pigalle, lui aussi brûle son enfance quand il chante. La petite Zaz, c'est une Piaf des années 2000. Voilà trois ans à peine, elle chantait dans le métro. Même rage que dans le Paris des années trente ou soixante. Même rage de ceux qui ont eu faim, soif de tout – je ne parle pas seulement d'argent. Faim de s'en sortir. De casser la baraque. Se trouver. Respirer et faire rêver autant qu'ils ont rêvé quand ils faisaient la manche. On ose tout quand on n'a rien à perdre. Combien ont débuté en ramassant des pièces sur le trottoir? La première grande scène, c'est la rue. Le virus peut frapper n'importe qui. Dave, fils de professeur, parlait cinq langues. Toutes les possibilités de carrière s'offraient à lui, pourtant il est venu de Hollande sur son bateau à la fin des années soixante pour chanter sur le port de Saint-Tropez.

Les enfants de stars, aussi, ont parfois la révélation à domicile. Claude Brasseur a grandi dans le génie de son père, Pierre. Quant à Thomas Dutronc... Lorsque Thomas est venu préparer son «Vivement dimanche», je n'ai pas pu m'empêcher d'appeler le sien :

— Jacques, cette fois, viens...! Nous avons débuté ensemble il y a quarante-sept ans et maintenant je vais recevoir ton fils que j'ai connu bébé!

— Quoi! Salaud! Tu consacres un dimanche à Thomas et moi je n'en ai jamais eu un!

Jacques Dutronc est le champion toutes catégories de la mauvaise foi.

— Dis donc, ça fait dix ans que je t'attends, je te l'ai demandé vingt fois. Pour Thomas, tu vas te bouger quand même ?

Jacques n'est pas venu et c'est moi qui suis allé l'interviewer à Calvi où il m'a parlé de son fils avec beaucoup d'émotion et d'humour. Le retour du Messie ne ferait pas quitter à Dutronc sa Corse, sa horde de chats, ses cigares, son tuyau à eau pour arroser le jardin et son bar à vin pour arroser le jardinier et ses potes. Mais je me suis juré qu'il finirait par venir s'asseoir sur le canapé rouge.

Un prénom ne tient pas devant une légende. Le public n'imagine pas à quel point la notoriété des parents peut freiner les enfants du sérail. Être dans la lumière par filiation est une menace sur l'identité. Je l'ai perçu avec ma nièce Léa qui a hésité entre garder et abandonner le nom de Drucker. Au fil des années, j'ai vu beaucoup d'héritiers se battre, exister, puis se ranger. Préférer une discrétion confortable pour n'avoir plus à se mesurer à l'aura brûlante d'un père ou d'une mère célèbres. La presse s'intéresse à leur apparition aussi vite qu'elle se détourne de leur parcours. Double injustice.

À l'opposé de la naissance, il y a la chance. La fameuse exergue du roman de François Chalais, « La malchance... est une faute professionnelle[1]. »

---

1. *Les Chocolats de l'entracte*, Carrère.

Ne pas avoir de chance, c'est aussi une faute pour un artiste. À force de la provoquer, les grands la plient à leur volonté. L'opportunité se présente grâce à l'acharnement. J'ai fini par penser que la chance n'existe pas – ou pas beaucoup. Les vrais artistes n'en ont pas besoin. Celui qui veut vraiment entrer dans la lumière change le hasard en destin. Fabriquer sa chance est le premier signe du talent. L'artiste vrai se jette. Il y va. Sans autre recours que de décoller.

Même la téléréalité ou les «Star Academy», pleines d'ultraviolets aussi toxiques qu'éphémères, usinant des fantômes à la pelle, ont lancé des vrais chanteurs. Dès qu'on les a entendus, en quelques prestations, un coup de peigne, une styliste... ils ont commencé à devenir eux-mêmes. Nolwenn Leroy, tout de suite. Christophe Willem ou Julien Doré. Olivia Ruiz ou Jennifer. Graines de stars... avant de se déployer. Et ils sont là. En gros, deux cents sont passés, cent quatre-vingt-dix sont retournés d'où ils venaient, une dizaine se partage solidement l'espace du spectacle. Presses télé ou people se sont nourries du phénomène à la vitesse des prédateurs. Le principe selon lequel la notoriété récompense la compétence a été relégué aux oubliettes. Et pourtant, le fond n'a pas changé, les doués s'imposent pour devenir ce qu'ils seraient forcément devenus : des artistes dont la vie et les gens ont besoin.

Pour moi qui les ai connus et qui les connais presque tous, quel que soit le chemin par lequel arrive un artiste, dans les trois quarts des cas, ils ont en commun une volonté d'acier. Vouloir être acteur. Vouloir être chanteur. Faire ça, n'être bon qu'à ça.

Dans le magasin de chaussures de ses parents à Saint-Étienne, Muriel Robin rêvait de Romy Schneider dans *La Piscine*, film mythique. Elle a tracé sa route, aujourd'hui ce qui la tient, c'est encore ce rêve d'aller chercher un César dans un rôle à la Romy Schneider. Et je crois qu'elle ne vit que pour cet idéal.

Patrick Bruel lorsqu'il est allé pour la première fois voir Sardou ou Johnny à l'Olympia, même choc. Eux, ce sera moi. Je veux devenir ce qu'ils sont. Chanter. Être ça. Être star.

Un soir d'il y a vingt-six ans, j'ai vu un des Beatles enflammer le regard de Laurent Voulzy comme une torche. Dans les coulisses de la Maison de la radio, je présentais le premier Téléthon avec Claude Sérillon. Jerry Lewis en était l'invité d'honneur. Grand ami de ma femme qui avait tourné avec lui et Tony Curtis dans l'adaptation américaine de *Boeing Boeing*, Jerry Lewis était le fondateur du Téléthon outre-Atlantique et un des plus grands showmen de tous les temps. Ce soir-là, une heure avant le «show», assis dans le couloir des loges, j'aperçois Laurent Voulzy... Encore jeunot mais déjà connu grâce à son irrésistible *Rock-*

70

collection, il attendait à la porte de Paul McCartney. Comme un gamin, avec un poster et un feutre à la main.

— J'attendrai le temps qu'il faut. Tu n'imagines pas ce que c'est pour moi de rencontrer McCartney !

La fascination. Cette énergie-là, ce regard... C'est la plus belle chose dont j'aurai été souvent témoin dans mon métier.

— Attends, je vais aller lui dire qui tu es.

Je rentre dans la loge.

— Paul... le jeune qui attend dehors, c'est un chanteur connu et un très bon guitariste. Il a un son. Tu n'imagines pas à quel point tu comptes pour lui.

McCartney, qui n'en était pas à son premier fan, m'a fait « OK, OK... » avec un signe de la main et Voulzy est entré dans sa loge.

Je m'en souviens comme si c'était il y a une heure.

Quand on écoute le son de Voulzy, son sens mélodique, ce « grain », on ne peut pas ne pas penser aux Beatles. Depuis, tous les deux se sont revus. La dernière fois que McCartney est venu chanter à Paris, à Bercy, de la scène il a reconnu Laurent au quatrième rang et lui a lancé un clin d'œil.

Moi aussi, gosse, j'ai rêvé d'être une idole. Mais une idole du ballon rond. Je voulais devenir Just Fontaine ou Raymond Kopa, jeune footballeur des bassins miniers d'après-guerre. Je rêvais de rencontrer Pelé – et un jour de juillet 1970 j'ai commenté la finale Italie-Brésil à Mexico, il était sur le terrain pour la dernière fois en Coupe du monde. Pelé a été le dieu vivant du Brésil et de la planète du ballon rond pendant vingt ans. Un petit bonhomme d'un mètre soixante-dix qui faisait ce qu'il voulait une balle entre ses pieds.

Quand j'étais gamin, les grands joueurs m'enflammaient, et cette flamme est restée intacte. Un as du ballon continue de m'éblouir. Aujourd'hui le Pelé blanc s'appelle Messi – nom prémonitoire. Petit joueur de Barcelone, déjà le mieux payé du monde. Vingt-cinq ans : vingt millions d'euros par an. Cette montagne d'argent n'empêche pas la joie d'écrire son nom. Alors pourquoi ne suis-je pas devenu joueur de foot? La force m'a manqué. J'avais d'autres soucis. Trop tenu et miné par ma famille, je n'ai jamais sauté le mur.

Je finis par penser que le premier carburant de la gloire n'est pas le narcissisme, mais l'admiration. Quand elle se confond à l'imaginaire d'un gosse, avec un vrai talent, tout devient possible. Je le vérifie tous les jours. Les temps changent, mais les tremplins ne prennent pas une ride.

Un jeune qui rêve à travers un artiste s'accroche à la preuve vivante que son idéal peut devenir une réalité. Qu'il peut entrer dans le cercle, un jour. Il y croit puisqu'il croit en ses idoles.

Je me souviens de l'après-midi où Claude François m'a parlé de Frank Sinatra. De toutes les fois où Johnny a évoqué devant moi Elvis Presley. Je me souviens d'avoir présenté, tremblant, Didier Barbelivien à Léo Ferré. Il venait d'écrire «Léo», une chanson de huit minutes. Ferré l'a reçu et écouté pendant huit minutes. Il avait les larmes aux yeux.

— Quel âge tu as?

— Vingt-quatre.

— Et c'est toi qui as écrit ça? Tu vas en écrire d'autres, beaucoup.

J'ai été si souvent témoin de telles scènes. Autant que possible, je les ai toujours favorisées. Pour moi aussi, elles représentent le sel de la terre. Dans l'intimité d'une loge ou au hasard d'un restaurant, n'importe où. J'en connais chez qui la gloire a commencé en écoutant Jean Ferrat chanter Aragon sans même savoir que «La lettre à Elsa» était pour Elsa Triolet, compagne du poète. Et alors? Qu'est-ce que cela peut faire? J'en veux toujours aux intellectuels de gauche – les intellectuels le sont souvent – de faire la moue devant un manque de culture. Quand elle n'est que de l'érudition, la culture est un vernis.

Dans la maison de leur enfance, les petites sœurs Seigner passaient à longueur de journées des disques de variétés. Mathilde et Emmanuelle Seigner, petites-filles d'un immense sociétaire de la Comédie-Française, Louis Seigner, compagnon de Pierre Dux, Robert Hirsch et Jacques Charon dans la maison de Molière. Vous savez ce qu'elle écoute Mathilde aujourd'hui? Chimène Badi, Michèle Torr, Claude Barzotti... Jean-Claude Pascal! Des chanteurs à papa, des chanteuses à voix populaires.

Quand je remonte la fermeture Éclair de la petite robe noire de Mireille Mathieu, en 1965 dans les coulisses de l'émission «Télé Dimanche» de Raymond Marcillac, à côté d'un garçon haut comme trois pouces, surdoué, et qui porte bien son nom – Thierry Le Luron –, tous les deux rêvent très fort. De qui rêvent-ils? Elle d'Édith Piaf. Et lui de Henri Tisot, l'imitateur du Général qui tord la France de rire. Et de Luis Mariano pour le bel canto.

Chaque fois que je rencontre un artiste, je ne peux pas m'empêcher de lui demander: «Comment ça vous a pris?» C'est un tic, je veux connaître l'élément déclencheur. Huit fois sur dix ils retournent à l'enfance pour se revoir à sept, douze ou quinze ans en train d'admirer un artiste. On entre dans la lumière en s'y découvrant une famille. En choisissant ses maîtres. Cinquante ans plus tard, ce lien n'a pas disparu. Michel Leeb vous parle de Jerry Lewis et de Danny Kaye, Gad Elmaleh du mime Marceau. Jean-Marie Bigard de Robert Lamoureux. Karim Benzéma de Zidane. Eddy Mitchell de Robert Mitchum. Charles

Aznavour de Sinatra et Trenet. Juliette Binoche d'Annie Girardot. Arielle Dombasle de Brigitte Bardot. Guy Bedos de Lenny Bruce, showman américain génial à l'humour dévastateur. Alain Prost de Fangio. Omar Sy d'Eddy Murphy. Vincent Lindon de Jean Gabin. Belmondo de Jules Berry et de Pierre Brasseur. Jean Dujardin de Clark Gable et de... Belmondo.

Tous le font avec cette voix sourde des passions profondes ; les géants du passé y vibrent tout entiers. Après les avoir fait rêver, leurs idoles continuent de les inspirer et eux, en héritiers, les perpétuent à travers les générations.

J'ai vu Coluche revendiquer être un petit frère de Jean Yanne. Comme Pierre Desproges. Aujourd'hui, Walter, jeune humoriste belge qui travaillait dans mon équipe sur Europe 1, vénère Desproges et Antoine de Caunes. Qui lui n'oubliera jamais Coluche. La création abrite de magnifiques familles de solitaires.

Certains ont eu peur. Ils se sentaient une vocation mais l'appréhension du lendemain a pris le dessus. Les pressions familiales les ont détournés du but, ils ont suivi un chemin plus raisonnable. La passion peut les reprendre au premier tournant. J'en ai vu achever des études brillantes, assurer leur avenir jusqu'au restant de leurs jours. Mais parfois, rien à faire... Au moment de graver leur nom sur une plaque de cuivre, l'envie de jouer, chanter, se montrer, faire rire, les emporte. L'ennui les dévore et ils envoient tout balader. François-Xavier Demaison, trader aux États-Unis, est revenu se lancer en France. Humoriste en herbe, il a tout repris de zéro dans un café-théâtre... avant de devenir le Coluche d'Antoine de Caunes. Mathieu Madénian, autre jeune complice humoriste de «Vivement dimanche», a rangé sa robe d'avocat au barreau de Perpignan pour faire rire. Nicolas Peyrac son stéthoscope pour reprendre sa guitare en sixième année de médecine. Anne Roumanoff et Christian Clavier n'ont gardé de Sciences Po, rue Saint-Guillaume, que quelques camarades et aucun regret.

On entre dans la lumière parce qu'on ne peut pas faire autrement. C'est une religion personnelle. Un don et une maladie. Une catastrophe et un appel. Toutes les jeunes filles des années soixante s'habillaient en vichy et portaient la célébrissime petite frange. Pour la plus grande majorité, Brigitte Bardot n'aura été qu'une garde-robe mais, pour une poignée, BB s'est révélée être l'élément déclencheur. Grâce à Brigitte, elles vont tout tenter pour percer. Essais. Photos. Concours de circonstances, réseau. Maquette. Promotion canapé, parfois. De beaux et de moins beaux gestes. Qui a la naïveté de croire que la célébrité est le paradis des enfants de chœur? Aussi bien pour les hommes que pour les femmes, la mémoire du show-biz est pimentée d'anecdotes, vraies ou fantasmées et qu'on oublie. À partir d'un certain niveau de notoriété, tout peut concourir à la légende.

Jean Marais n'aurait pas fait sa carrière sans Cocteau – il s'en est d'ailleurs merveilleusement expliqué. Catherine Deneuve, astre naissant du cinéma, a vécu une liaison avec l'enfant terrible de la chanson, à la fois ange et démon : Johnny. Quand il chante «Retiens la nuit» dans *Les Parisiennes* en 1962, c'est pour Catherine Deneuve. Ils sont ensemble à la ville et à l'écran. Aujourd'hui, c'est Maïwenn qui fait éclater l'acteur Joey Starr avec qui elle partageait sa vie en tournant *Polisse.* Roger Vadim a lancé Jane Fonda. On peut s'aimer pour monter ensemble dans la lumière. Qui fait qui ? Brigitte Bardot était fiancée à Sacha Distel, guitariste de jazz surdoué, chanteur adulé. Tous les deux furent les icônes roses et bleues de l'idéal sixties. Quand Bardot tournera *Et Dieu créa la femme,* elle lui préférera Jean-Louis Trintignant. La conjonction de deux rayons du soleil. Une actrice redouble son aura au bras d'un acteur magnifique. Et vice versa. Tous ces couples ont fait chavirer des millions de gens et rêver le pays !

Deux idoles ont incarné ce phénomène jusqu'à la démence : Johnny et Sylvie. Au pied levé et au milieu des années soixante, pour enregistrer un vinyle, une jolie blonde timide remplace une choriste portée absente. Elle s'appelle Sylvie et vient de loin, de l'autre côté du rideau de fer, de Bulgarie. Johnny en tombe amoureux. À eux deux ils vont gravir et graver le sommet d'une époque. Le clou d'une génération. Pour faire carrière la volonté peut beaucoup, elle ne suffit pas pour créer une légende. Il faut une histoire et une forme d'innocence. Comment Johnny et Sylvie auraient-ils pu imaginer qu'ils allaient déclencher un raz de marée et tout un marché juteux ? Journaux, photos, reportages en boucle... Ils ont vécu l'explosion publique de leur amour comme deux lapins pris dans les phares. Du jour de leur mariage, Sylvie Vartan ne se rappelle qu'une cohue indescriptible, un vent de panique qui l'a terrifiée. Cela ne leur a même pas fait gagner des millions. Le pactole a profité surtout aux intermédiaires, éditeurs, tourneurs et producteurs. Le reste a filé entre les doigts des jeunes mariés. Dans leur sillage, la planche à billets a tourné à plein régime. La gloire est parfois un train à grande vitesse auquel s'accrochent tant de wagons que la star ne s'y reconnaît même plus.

« J'ai un problème, je sens bien que je t'aime » a transformé deux fraîches vedettes en un tandem de monstres sacrés. L'amour décuple la lumière. Ce couple a enflammé le panorama et chacun de son côté est resté une étoile. C'est un des rares duos où, après s'être quitté, chacun a poursuivi son ascension respective. Johnny, l'œil rivé sur James Dean, voulait faire de sa beauté une légende.

Alain Delon aussi a vite compris que rien ni personne ne résistait à son charme dévastateur, des clientes de la boucherie-charcuterie de Bourg-la-Reine où il avait été apprenti chez son beau-père jusqu'au prince Luchino Visconti.

Car enfin, fille de la volonté, la gloire est aussi celle de la beauté. Injuste par nature, elle préfère nettement celles et ceux qui sont jeunes et beaux. À de rares exceptions près, on peut même dire qu'elle ne s'intéresse qu'à eux.

Lorsque Montand épouse Signoret, ce grand escogriffe bien visible dans l'entourage d'Édith Piaf convole avec Casque d'or. Ils sont beaux. Idem quand Marylin Monroe devient Mme Arthur Miller, qui incarne l'archétype et le charme de l'intello juif new-yorkais. La gloire adore les physiques d'exception dont elle va faire des bombes – ou un style. Il lui faut une plastique pour créer une aura. Gainsbourg séduit Jane Birkin et leur couple va les starifier d'un coup. S'écartant du convenu pour un seigneur underground, l'irrésistible petite Anglaise va transformer la « beauté des laids » de Gainsbourg en figure de dandy. Car, dernier paradoxe, si la gloire se nourrit de beauté, dans son cercle personne ne reste laid longtemps. Son pouvoir va jusqu'à vous refaire une tête, un genre. Elle dépose son or sur votre silhouette – raison pour laquelle peu de gens peuvent lui dire non. Même Piaf et Cerdan, sur n'importe quel cliché noir et blanc, auréolés de la tragédie à venir, ils sont beaux. Aujourd'hui nous les trouvons même splendides. Pas la beauté sexy des vamps et des minets du Drugstore, la beauté vraie d'un couple, d'une femme au bras de son homme. Elle joue sa vie sur scène, lui la sienne sur un ring.

La gloire met de la beauté partout et la tragédie fige la légende, en plein ciel.

Parmi les plus grands, ceux qui ont fait vraiment rêver les gens, Gabin, Ventura, Delon n'ont pas eu besoin de passer par les cours. Leur gueule, leur allure, leur présence, jusqu'à leurs silences valent tous les diplômes. Karine Viard raconte en soupirant qu'elle a échoué à tous ses concours d'entrée dans les écoles d'art dramatique.

Au fond, la vérité est simple, d'où qu'ils viennent et quelle que soit la voie qu'ils empruntent, la majorité des stars passées, présentes et à venir arrivent sur le physique. Belmondo n'a pas foutu grand-chose au Conservatoire. Personne n'imaginait, ni lui ni même Godard, qu'en tournant *À bout de souffle* sans savoir le lundi les dialogues du mardi, ils mettaient en boîte un film mythique. Mais que serait ce classique sans l'innocence sexy d'un Bébel et d'une Jean Seberg irrésistible aux cheveux blonds coupés court?

La lumière peut se trafiquer. Un peu. De toutes les carrières que j'ai pu croiser, certaines sentaient parfois l'imposture. Mais elles ont duré le temps d'un tube, d'une mode – un feu de paille. Si l'arrivisme ne fait pas le talent, il peut faire gagner du temps à ceux qui en ont. D'excellents artistes peuvent se montrer prêts à tout, à jouer des coudes et des crocs, ils demeurent artistes avant d'être mafieux. Inventer des stratégies en vivant de manœuvres à la place du talent, je n'ai jamais vu personne gagner ses galons ainsi.

On arrive et on dure avec ses tripes et une somme de travail gigantesque. Une carrière ne peut pas tenir sur la falsification. Opportunismes, rencontres utiles, coups bas, oui, ça peut aider... Mais j'ai beau chercher, je ne trouve aucun exemple où l'imposture et la vénalité aient réussi à remplacer l'essentiel.

Ce qui ne s'explique pas ne peut pas être corrompu et il y a des choses qui ne s'achètent pas. Beauté, charisme, grâce, appelons tout cela la *présence*. Cette façon totalement inexplicable d'occuper l'espace au cœur d'une époque. D'attirer la sympathie, l'envie, la curiosité universelle. Cette magie si difficile à sonder est sans doute la forme la plus brute du talent.

En politique non plus, pas de carrière sans cette fameuse présence. De Gaulle et même Pompidou en avaient. En 1974, Valéry Giscard d'Estaing était la coqueluche des Françaises. En

1981, à cinquante-cinq ans, ce séduisant président le plus jeune de France est pourtant battu par un physique de IVe République. À cette date, François Mitterrand n'est pas si bel homme que ça, mais il a du charisme et il va commencer à s'en servir. Visites discrètes chez le dentiste, deux trois manitous communicationnels vont exploiter ses atouts. Pause grave, regard droit, maîtrise et profondeur. Sa présence phénoménale va le rendre meilleur à la télévision où il imposera un style souverain qui reste inégalé. François Mitterrand est parvenu à entrer dans la lumière avec les années. Comme François Hollande le fera peut-être. La fonction finit par faire l'homme, en général.

Le succès de Mitterrand, c'était d'abord l'esprit. L'intelligence érogène. Il en a fait sa marque. La gloire et le pouvoir lui ont ciselé un profil à sa mesure. Aujourd'hui, j'entends bien des femmes se souvenir de combien François Mitterrand... était beau. Avec son genre provincial d'Angoulême, son chapeau de feutre et son écharpe rouge... Malgré son allure de notaire, la lumière a fait de François Mitterrand un vrai monarque du XXe siècle, « le dernier des Présidents » comme il aimait à se nommer lui-même.

Si la gloire ne vous trouve pas assez séduisant, elle ne vous laisse pas dans cet état longtemps. Vigilance, look, conseils, frais techniques... elle vous fait rentrer, à coups de bistouri s'il le faut, dans le monde merveilleux des beaux.

Cette jouvence dure autant que la lumière dure. Et la lumière a un œil particulièrement affûté pour repérer les potentiels. Un éclat, une dégaine, un charme diffus... Qui aurait prédit en regardant «Un gars, une fille» que cet acteur télé-visuel, trentenaire, soupe au lait et sympathique irait dix ans plus tard en smoking chercher un Oscar au pays de Clark Gable, incarnation du French Lover avec un film noir et blanc devenu notre plus chic succès international?

Personne.

Même pas Jean Dujardin, qui d'ailleurs n'en revient pas tout à fait lui-même.

Je m'voyais déjà

[...]
J'ai tout essayé pourtant pour sortir du nombre
J'ai chanté l'amour, j'ai fait du comique et d'la fantaisie
Si tout a raté pour moi, si je suis dans l'ombre
Ce n'est pas ma faut' mais cell' du public qui n'a rien compris
[...]
On ne m'a jamais accordé ma chance
D'autres ont réussi avec peu de voix et beaucoup d'argent
Moi j'étais trop pur ou trop en avance
Mais un jour viendra je leur montrerai que j'ai du talent
[...]

Charles Aznavour

Et puis il y a ceux qui attendent au pied des feux de la rampe. J'en ai vu beaucoup patienter des jours, des mois, des années pour entrer dans le cercle. Parfois c'est moi qu'ils viennent attendre mais je sais qu'à travers Michel Drucker c'est un rêve qu'ils cherchent. Sur le trottoir. Au Studio.

Parfois devant mon domicile. À la porte des hôtels en province. Souvent les mêmes, été comme hiver, viennent croiser mon chemin. En m'abordant ils espèrent un coup de pouce. Pour la plupart ils ne veulent pas devenir des vedettes, non, juste se faire une petite place au soleil, partager l'aventure des tournées, des tournages. Cette arche qui leur paraît aussi belle qu'elle le fut pour moi voilà presque cinquante ans.

Je pense en particulier à un garçon au bas de l'immeuble d'Europe 1... Tous les matins, rue François-Ier, il m'attend. Il vient de Nancy. En passant je lui dis : «Je t'oublie pas. »

Je ne sais pas exactement pourquoi je lui dis cela. J'ai autre chose à faire, tout le monde a autre chose à faire. Mais cette image de l'anonyme au bord du trottoir, dans le renfoncement d'une porte, j'en fais une question personnelle.

L'an dernier, par un matin pluvieux, plus triste peut-être, je me suis dit je ne peux plus le laisser là. «Viens par là. » Il est entré à Europe 1. Les vigiles qui le connaissaient ont crié : «Et le jeune homme, là, il a son badge ? » En le poussant dans le tourniquet, j'ai répondu : «Il est avec moi. » Nous avons fait tous les étages, je l'ai promené de bureau en bureau en le présentant partout. «Donne-moi ton CV. » Deux jours plus tard, je l'ai retrouvé à battre la semelle devant la station. Il en est à sa troisième année. Trois, quatre fois par semaine. C'est à la fois incroyable et ordinaire. J'arrive à huit heures trente devant Europe 1, lui il est là depuis sept heures. Qu'il fasse nuit, qu'il fasse froid, il est là. Tout seul. Voûté dans son blouson.

— Michel, bonjour. Ça va? Je ne vous dérange pas? J'ai confiance en vous. Je sais, je suis pas le premier, d'autres ont attendu plus longtemps que moi...

Ça me bouleverse. Je m'arrête, nous échangeons trois mots. D'autres animateurs passent à toute vitesse. Je ne peux pas ne pas le remarquer – et d'ailleurs il me dit : «Avec vous, c'est pas pareil.» Cette façon d'être brusquement touché et préoccupé par quelqu'un n'a rien de systématique. Rien n'est systématique dans la vie. Appels, pressions, demandes, j'en reçois des dizaines chaque semaine. Des gens à recevoir, à placer, des recommandés. Urgences et renvois d'ascenseur. Je sais très bien faire le mort. Mais lui, au pied d'Europe 1, ce n'est pas pareil. J'ai l'impression que ce jeune homme pourrait être moi. À force, il est devenu mon challenge... Je voudrais qu'il arrête d'attendre. Lui trouver quelque chose. Et je voudrais être sûr qu'il mange. Je n'ose pas lui poser trop de questions. Où dort-il? Il a un bon physique, très touchant, dans les vingt-cinq ans. Jamais je ne lui ai donné d'argent parce que ce n'est pas de l'argent qu'il me demande. Comme lui j'attends. J'attends le jour où il ne viendra plus ou bien celui où j'aurai enfin pu déclencher un événement qui changera le cours de sa vie.

Je m'aperçois que je ne connais même pas son prénom.

J'ai hésité à raconter ça, à passer pour un démago. Mais tant pis. D'abord parce que jusqu'à présent je n'ai encore rien fait pour lui sinon le saluer, et tout à coup j'y pense, là, maintenant dans le bureau où nous travaillons, Jean-François Kervéan et moi. Nous sommes samedi, je reverrai cet inconnu probablement lundi, comme tous les lundis et presque chaque jour de la semaine. C'est lui soudain que je vois en réfléchissant sur la lumière et l'oubli. J'en ai croisé des dizaines comme lui. Des inconnus au fil des jours.

Si certains me touchent autant, parfois, pas tout le temps, mais souvent, c'est peut-être parce que j'ai toujours considéré mon entrée et mon évolution à la télévision comme un accident. Un coup de chance.

Nul ne peut savoir de quoi demain sera fait. Ce qui se passera pour cet inconnu ou pour moi. Et mes souvenirs de 1960 à Vire, 1968 à Paris ressemblent à ce jeune garçon isolé, originaire de Nancy, qui m'attend à la porte d'Europe 1.

Parfois, ça tourne autrement. Je me souviens de ce grand type, très sympathique, qui lui aussi m'a dit trois mots de sa vie, de son papa qui travaillait dans les supermarchés. Notre première rencontre date d'il y a plus de vingt ans. Quand j'ai quitté le service public remercié par Philippe Guilhaume pour passer sur TF1 et animer « Star 90 », j'ai demandé à faire moi-même les bandes-annonces de mes émissions. La direction de la chaîne m'a prévenu : « Écoute, aucun animateur n'enregistre ses bandes-annonces, nous avons des professionnels pour ça, mais fais comme tu veux. »

Toutes les deux semaines, je me suis rendu dans le XV⁰ arrondissement. Dans le studio voisin du mien, réservé aux doublages et aux pubs, je croise un jeune type. Je l'entends faire les annonces des grands rendez-vous de la Une. Je ne peux pas ne pas le remarquer, il a une tache de vin entre les sourcils qui descend le long de son nez. Il vit et joue de sa voix formidable. Fait quelques imitations marrantes, bref il croûte. Comme il est sympathique, nous devenons copains. Un jour, Nagui crée « La brosse à dents », un jeu avec un personnage animé en incrustation, une marionnette numérique qui intervient sur son plateau. C'est ce garçon qui lui prête sa voix. Nous ne nous perdons pas de vue, je le suis de loin. Vingt ans plus tard, Jean-Luc Reichmann est devenu l'homme incontournable des jeux de TF1, « Attention à la marche », « Les douze coups de midi »... le poids-lourd de l'audience sur la Une. Dans le top 5 des animateurs préférés des Français. Ironie du sort, si fréquente en télévision, aujourd'hui il est en concurrence frontale et quotidienne à la mi-journée avec Nagui sur France 2 et c'est souvent lui qui gagne le match de l'audimat.

De tels exemples j'en ai beaucoup. Jusqu'à un jeune homme que sa fascination pour la lumière des stars va tout simplement faire entrer dans notre vie à Dany et moi, au cœur de notre maison. C'est Claude.

En 1974, un garçon timide m'attendait hiver comme été sur le trottoir de RTL où j'animais «La grande parade». Il guettait les stars, se faufilait dans le public des enregistrements et j'ai pris l'habitude de le faire entrer parmi les premiers. Les mois ont passé, un jour nous bavardions, il m'a appris qu'il avait quinze ans et un CAP de cuisinier, qu'il cherchait du travail. Quatre décennies plus tard, il est toujours chez nous, bon génie incontournable de notre foyer et pas seulement de la cuisine. Fin cordon bleu, ami des bêtes, ma femme Dany, notre fille Stéfanie et moi le considérons comme un membre à part entière de la famille.

Dalida, aussi, a découvert parmi ses fans son futur assistant qui en quelques mois est entré dans sa vie pour y devenir irremplaçable. Ce fut Antoine pour elle; il est aujourd'hui encore l'assistant de son frère Orlando.

Tant de changements peuvent commencer par un début minuscule, un regard, un signe.

Rue Jean-Mermoz, près des Champs-Élysées, se trouve le siège de ma société de production. Juste en face il y a un hôtel – l'hôtel Jean-Mermoz. Nos fenêtres donnent sur ses chambres. Dans les années soixante, deux jeunes y ont attendu la gloire. Un ex-parachutiste qui rentrait d'Indochine et à l'autre bout du couloir, dans une des modestes chambres à la semaine, une chanteuse qui avait été Miss Égypte. Elle s'appelait encore Yolanda Gigliotti. Lui portait un nom plus courant, Delon.

Dalida n'était pas encore Dalida, elle n'avait pas encore rencontré Lucien Morisse, patron des programmes sur Europe 1 qui la lancera en achetant pour elle les droits de «Bambino» et qui deviendra même son mari. Bien plus tard, j'ai appris qu'Alain Delon et Dalida s'étaient aimés dans cet hôtel. Quand ils sont venus chanter «Paroles, paroles...» un jour de 1976 sur notre plateau, nous avons bien perçu un lien entre eux plus fort qu'une chanson. Sans dire un mot de ce souvenir, ils revenaient en duo sur leur jeunesse, sur les deux amants de la rue Jean-Mermoz, sur leur amour dont personne ne savait rien, sauf eux.

Beaucoup ont attendu la gloire en se tenant chaud. Le couturier Ted Lapidus a patienté dans une soupente de la place du Tertre avec son copain Charles Aznavour. Leurs vaches maigres ont inspiré un chef-d'œuvre de notre patrimoine musical, «La bohème». Et un second, un peu plus tard, «Je m'voyais déjà». En deux fois trois minutes, tout est dit. Toute l'attente de la gloire. Dans «La bohème», les repas de rien, la copine qui pose nue pour le peintre sans le sou. Dans «Je m'voyais déjà» le premier costume de scène, le baptême du feu des petits galas qui tordent le ventre de trouille. Le «pourquoi lui réussit et pas moi»? Je pourrais mettre un nom d'artiste sur chaque vers de cette chanson. Celui qui frôle le succès et qui ne comprend pas. Celui qui dit : Le public n'a aucun goût, la critique est pourrie. Celui qui réalise que son nom ne brillera jamais en néons rouges sur la fameuse façade de l'Olympia. Pas ma faute, la faute des autres qui n'ont rien compris. J'ai pas eu ma chance... Cette rengaine peut durer toute une vie.

On avance au bord du premier rayon du soleil, il éclaire le bout de vos chaussures et puis on va vivoter vingt, trente, cinquante ans dans ce clair-obscur. C'est le cri terrible de Woody Allen : *«What is worse, to be a has been or a never was?»* Qu'est-ce qui est pire, être un has-been ou n'avoir jamais été personne?

J'ai un grand ami, Carlo Nell, qui va sur ses quatre-vingt-dix ans et dont toute la carrière au cinéma se résume en quelques minutes. Un seul plan dans d'innombrables films. Mais il y a cru toute sa vie. Comme tous les artistes qui ont vécu de ce métier en attendant la gloire chaque matin, aussi touchants au fil des années que ceux qui ont fait le grand saut vers le succès. Tous ces artistes qui survivent entre Assedic, congés spectacles, cachetons, galas. Belmondo et Delon qui tournaient cinq longs-métrages par an filaient toujours à Carlo un rôle de chauffeur, d'huissier... Parfois une phrase de texte. Et Carlo me lançait :

— T'as vu *Le Samouraï*? Alors comment tu m'as trouvé ?

— Carlo, excuse-moi, j'ai vu *Le Samouraï* mais j'ai dû être distrait...

— Quoi ! Mais si ! La scène avec le commissaire, François Périer quand il me demande le dossier... Ah, revois-le et dis-moi !

Quand j'ai revu *Le Samouraï*, effectivement j'ai aperçu Carlo. La porte s'ouvre et un grand type l'air un peu hagard dit : «Monsieur le commissaire, voilà le dossier...»

C'est Carlo Nell !

Soixante-dix ans d'apparitions, mais il est devenu quelqu'un dans le milieu et dans ma vie. On se voit presque tous les dimanches.

Tout jeune, lorsque j'étais de service de nuit à Cognacq-Jay, il passait me voir vers minuit. Pas de badge, à cette époque-là. Je lui donnais les journaux, les magazines où il biffait les castings, des infos sur le métier... et surtout je le laissais téléphoner à son cousin sicilien à New York. C'était noyé dans la facture de l'ORTF.

— Michel, il est six heures là-bas, j'appelle New York. Mon cousin attend mon coup de fil...

— Vas-y Carlo, mais pas quatre plombes.

Longtemps, il est venu à « Vivement dimanche » une fois par an nous raconter une blague sur le canapé rouge. Il prévenait son copain journaliste au *Parisien* qui l'annonçait d'un entrefilet. Et cette double promo annuelle suffisait à lui renouveler son contrat chez Ma Cousine, un cabaret montmartrois.

Carlo Nell a épousé Franca Duval, meneuse de revue aux Folies Bergère – une fille sublime. Il est l'exemple bien vivant de ces comédiens qui sont l'essentiel du peloton mais qui jamais ne vous montreront leur peine. Je ne l'ai jamais vu ne pas sourire. Il ne va jamais mal.

— Ça va, Carlo ?

— Pleine bourre. Je suis sur le prochain Delon !

— Ça va Carlo ?

Il passe en courant avec un script énorme sous le bras.

— Je file voir Besson.

— Luc ?

— Non, l'assistant.

— Bernieux ?

— Non, l'assistant de l'assistant de Besson.

En 1960 déjà il passait au Milord l'Arsouille ou chez Ma Cousine. Un demi-siècle au cabaret à distraire les touristes avec des histoires drôles. Le dernier des chansonniers à raconter des blagues devant un public souvent bourré et qui mange. Vingt minutes sur scène. Et chaque soir pendant des lustres il est redescendu de Pigalle jusqu'à l'Alma, à pied. Le dernier métro était parti. De nuit, Carlo traversait Paname pour remonter dans son petit appartement, au-dessus du café de mes débuts où j'ai toujours mes habitudes. Ces milliers de nuits sont pour moi le roman magnifique et jamais écrit du métier. Vous le trouvez pathétique? Moi, je le trouve flamboyant, comme un héros de comédie italienne.

Au café de l'Alma, on le croise chaque fin de semaine, tout le monde le connaît, les célébrités et les garçons, tout le monde l'adore. Un dimanche sans Carlo n'est pas vraiment dimanche. Au fond il est devenu quelqu'un, au moins au café de l'Alma. Et chaque semaine, après la diffusion de mon émission, j'ai droit aux félicitations sonores et siciliennes de Carlo Nell à 20 heures pétantes sur mon répondeur.

Il adore toujours le sport, la boxe, le ballon, c'est par le sport que je l'ai connu à la fin des années soixante, dans l'équipe de foot des Polymusclés dont Belmondo était le gardien de but. Tout de suite et pour toujours, nous avons été copains.

À dimanche, Carlo, onze heures comme d'habitude.

J'ai connu un autre acteur qui a fait trois cents films. Dans deux cents, il ouvre une porte, lâche un mot et disparaît. Vingt ans de panouilles. Vingt ans de piano-bar aussi, d'un restaurant l'autre, entre deux battants de porte, «Pousse-toi, Louis!». Vite fait, sur un coin de zinc, il avalait une assiette froide. Cette autre ombre anonyme était un excellent musicien.

À cinq-six heures du mat' lui aussi rentrait chez lui, pour s'écrouler dans son lit sous les toits. Jeanne, sa femme, levait les enfants pour l'école. Il les voyait le temps d'une bise. Et pile au moment où il allait s'endormir, le menuisier ouvrait son atelier du rez-de-chaussée et commençait à scier du bois.

Cette ombre s'appelait... Louis de Funès.

Un beau matin, très tard, le succès est venu se poser sur son épaule. De Funès est devenu un nom, une vedette, une star, une méga star. Quand ma femme a tourné avec lui *Une souris chez les hommes* en 1964, son nom était encore en dessous de celui de Dany Saval, tête d'affiche du film. Le de Funès du *Corniaud,* de *La Grande Vadrouille,* du *Grand Restaurant* avait déjà cinquante, cinquante-cinq ans – dont trente passés en tout petits rôles au cinéma. Il s'est éteint à soixante-neuf ans d'une crise cardiaque. Carrière courte. Mais géniale.

Aujourd'hui je ne peux pas penser à Louis sans penser à Carlo et réciproquement. Carlo Nell et Louis de Funès sont les deux profils de la même médaille.

Nous nous reverrons un jour ou l'autre

Nous nous reverrons un jour ou l'autre
Si vous y tenez autant que moi
Prenons rendez-vous
Un jour n'importe où
Je promets que j'y serai sans faute
[...]
Nous nous reverrons un jour ou l'autre
J'y tiens beaucoup
[...]

Charles Aznavour, pour Thierry Le Luron,
paroles : Jacques Plante

La vie est belle quand on a du succès et tout devient gris quand on n'en a plus. C'est pire que la météo, la reconnaissance. Cela dit, on peut y échapper. S'affirmer dans son métier, se consacrer à ses proches ou à autrui peut amplement remplir une vie. La plupart des gens ne se soucient pas d'acquérir la moindre célébrité et trouvent parfaitement satisfaisant de demeurer des anonymes. Au contraire certains Rastignac ne pensent qu'à ça; les feux de la rampe, les flashes jusqu'à l'éblouissement. Vouloir plus, vouloir tout.

Pascal Sevran, coûte que coûte, voulait cette reconnaissance de Paris et du monde. Comme Fabrice Luchini, Pascal était garçon coiffeur, issu d'un milieu modeste de la banlieue ouest, bercé par *L'Huma*, Jean Ferrat, Aragon, Jacques Duclos, Georges Marchais et Henri Krasucki. Le marxisme d'une classe ouvrière qui croyait encore au Grand Soir. Il y a grandi avec un don : celui d'écrire très bien. À l'aube des années quatre-vingt, peu sûr de moi, je lui avais demandé de me rédiger ce que l'on appelle dans le jargon du métier des « lancements » pour enchaîner les sujets ou présenter mes invités. Il signait aussi de jolis textes de chansons et des articles dans *France Dimanche* sous le pseudonyme de Mathieu Blanchard.

En vérité il débutait partout, rêvant d'être écrivain autant que chanteur. Le public l'a vu apparaître sur les bancs du fameux « Petit Conservatoire » de Mireille. Pascal adorait la chanson française, toutes ces rengaines, ces complaintes que chantaient les ouvriers en congés payés, Francis Lemarque, Jacques Brel, Yves Montand, Catherine Sauvage, Mouloudji... Cette chanson de gauche protestataire et poétique faisait le lien entre son milieu social dont il allait s'éloigner sans le renier et sa sensibilité artistique. Au fond, il retrouvait ses racines dans cette musique venue des cabarets enfumés où régnait la fraternité. Bobino, rue de la Gaîté à Montparnasse, était plutôt rouge, maison de Georges Brassens, Anne Sylvestre, Barbara et plus tard Guy Bedos. L'Olympia, sur les grands boulevards, plus bourgeois, représentait davantage les vedettes et les soirs de première. Sevran, d'emblée, incarnait tout cet héritage.

Je l'ai connu grâce à Dalida. Dany l'avait côtoyé avant moi – il lui avait écrit, avec Pascal Auriat, une jolie chanson, «L'hôtel particulier». Auteur, romancier, chanteur – Pascal s'était lancé le défi du «À nous deux Paris!». Même si le Limousin qu'il avait connu l'été avec ses parents constituait déjà un ancrage qu'il garderait toute sa vie. C'est là-bas, en province berrichonne, qu'il préférera mourir.

Au «Petit Conservatoire» de Mireille, ancêtre de la «Star Ac'», il croise Françoise Hardy et Alice Dona qui viennent accomplir leurs classes à la télévision. Mais Pascal Sevran ne s'en contente pas. De Mireille, il passe à son mari Emmanuel Berl, séduisant le couple. Durant quelques années il sera le secrétaire du philosophe Berl au Palais-Royal, tout en continuant de progresser dans le milieu littéraire avec succès. En 1979, il recevra le prix Roger Nimier pour son roman *Le Passé supplémentaire*. Pascal ne se fixe pas, il avance, il court. Par Dalida, il va percer et conquérir le cercle mitterrandien et on le retrouvera vite à Latché ou en train de grimper en croquenots la roche de Solutré à chaque Pentecôte. Dès l'intronisation de 1981, dans ce cortège mémorable du Panthéon, Pascal Sevran est là, la fleur à la main, sur toutes les photos de la vague rose, bras dessus, bras dessous avec Jack Lang, entre Roger Hanin le beau-frère, Charles Hernu, Roland Dumas en costume beurre frais et Dalida en robe floue. Il est là grâce à elle, une des égéries du régime. Moi aussi j'avais connu une égérie, quinze ans plus tôt, avec Michèle Arnaud qui avait un escarpin à droite, un autre à gauche pour s'assurer de ne jamais rater une marche. Sans elle, je serais sans doute resté journaliste sportif – j'aurais fait une belle carrière à la Gérard Holtz.

Sevran, en écureuil très vif, fait le siège du Paris qui chante et qui pétille, comme j'avais fait celui de l'ORTF. Nous avions cette expérience en commun, à quinze ans d'écart, moi descendant du Paris-Granville et lui du taxi paternel. J'aime l'ascension, la belle aventure du succès. Avoir le souci des oubliés ne m'empêche pas d'apprécier ceux qui réussissent.

Très vite, Pascal est comme un poisson dans l'eau dans deux univers, littérature et variétés. Si nous oublions presque tout, quelques exceptions échappent à cette règle, aujourd'hui beaucoup se souviennent encore qu'il a cosigné avec Pascal Auriat l'hymne de Dalida, «Il venait d'avoir dix-huit ans», où planait déjà sa tragédie. Et puis, Pascal Sevran entre dans le sillage de l'homme qui va diriger la France pendant deux septennats, François Mitterrand.

C'est par Pascal que je me rapprocherai un peu de ce cercle qui se recoupe avec les fréquentations politiques de mon frère Jean. Jeannot fréquentait aussi Charles Hernu, Catherine Tasca, Thierry de Beaucé, Bertrand Delanoë et surtout Jack Lang, historique ministre de la Culture... Par cette «bande», j'apprendrai que François Mitterrand appréciait «Champs-Élysées» et j'en serai flatté.

Au fil des années quatre-vingt, Sevran va s'employer à transformer son image un peu vieillotte de Monsieur Loyal pour thé dansant – même si Renaud, Céline Dion et Patrick Bruel sont passés pour la première fois chez lui. Le grand Charles Trenet l'autorisera à utiliser sa «Chance aux chansons» comme générique de son émission. Et il va réussir cette performance rare, en assurant plus de cent galas par an devant un parterre populaire et provincial, de devenir quelqu'un qui compte à Paris – son rêve. Animer et produire des heures de télévision, écrire des livres – son fameux journal en neuf tomes, succès critique et de librairie. Car Pascal, autodidacte, est beaucoup plus brillant et plus cultivé que bien des gens qui prétendent faire le goût. Ce qu'il connaît, il le connaît bien. Au sens noble, il incarne le jeune arriviste romanesque qui a les moyens de ses ambitions. Certes, il demeure toujours plus aisé de réussir quand on se place du bon côté du manche. À la fin de sa vie, Pascal se rapprochera de Nicolas Sarkozy, nouvel homme fort du régime. Mais je crois que ce fut pour les mêmes raisons qui avaient déjà tissé un lien entre lui et François Mitterrand : la chanson française.

Pascal reste avant tout un personnage. Dans les dernières années de sa vie, installé dans un splendide appartement de l'île Saint-Louis face à Notre-Dame, avec boiseries du sol au plafond, il faisait salon littéraire, conviant à dîner tout ce que la capitale compte de gens importants. Jacques Attali, Bertrand Delanoë, Yann Moix, Philippe Besson ou Marc-Olivier Fogiel en étaient les habitués. Sa tribu, son clan. Pascal restait sans cesse à l'affût, s'intéressant à tout ce qui se passe et à ceux qui émergent. Mêlant le goût de la consécration à celui des talents nouveaux, comme tous ceux qui aiment véritablement les artistes et les œuvres.

En vingt ans, je l'ai vu, lui, venu d'Antony la rouge, prendre une place auprès du public, du pouvoir et des coteries, le triple ticket !

Notre métier reste Versailles, la cour existe toujours en France. Probablement la haute silhouette solitaire du général de Gaulle n'en avait-elle pas besoin, mais la cour que j'ai découverte dans l'entourage de Pompidou, je l'ai vue se reformer sous Giscard, Chirac, Sarko, et tout aussi naturellement autour d'un président socialiste, grosso modo identique. Mêmes manières, mêmes tics, mêlant les opportunistes aux esprits forts, les égéries aux courtisans, les amis de toujours aux copains et aux coquins du moment.

Si Sevran a très bien évolué à la télévision dans les années Mitterrand, il n'a pourtant probablement rien eu à demander. C'est la cour, souvent, qui s'empresse de faire plaisir à un favori. Tous les patrons sont aux petits soins avec ceux qui ont l'oreille du roi – pas seulement à la télévision. Anticiper, donner un coup de pouce à un proche du pouvoir avant qu'on ne vous le demande vous fait doublement apprécier – tout un savoir-faire. Je ne suis donc pas certain que Pascal Sevran ait sollicité ses appuis à l'Élysée, comme Line Renaud n'a sûrement pas eu à le faire au temps des Chirac – elle est marraine d'une de leurs deux filles, Claude. Inutile de réclamer pour se voir ouvrir les portes. Aux yeux du landernau des décideurs, savoir que vous dînez régulièrement avec «Dieu» suffit pour que pas mal de choses aillent de soi. Vous êtes en cour, vous êtes quelqu'un. Vos projets ne sont pas des ordres, mais pas loin.

Pascal a adoré ces jeux-là et je ne le lui reprocherai pas. Dans les allées du pouvoir, il suffit qu'on vous croie influent pour le devenir, c'est un monde encore plus glissant que celui de la télévision où le public et l'audience bornent les ambitions. De toutes les carrières, la politique est celle qui favorise le plus la mégalomanie. Mais elle a un avantage certain, le réseau politique vous amène à tous les autres, il distribue toutes les portes. Quand on va à l'Élysée un soir de semaine, en week-end à Latché ou en Corrèze, l'été à Brégançon ou au cap Nègre, cela se sait et en revenant on peut aller partout. C'est comme ça. Les patrons du service public télévisuel, en voyant arriver Pascal Sevran, imaginaient qu'il avait dîné la veille avec « Tonton » et que, entre la poire et le fromage, leur conversation avait dû donner à peu près cela :

— Alors, Pascal ? Racontez-nous, il se passe quoi sur Antenne 2 ?

À cette seconde, en trois mots, vous pouvez assassiner ou soutenir qui vous voulez, un animateur, un programme, pousser votre poulain ou vos intérêts. Cet instant précieux porte bien son nom : le pouvoir de nuisance. Faire approuver ou condamner un homme, un travail, d'un mot du roi devant ses barons qui en prendront bonne note. C'est l'avantage d'être proche du trône. Depuis toujours. Et ça n'a pas de prix. Cinq républiques n'y ont rien changé. Mon frère Jean ne les aimait pas beaucoup, ces convives impromptus. Visiteurs du soir et conseillers occultes furent même sa bête noire à la fin.

Pascal n'était pourtant pas de ceux-là, il avait trop de passion pour manigancer, trop d'ironie, d'amour-propre aussi, la vie lui avait assez souri et l'argent ne l'intéressait pas vraiment. Une fois bien installé à Paris et en Limousin, il ne savait pas quoi faire de sa fortune, sinon d'étendre et d'embellir sa merveilleuse propriété de Morterolles.

À partir du réseau politique, on accède aussi au pouvoir de la presse. À la table du prince viennent manger les propriétaires et les patrons de journaux, leurs éditorialistes en vogue. Sous les lambris dorés, ils aspirent autant à s'informer qu'à être reconnus, ils fréquentent les ministères, les salles à manger et les cantines du pouvoir au nom de la sacro-sainte information. On ne leur y dira pourtant que ce que l'on veut bien leur dire. Le «off» est l'activité première des restaurants du quartier de l'Alma, du Marius et Janette au Tong Yen de Thérèse (la physionomiste la plus pointue de la capitale) en passant par le grill du Plaza et chez Laurent à deux pas du «Château» pour ceux qui n'ont pas de problème de notes de frais... Tout Paris passe son temps à déjeuner avec ceux qui ont déjeuné avec ceux qui ont déjeuné aux tables où tout le monde ne s'assoit pas. C'est un effet de cascade.

Je le sais pour le vivre moi-même. J'ai débuté avec la plupart de ceux qui sont devenus patrons de journaux ou de médias. Parfois, je les vois davantage que leurs propres journalistes. Rien n'est dit mais le jeu continue, les réseaux tournent à plein.

La comédie humaine, quoi.

Pascal Sevran illustre merveilleusement ce jeu d'escalier, où il était très doué. Deux septennats dans le cercle du monarque avec le soutien populaire et un talent évident fortifient l'ego. Il est devenu plus important encore qu'on ne l'a cru. Un moment Jack Lang le chargea même d'une mission officielle pour la défense de la chanson française. Il savourait cette responsabilité sans perdre sa liberté. Pascal était mon ami. Il n'avait rien oublié de la brève période où je lui avais fait gagner un peu mieux sa vie quand il en avait encore besoin.

Enfin, j'en arrive à la qualité première à mes yeux : d'un bout à l'autre de sa vie, Pascal Sevran a préféré l'humour à tout. Le grand mot est lâché, celui qui vous protège le mieux du pouvoir et des vanités : dérision et autodérision. Pascal avait du caractère, bon et mauvais, ses caprices pouvaient tourner à la fureur, mais jamais assez pour briser son humour. Rire des autres et de soi ne s'est jamais éteint chez lui. De tous les dons, l'humour est celui que j'admire le plus. Je ne suis jaloux de personne, sauf parfois de ceux qui sont très drôles. Chez Pascal Sevran un trait d'esprit fusait à la minute, son ironie distribuait les vacheries, aussi follement méchantes que spirituelles.

Rire est le fortifiant de la lucidité.

Je ne peux pas l'évoquer sans citer Jacques Chazot et Jean-Claude Brialy. Les hommes comme les carrières peuvent être liés par une filiation. Que ces trois disparus reposent en fraternité. Sevran était le benjamin de Chazot et de Brialy. Peu de grands dîners, trente ans durant, se sont faits sans un des membres de ce brillant trio de solitaires.

On voyait Jean-Claude Brialy rive droite et rive gauche, aussi bien dans les Alpilles qu'à Saint-Tropez ou à Monaco. Il a fini par ouvrir son propre restaurant, L'Orangerie, pour réunir ses géographies et ses amis. Jacques Chazot, lui, n'a jamais rien ouvert, il n'était même pas capable de remplir une feuille d'impôts et pensait que Fisc était une marque de dentifrice. Contrairement aux deux autres, Sevran n'était pas un véritable mondain. Un jour il m'a dit : «J'ai trop de livres à lire.» Très vite il a pris le goût de se retirer à Morterolles pour lire et écrire. Sa maison ouvrait sur un parc immense, sillonné de chemins auxquels il donnait le nom de personnalités qu'il aimait, indiqué sur des plaques d'émail bleu semblables à celles des rues de Paris. Il allait nourrir ses ânes en prenant l'allée François-Mitterrand, faisait le tour du lac sur l'allée Charles-Trenet. Une fois passé la place Dalida, vous prenant le bras, il vous entraînait en balade sur les hectares de son mausolée verdoyant, une écharpe rouge jetée autour du cou, une canne à la main et coiffé d'un feutre qui mettait une touche finale un tanti-net ridicule à son allure toute mitterrandienne. J'espère que ce jardin n'a pas bougé et que ses ânes sont bien nourris – je me demande même si l'un d'eux ne venait pas de Latché.

À Paris, toute la chanson défilait dans ses émissions d'après-midi – personne depuis n'a rem-placé ce rendez-vous de variétés quotidien. Simone Langlois, Minouche Barelli, Jacqueline François, Georgette Lemaire, Aimable (Pascal adorait l'ac-cordéon)... Autant d'artistes qu'on ne voyait plus qu'à «La chance aux chansons» et que le public adorait. Pascal ne suivait pas l'air du temps, il fai-sait ce qu'il aimait et ce qu'il voulait – c'est une très bonne méthode. Une fois dans la lumière, il eut le goût d'y faire venir ou revenir ceux qu'elle n'éclairait plus ou pas encore. C'est un des grands plaisirs du métier, quand on est assez fort et libre pour l'exercer selon son cœur.

Après Chazot et parallèlement à Brialy, Pascal Sevran perpétue cette galerie de ceux qui ont capté l'attention par leur esprit, dandys mordants, amuseurs infatigables, vedettes sans être stars, oscillant toujours entre le grand public et les cote-ries. Chaque décennie voit surgir les siens, aujourd'hui ce pourrait être Édouard Baer ou Frédéric Beigbeder.

110

Pascal, Jacques et Jean-Claude sont trois frères à mes yeux, aux antipodes de la jalousie dont on parle trop. Il y a une filiation entre Pascal Sevran et Laurent Ruquier. Avec Thierry Ardisson aussi. Tous ces hommes ont bâti le ton de notre télévision actuelle par leurs tempéraments successifs.

Le père fondateur de la dynastie des frondeurs télévisuels, c'est Philippe Bouvard.

Entré coursier au *Figaro*, le grand *Figaro* de Pierre Brisson, à seize ans. Dix ans plus tard, il sera le dernier grand chroniqueur mondain de Paris, capitale mondiale du snobisme – il semble d'ailleurs que ce job se soit arrêté avec lui. Je l'ai vu débouler, encore plus petit que moi mais l'air partout chez lui, dans les pas et les parfums chics de Michèle Arnaud. Tout de suite il m'a bluffé. La première fois que j'ai vu une Rolls, c'est avec Philippe au volant, à trente ans à peine. Une Ferrari? Encore Philippe, l'année suivante. Dans les années soixante-dix, son talk-show «RTL non stop», bien avant «Les Grosses Têtes», est le plus populaire de France et de Navarre, à Paname tous les chauffeurs de taxi et leurs clients l'écoutent. Ses deux assistants, Jacques Pessis et Paul Wermus, feront leur chemin. Les stars s'y précipitent en serrant les fesses et en espérant que ce coup de projecteur ne devienne pas un peloton d'exécution. La télé n'est pas encore prépondérante. Le monde

des ondes prime de loin sur celui des écrans catho-
diques.

Bouvard et Ruquier constituent pour moi les
deux plus belles réussites de notre métier. De
vedettes de la radio, ils ont glissé vers la télévision,
à l'édition et enfin aux planches. Dans son
« Théâtre de Bouvard », Philippe a lancé les
Inconnus, Mimi Mathy, Chevallier et Laspalès,
Muriel Robin, Michèle Bernier... aussi méconnus à
l'époque que célèbres aujourd'hui. Laurent
Ruquier, lui, a mis dans la lumière Franck Dubosc,
Florence Foresti, Jonathan Lambert, entre autres.
Il vient d'acheter le Théâtre-Antoine pour ajouter
à sa veine d'auteur celle de directeur d'une salle
où plane l'ombre de Louis Jouvet.

Bouvard est arrivé dans la lumière très jeune.
Et très vite à la télévision. Son « Samedi soir », chez
Maxim's, est l'ancêtre à la fois de « Tout le monde
en parle » d'Ardisson et d'« On n'est pas couché »
de Ruquier. Avant eux, Michel Polac avait occupé
cette tranche, dans un registre bien à lui qui sen-
tait plus la bouffarde et la gauche intello que le
salon ou le zinc parisien. Avant d'être un amuseur,
Polac était un provocateur, et son inoubliable
arène enfumée n'a duré que six ans – longévité
exceptionnelle pour un brûlot, surtout en télévision. Personne n'a oublié « Droit de réponse », qui
n'a jamais été remplacé.

Ardisson a ravivé la flamme du samedi soir sur
France 2 où Laurent la tient toujours. Tous ces

hommes m'ont fait rêver. Avec insolence, ils ont incarné et incarnent encore la télé que je ne fais pas. Ils osaient ce que je n'imaginais même pas à l'époque.

L'insolence pionnière d'un Bouvard et son rendez-vous du samedi soir étaient alors plus angoissants que d'affronter hier Baffie ou Zemmour et Naulleau.

Restaurant Maxim's. En direct. Sur le fil du rasoir et sans filet. Je me souviens de mon premier passage comme d'un pic de sueur froide. J'y suis allé avec ma femme, Dany, pour laquelle Philippe avait dialogué un film, *Moi et les hommes de quarante ans*. Nous avions aussi en commun une fée, Mme Arnaud (toujours elle), qui nous a mis dans la lumière, comme Jean-Loup Dabadie, Guy Bedos et Sophie Daumier, ou le réalisateur Jean-Christophe Averty et ses innovations graphiques. Pour elle, Averty a commencé à couper l'écran en six, en douze, comme le font aujourd'hui les séries les plus pointues de Hollywood.

Mais revenons à Bouvard. Chez Maxim's, donc, il fait son club et je suis terrorisé. J'attends le choc, la petite phrase qui claque en vous ratatinant au fond du fauteuil, tel un uppercut à l'estomac. Pourtant, ce soir-là, le petit gars de province propre sur lui que je suis a la chance de trouver un Bouvard... bienveillant à son égard.

Nasillard et un peu pincé, il me lance : «Alors vous, vous êtes parfait!» Gendre idéal, je crois que c'est Philippe le premier qui a collé cette étiquette à mon costume où elle a tenu si longtemps. Dans le registre du gendre idéal, je ne pouvais pas me tromper – je ne connaissais que celui-là. Chaque dimanche, je dîne chez maman. Jusqu'en 1983, je rends compte de tout trois fois : à mon père d'abord, à ma mère ensuite et enfin à mon frère aîné. Bientôt ne sont restés que maman et Jean. À partir de 1996, seulement Jean. Maintenant il n'y a plus personne sauf mon frère Jacques, que je ne vois pas assez souvent. D'une certaine façon c'est par le deuil que je suis devenu adulte. Il aura fallu que mes parents s'en aillent l'un après l'autre pour que, dans le chagrin, je me libère. Mon petit costume de Vire, sous-préfecture du Calvados, dont s'est moqué gentiment Bouvard, je l'ai gardé jusqu'à la mort de ma famille. Et il a fait ma carrière. Heureusement, durant cette longue période ma femme Dany a fait contrepoids.

Qu'est-ce que j'ai envié le ton d'un Bouvard, d'un Sevran, d'un Ardisson. Leur mordant, l'impertinence des mots qui font mouche, leur langue qui claque, les yeux qui brillent et le rire qu'ils déchaînent.

L'ascension de Philippe Bouvard a été fulgurante. Selon sa légende, elle a débuté dans un lieu pourtant assez éloigné du vedettariat – que Philippe n'a jamais démenti. Coursier dans le grand quotidien de Pierre Brisson, chaque matin, vers onze heures, après la conf' de rédaction, le petit Bouvard s'aperçoit que le patron va... aux toilettes. Alors il se dit : Je vais aller pisser à la même heure. Jusqu'au jour où Brisson lève un œil sur ce petit voisin.

— On se connaît ?

— Oui, monsieur... Je viens ici tous les jours à la même heure, exprès pour vous.

Bouvard pétille déjà. Avant d'avoir peur, il s'amuse. Brisson remonte dans son bureau et dit : « Y a un petit gars, là, au rez-de-chaussée, faut l'embaucher à la rédaction. »

Le seuil de sa carrière est aux lavabos du *Figaro*. Grimpant les étages, Bouvard va gravir les échelons. Tout en se mettant à jouer au poker la nuit avec le baron Empain et Yves Montand. Au fil des années, par commodité, Philippe a même fini par installer une table de jeu dans son garage.

Si Bouvard vous éreinte à la télé, c'est cuisant. S'il vous allume aussi à la radio, c'est grave. S'il se fend d'une chronique assassine dans *Le Figaro,* c'est définitif : vous êtes mort pour un bout de temps. Il a ses têtes, de Turc évidemment – Mireille Mathieu était la principale. Sans raison, sinon que l'occasion était trop belle. Cornaquée par Johnny Stark, super imprésario, qui briefait Mireille à chacune de ses interventions publiques surtout quand elle arrivait face au terrible Philippe. Stark exigeait les questions à l'avance et lui faisait apprendre chaque réponse – jeu dangereux. À la question de Bouvard : « Quel est votre Français préféré ? », il avait donc été prévu qu'elle réponde... « Napoléon ».

— Ah bon ? rétorque Bouvard, souriant avant le coup de grâce... Et pourquoi Napoléon, s'il vous plaît mademoiselle ?

Flottement imprévu. Mireille se retourne dare-dare vers la régie et voit Stark se démener en faisant le geste de se taper la tempe de l'index, pour signifier à sa vedette que Napoléon était un génie. Rassurée, Mireille revient face à son interlocuteur avec un sourire épanoui pour assener dans son charmant accent de Provence :

— Parce qu'il était fada.

Ce jour-là, Bouvard s'est dit : Ce sera *elle* ma tête de Turc – et on peut le comprendre. Pour la petite Mireille et son mentor, il est devenu pire que Lucifer.

Qu'est-ce qu'il n'a pas inventé ? Je l'ai vu prendre Chazot et Le Luron en snipers, à une époque où le mot n'existait pas. À sa suite, j'ai invité l'un et l'autre dans mes émissions, sûr de leurs effets. Bouvard a incarné le premier trublion télévisuel, à lui seul ou en double, il échangeait des ping-pongs endiablés avec Chazot et Le Luron – Philippe a tant aimé Le Luron. Les torrents de rire que ce trio a suscités doivent résonner au paradis des humoristes.

Les snipers, moi aussi j'en ai fait mon miel, leur laissant faire le boulot qu'on n'ose et qu'on ne sait pas faire soi-même. C'est la valeur d'un Bruno Masure, Philippe Geluck, Gérard Miller, Jean-Pierre Coffe ou Pierre Bénichou. Tous les animateurs de talk ont imité la formule. Mais Ruquier comme Bouvard ont l'élégance d'être aussi drôles et parfois davantage que leurs snipers, de savoir prendre autant de risques qu'eux. Spirituels, rapides et sans peur. Le secret du rire est de ne pas avoir peur.

Dans une société encore raide malgré 68, la violence de la liberté de ton chez Bouvard sidérait, comme plus tard celle de Le Luron sous l'ère Mitterrand.

En tremblant, on allait donc s'asseoir devant ce bonhomme poupin, urbain, cravaté de soie rose et au français parfait. Pascal Sevran aussi avait cette grammaire ciselée qui facilite l'indépendance. Chez eux, l'amour des saillies meurtrières, du verbe haut l'emportait sur les précautions.

Il faut le courage d'un toréador pour avancer ainsi à découvert... Un autre fondateur de l'impertinence sur le petit écran, qu'on ne cite presque plus, l'ogre du divertissement, avait cette force : Jacques Martin, bien entendu.

L'extraordinaire Maître Jacques.

Humour, culture, faconde, toupet aussi, et bel canto. Je l'ai découvert avec Jean Yanne venu du cabaret, vivier de talents qui éclateront à la radio

117

puis à la télé avant de se propager au cinéma, au théâtre. Au milieu des années soixante-dix, Jean Farran, un génie des médias à la tête d'équipes très pointues, va faire de Radio Luxembourg la première radio de France – c'est encore vrai aujourd'hui. Chaque samedi et chaque dimanche matin, tranches primordiales à une époque où la télévision est encore marginale, Martin et Yanne vont y faire un triomphe.

J'ai vu arriver tous les impertinents en télévision, un à un, l'air un peu timide mais le sourire carnassier. Moi, j'y suis déjà bien installé, en compagnie d'animateurs qui n'ont jamais un mot plus haut que l'autre : Jean-Pierre Foucault et Patrick Sabatier, trio qu'on pourrait nommer les enfants de Guy Lux. Les nouveaux arrivants avec leur brio corrosif ont vite rompu les digues, électrisé les ondes, stimulé la société. Le plus inouï est que cette poignée d'hommes, toujours sur la corde raide, est restée dans la lumière. Ils n'ont jamais lâché l'antenne et le public ne les a pas lâchés non plus.

Jacques Martin, côté coulisses, était fameux pour ses colères. La plus terrible étant celle que lui inspirera Nicolas Sarkozy qui, après l'avoir marié (il était à l'époque maire de Neuilly), finira par partir avec son épouse, Cécilia. Talent tous azimuts, puissance de travail énorme, bon vivant un tantinet caractériel, à fleur de peau et

118

tourmenté, Jacques Martin était un ténor qui toute sa vie vivra mal d'être traité en bateleur dominical.

Malgré son immense vedettariat, Jacques était un homme déchiré sous la cuirasse. Cette tension fragilise un homme et son organisme. Sa générosité, ses appétits, de table, de travail, ses engueulades et ses amitiés homériques l'épuisaient. Martin se brûlait par les deux bouts d'une carrière colossale mais peu reconnue par l'élite dont un amuseur feint toujours de se moquer en espérant son aval. Lui qui pourtant pouvait se flatter d'une réelle culture encyclopédique.

Son départ me touche davantage que d'autres parce que j'ai succédé à sa grand-messe dominicale, un souvenir en forme de regret.

Dans les années quatre-vingt-dix, « Dimanche Martin » n'est plus une émission, c'est un temple... où règne « L'École des fans », culte parmi les cultes et où en vingt ans on a vu la France passer de l'appareil photo au caméscope. En privé, la vie de Jacques est moins rose, plutôt houleuse et un peu mélancolique, comme souvent celle des clowns qui se minent à faire rire les autres. Il a même eu une période blouson de cuir et substances prohibées pour mener train d'enfer jusqu'au jour de son premier accident vasculaire.

Je me souviens d'un « Champs-Élysées » avec Guy Bedos et Pierre Desproges, Pierre était pourtant le complice de Martin au «Petit Rapporteur». Nous en venons à l'évoquer en plateau et en direct. Desproges, naturellement acide, se moque gentiment du grand Jacques. Chez lui devant son poste, Martin prend la mouche. Ni une ni deux, il dévale les escaliers, saute sur sa moto pour rappliquer au Studio Gabriel.

On vient me chuchoter discrètement à l'oreille : «Martin a téléphoné, il est furibard, il arrive...» Message assez anxiogène pendant une émission... Venir faire quoi? Je n'y ai pas vraiment cru. Et je reverrai toujours cette seconde où, depuis la scène, j'ai vu battre une porte au fond de la salle du studio, un tumulte, avant d'entrevoir une ombre cavaler vers nous. Elle allait bondir sur le plateau quand un agent de sécurité et Philippe Alain, qui travaille à mes côtés depuis quarante ans, l'ont ceinturé. J'ai reconnu Jacques, qu'on entraînait vers les coulisses où il a fondu en larmes.

Je m'étonnerai toujours de la susceptibilité des humoristes professionnels, qui passent leur vie à caricaturer et à moquer les autres, et qui ne supportent pas quand ils sont l'arroseur arrosé.

Laurent Gerra, que Martin a lancé dans «Ainsi font font font» aux côtés de Laurent Ruquier, Virginie Lemoine et Julien Courbet (quel quarté, quand même!), l'imite merveilleusement. Quand la moutarde lui montait au nez, pendant

120

une répétition au théâtre de l'Empire, Martin avait son gimmick, il vociférait : « Puisque c'est comme ça, on arrête tout. La chaîne mettra un documentaire sur les mollusques ! »

Gerra est irrésistible en Martin. Chaque fois, je revois Jacques, en chair et en colère. Pour des riens. Un retard, une erreur technique. Cinq minutes après, sa générosité revenait. Gueuler exprimait son mal-être plutôt que la haine. Une sorte de cri nécessaire. Chaque fois, même faute, même punition, les portes claquaient et on l'entendait hurler :

— Allez dire à la chaîne qu'à la place de « Dimanche Martin » ils n'ont qu'à mettre un documentaire sur les mollusques... Oui, les mollusques !

Il faut se souvenir qu'avec « Le Petit Rapporteur » toute la France chante « À la pêche aux moules ». Sous Giscard, dans une télé boulonnée, Desproges, Bonte, Piem, Prévost, Collaro y vont vraiment fort. Et ce sont les seuls – la fameuse exception qui confirme la règle. À la fin de chaque enregistrement, Martin saluait en prévenant qu'il n'était pas tout à fait certain d'être encore là la semaine suivante : « À dimanche peut-être ! » Cette phrase que je n'ai prononcée qu'une ou deux fois dans ma vie, après les provocations d'un Gainsbarre ou d'un Le Luron, Martin, lui, la balançait chaque semaine.

Il restait en colère. Au théâtre de l'Empire, ça le prenait de plus en plus souvent dans les dernières années, il envoyait promener son conducteur, les feuilles volaient autour de lui qui hurlait...

— Les mollusques... les mollusques !

Toute l'équipe comprenait. La routine, quoi.

Bouvard et Martin ont inscrit l'insolence dans la constitution non écrite de la télévision. Après y avoir goûté, le public a toujours exigé qu'elle y soit préservée. Ils ont imposé cet espace dangereux, excitant. Nous, avec Foucault et Sabatier, étions l'antidote de Martin : nous ne dérangions personne. Raison pour laquelle j'admire tant les insolents. Je sais ce qu'il en coûte des tensions publiques, des conflits d'ego, des rancœurs que suscite la liberté de ton, tous ces poisons vous suivent à la maison et jusqu'au tréfonds de vos artères. On ne peut pas les quitter en refermant une porte derrière soi. Parfois ce stress finit par exiger des évasions tout aussi violentes et bousiller l'organisme.

Le public n'imagine jamais combien le moindre accident en direct, une prise de bec, une attaque peut générer de réactions et de règlements de comptes.

C'est une tornade.

J'ai vu toutes ces étoiles télévisuelles achever leur course. Pascal Sevran a été fauché par un cancer, sans qu'on puisse savoir à quel point un effet de plume, une flèche de trop, maladroite, a pu contribuer à son mal foudroyant. Sa «verve» a mis le feu à l'opinion. Jusqu'à une certaine mesure, la célébrité vous protège, mais le jour où sa protection tombe, la gloire brûle aussi vite qu'une pinède sous le mistral.

L'affaire commence dans *France-Soir* où un journaliste repère dans un livre paru depuis plusieurs mois un jugement expéditif sur la propension regrettable des Africains à générer des ribambelles d'enfants pas faciles à nourrir. Je me souviens avoir tout de suite appelé Pascal :

— Méfie-toi, trouve une parade, une excuse. Ça peut mal tourner.

À Morterolles, loin de Saint-Germain-des-Prés, l'auteur rigole, sans y croire.

— C'est un mot, rien. Une connerie. Tu connais Paris, Michel, ce n'est même pas le centre de la France !

— Justement, je connais Paris. Fais gaffe, Pascal.

— Taratata. Les gazettes aboient et la caravane passe !

Elle n'est pas passée, du tout. La «connerie» est devenue une campagne de presse. Une balourdise malheureuse à consonance raciste. Si on ne s'excuse pas platement et très vite pour une vraie faute, on s'y noie. Mais Pascal le prend de haut, en ermite berrichon, pourfendeur du politiquement correct. Avec cette dangereuse arrogance de ceux à qui tant de choses ont réussi. Une grande part de l'opinion ne l'entend pas de cette oreille, l'oreille gauche surtout, qui ne lui pardonne pas son soutien tout frais à Nicolas Sarkozy. Ce dérapage devient sa descente aux enfers. Le moment où après vous avoir porté aux nues, les coteries et le public se demandent tout haut pour qui vous vous prenez. Michèle Cotta le suspend d'antenne momentanément, il s'enterre à Morterolles pour s'y faire oublier jusqu'au moment où on apprend qu'il souffre d'un cancer, méchant.

Au sommet, on vous passe bien des choses jusqu'au jour où une étincelle déclenche un cataclysme. Vingt fois j'ai pensé qu'une imprudence, un impair allaient abattre un homme public, vingt. fois il ne s'est rien passé. Et soudain, un ultime petit caillou fait imploser la machine. En trois semaines l'idole est à terre, piétinée.

Jacques Chazot est mort sans un sou d'un cancer de la gorge. Lui si drôle n'a plus amusé personne une fois malade. Il aurait fini à l'hospice après avoir diverti tant de fortunes si Jean-Claude Brialy ne l'avait pas accueilli dans son château de Monthyon où Chazot a eu une fin tranquille et douloureuse, sans une plainte. Je sais aussi que le couple Chirac l'a beaucoup aidé. Ce château légué par Jean-Claude Brialy à la ville de Meaux abrite désormais des activités culturelles.

La fin de Jacques Martin a été plus longue et tout aussi triste. D'abord il a senti le boulet du jeunisme frôler son cou, comme moi au début des années quatre-vingt-dix, le jour où Philippe Guilhaume est venu m'informer solennellement qu'il fallait songer à arrêter «Champs-Élysées», former un jeune.

Un peu plus tard, le patron de France 2 a servi les mêmes arguments à l'ogre Martin qui, comme moi, y a vu le tranchant de la guillotine. Tous ces poncifs jeunistes au nom d'une «ménagère de moins de cinquante ans» qui tolère bien mieux les rides que ne le croient les diffuseurs.

Peu de temps après, Jacques fait son premier accident cérébral, exigeant une convalescence. Jean-Claude Brialy va le remplacer pendant plusieurs semaines. Malheureusement, la santé de Jacques se dégrade. Bientôt on apprend qu'il ne reviendra pas. La succession dominicale est ouverte.

Martin part se réfugier à l'Hôtel du Palais à Biarritz, lucide devant sa télévision. Et Jean-Pierre Cottet me propose la place, après l'intérim Brialy. Avec Françoise Coquet, nous hésitons. Les uns me disent : «Tu as l'âge et le profil, le public familial te connaît» – j'ai cinquante-sept ans. Les autres m'assurent du contraire : «N'y va pas. Tu vas te fossiliser, prendre un coup de vieux terrible.» Comment succéder à vingt-deux ans de règne? Je finis par répondre que je ne ferai rien avant d'en parler à l'intéressé. J'appelle Paul Ceusin, son associé. Puis Jacques lui-même, qui me répond : « Viens me voir... »

Malheureusement, il annule notre premier rendez-vous. Puis le deuxième. Le troisième, aussi. Il est fatigué, la convalescence est délicate... Au fond, je comprends qu'il ne veut pas me voir parce qu'il ne veut pas que je le voie. Diminué sur son lit, il n'a pas envie de recevoir le type plus jeune, valide, à qui on propose de le remplacer en son royaume. Constater que le monde continue de tourner sans vous doit être insupportable quand on ne peut plus en être. Ne sachant plus quoi faire, je lui envoie une grosse boîte de chocolats. En retour m'arrive un mot que j'ai conservé – et qui a filtré à l'époque dans la presse : « Je ne savais pas que Michel Drucker avait assez d'humour pour envoyer des chocolats à un diabétique. »

Comme ça. Grinçant et sec. Lapidaire. J'ignorais évidemment que les chocolats lui étaient interdits. Cette affaire a commencé à devenir un de mes regrets professionnels. J'aurais voulu que nous nous parlions, en tête à tête, qu'il officialise cette succession, que je m'y sente autorisé par lui – C'est toi, d'accord, vas-y, bonne route ! Hélas, nous ne nous sommes pas vus. Danièle Évenou, son ex-femme, m'a rassuré : « Jacques ne t'en veut pas du tout. Il comprend... » Je ne la croyais qu'à demi, mon sentiment de culpabilité persistait.

126

À ce moment-là de mon parcours, dans le creux de la cinquantaine, à la recherche du deuxième souffle, si je n'avais pas remplacé Jacques Martin, peut-être que ma carrière se serait arrêtée.

Je reprends donc le dimanche après-midi. Au début, ça a été dur. Avec le public, avec l'audience. Des fidèles de Jacques m'accrochaient à la sortie.

— Il revient quand, Martin?

On m'en voulait d'avoir interrompu «L'École des fans». Si dans ces années-là avait régné la même pression d'audimat qu'aujourd'hui, si on ne m'avait pas donné un an, et même deux, pour installer ce nouveau rendez-vous, j'aurais sauté.

Plusieurs années passent. Pour France 2, Olivier Minne monte au théâtre un Feydeau où il distribue des animateurs de la maison, belle aventure originale dont je suis. David Martin, fils de Jacques, que j'aime beaucoup, est également dans la distribution.

Depuis la «retraite» de son père, j'ai appris que beaucoup de mes collègues étaient demandeurs du créneau. Certains s'étaient même précipités pour faire valoir leurs offres de service. Jacques l'avait su et cette précipitation l'avait heurté. M'a-t-il associé à ce ballet de fossoyeurs? J'en ai parlé à David, essayant à travers lui de me justifier auprès de son père, espérant qu'il le

127

convaincrait... Et nous avons achevé les répétitions du Feydeau.

Arrive le soir de la représentation, au théâtre des Variétés. En coulisses, Danièle Évenou vient nous encourager. Juste avant le lever de rideau, elle me glisse : «Jacques est là, au fond d'une petite loge discrète. Il voudrait te voir après. »

Personne ne l'avait revu depuis son accident cérébral.

À minuit, la salle s'est vidée, j'ai patienté et je suis monté dans cette loge où Jacques m'attendait, dans un fauteuil roulant. Nous ne nous sommes presque pas parlé. Le théâtre rouge était désert, le rideau était tombé. Tremblant, il m'a pris la main et ses yeux se sont mis à pleurer.

C'était insoutenable.

Cette tranche dominicale a changé ma vie. J'ai créé «Vivement dimanche» dans la douleur. Le public ne comprenait pas pourquoi je ne recevais plus autant de chanteurs lyriques, réclamait à cor et à cri « L'École des fans» et ne parlait que de «Dimanche Martin ». Je me souviens d'avoir reçu des lettres d'insultes pour la première fois de ma vie. Et puis «Dimanche Martin » a suivi Jacques dans la mémoire de notre métier éphémère où le temps file encore plus vite qu'ailleurs. Vingt-deux années peuvent ressembler à un après-midi qu'on n'a pas vu passer. L'adrénaline du prochain tournage revient avec la même exci-

tation que la première fois. Ce n'est qu'une guir-
lande d'instants présents. Un jour, pourtant...
tout s'éteint.

Réussir sa vie...

C'est de parler à Dieu
Comme à ses voisins
Dire que ça ira mieux
Même quand tout va bien
[...]
Réussir sa vie
C'est croire en l'instant
Où tout est magie
Où tu es géant
[...]
C'est de gagner en bourse
Comme on jouait aux billes
Et de finir sa course
Le soir en famille
[...]

Bernard Tapie, paroles et musique :
Didier Barbelivien[1]

_____

1. *N.d.A.* : ça ne s'invente pas...

L'été en Provence ma vie professionnelle continue mais autrement. Sonneries du téléphone, textos, journaux, télévision en fond sonore dans la cuisine. Cet été 2012, la mort de Michel Polac, que personne ne remplacera. Le cancer au bout de la route, une forme de solitude toujours, avant sa disparition annoncée entre deux infos au journal de 20 heures. Personne ne remplacera Polac et pourtant le trou qu'il a laissé est comblé depuis longtemps. Une pensée pour Michel Polac, avant de passer à autre chose.

Pour moi aussi ce sera pareil. Quoi que je fasse, que j'entreprenne, un jour, à la fin de l'été, au bout du bout, on ne me reverra pas à la rentrée. Je partirai probablement deux fois : de l'écran d'abord et de ma vie ensuite, comme tous mes collègues. Je pense aussi à ces choses-là en pédalant sur les routes des Alpilles. Cette règle commune à laquelle nul ne peut échapper.

Paradoxalement, j'y pense davantage encore en vacances qu'à Paris, à cause des grandes journées plus libres, de la lumière, de la chaleur, du corps moins engagé dans la mêlée. L'été on souffle, c'est une petite retraite.

Je sais déjà ce dont je rêve en guise d'adieu. Partir à la fin d'une bonne émission, pas au début ou en plein milieu – j'ai trop le goût du travail bien fait. Pas sur scène non plus, je ne suis pas Dalida. J'aimerais que ce soit dans la loge, quand on est content, vidé, que les machinos roulent les câbles et que l'invité sourit, aussi soulagé que moi. On n'est jamais si heureux que quand c'est fini. Ce serait le paradis de partir comme ça, d'un coup sans m'en apercevoir, à la fin du générique pour ne pas gêner le public.

L'été en Provence on s'aperçoit, on se croise les uns les autres. Amis, voisins, personnalités, tout un réseau reste connecté entre les lavandes et les cigales. Le « triangle d'or » des Alpilles a ses habitués et ses « guest stars ». Le téléphone vibre, nous avons davantage de temps, de plaisir à nous rencontrer pour nous découvrir mieux. Ce métier n'arrête jamais, on prend le virage estival en ralentissant comme les coureurs du Tour dans les descentes. « Je viens te voir ou c'est toi ? »... J'aime prendre la voiture pour filer sur la route de Jean Moulin entre Saint-Rémy et Cavaillon, belle à couper le souffle, voir si quelqu'un est là, derrière une grille, au fond d'une allée de cyprès.

Aujourd'hui je suis parti pour Marseille, déjeuner chez Laurent Ruquier. Il me vouvoie, c'est bien l'un des seuls. Sans lui proposer le tutoiement, je l'ai laissé choisir et nous sommes restés sur le vous.

La Provence nous a adoptés tous les deux. Moi vers les collines de l'arrière-pays quand Laurent a préféré la citée phocéenne, une quarantaine de kilomètres plus bas. Je me souviens du temps où il allait passer ses vacances à Biarritz, auprès de Jacques Martin. Il a rendu visite à Jacques jusqu'à la fin, quand plus personne n'y allait. L'an dernier, Laurent est venu à la maison, cette année c'est mon tour de descendre chez lui pour déjeuner. J'aimerais que nous en fassions une habitude annuelle.

Laurent et moi aimons notre métier, et nous l'aimons de la même façon. Ceux qui font de longues carrières ont presque tous cette empathie. Aimer fait durer.

Se revoir, en été, signifie marquer une pause d'un coup de canif. Saisir l'occasion pour faire le point, assis à l'ombre, parler, souffler avant de repartir. Il habite le Roucas blanc, quartier que tous les Marseillais connaissent, une belle maison au-dessus des plages, face au château d'If, plantée sur un rocher. Je viens avec mon huile d'olive et un pot de nos confitures.

Laurent est entré dans la lumière grâce à Jacques Mailhot il y a vingt-cinq ans, depuis il n'a cessé d'y grandir. Le mot «important» lui va mal, mais je dirai quand même qu'il est devenu incontournable sur le service public et dans le monde du spectacle en général. Le service public, voilà encore un de nos points communs.

Humoriste dans la tradition chansonnière, il a travaillé longtemps pour les autres, pour Jean Amadou, grand homme de radio, pour Jacques Martin, pour Laurent Gerra... La grande célébrité est venue quand il a assuré la relève de Thierry Ardisson le samedi soir sur France 2. Thierry s'estimait irremplaçable sur cette tranche et Thierry a été remplacé. Un talent succède à un autre. Le jour où vous l'oubliez, en général, vous êtes débarqué encore plus vite. Aujourd'hui, « On n'est pas couché » est mon émission favorite, celle qui me fait quitter une table à vingt-trois heures quinze, en général la mienne, pour aller m'asseoir devant la télévision. Souvent, j'ai trouvé dans les équipes de Laurent des partenaires, proposé à un des talents dont il s'entourait un supplément de notoriété... Geluck et Gérard Miller, Pierre Bénichou et même le petit dernier, l'humoriste Olivier de Benoist. Laurent a révélé plusieurs générations de chroniqueurs. Qui connaissait Éric Zemmour et Éric Naulleau, Natacha Polony ou Aymeric Caron avant de les découvrir dans « On n'est pas couché » ? C'est encore chez Ruquier que le talent de Jonathan Lambert a éclaté.

Si je préfère profiter des congés pour m'isoler et recharger mes batteries, Laurent, lui, vit trois cent soixante-cinq jours par an avec sa bande. Ses chroniqueurs sont sa famille, à Paris comme en vacances. En arrivant chez lui, j'ai l'impression de tomber au milieu d'un tournage. Se connaître, être bien ensemble, en confiance, est le meilleur terreau des émissions. Plutôt que s'échapper Laurent ne décroche jamais, pas un jour ni même une heure. Le métier est son oxygène. Il produit la tournée de Michaël Grégorio ou le retour de Marie Laforêt, il écrit, enregistre, met en scène, anime et maintenant codirige le Théâtre-Antoine avec Jean-Marc Dumontet, le producteur de Nicolas Canteloup. Ce n'est pas son ego qui l'obsède, c'est agir. Faire bouger les autres, notamment les téléspectateurs derrière leur poste, tout en remplissant les caisses de France Télévisions.

Ce jour-là, à Marseille, nous nous retrouvons avec ses chroniqueurs autour de la piscine. Laurent revient de Cuba en compagnie de Claude Sarraute. Sont là entre autres le compagnon de Laurent, Gérard Miller et sa jeune épouse. La plupart de ses collaborateurs partagent plus ou moins sa vie. Ceux d'hier se mêlent à ceux d'aujourd'hui. C'est un fidèle, un constant, un susceptible aussi, sensible et têtu, qui comme moi veut déjouer le temps, écarter l'oubli et les trous noirs. Une star un peu passée lui fait plus d'effet qu'un artiste en vogue. Régulièrement il ouvre sa tribu radiophonique à celui ou à celle qui a besoin d'une branche où se poser, parfois se refaire.

Avec les années, je dirai même qu'il est de plus en plus attentif à sa mémoire. Qu'il aime aller chercher une voix, un talent qu'on ne voit plus beaucoup pour lui tendre la main et le micro, l'inviter à revenir face au public. Sans rien en attendre. C'est son instinct, son réflexe, son pur plaisir.

Une phrase de Bouvard nous amuse toujours autant lui et moi. En parlant de quelqu'un qui a réussi, Philippe Bouvard aime dire : « Est-ce qu'il t'a pardonné de l'avoir aidé ? » On n'accueille pas des inconnus dans la lumière pour qu'ils vous honorent d'une gratitude éternelle, bien sûr que non, mais un merci de temps en temps, un appel de phares font toujours chaud au cœur. Si chaque marque d'ingratitude donnait une ride, nous ne nous reconnaîtrions plus. Il faut avoir vieilli pour constater à quel point cette maladie est répandue.

Sa bande, Ruquier l'entretient. Il l'abrite, l'astique, la bichonne, il aime s'en occuper cas par cas. Depuis des années, même en vacances, le premier debout, c'est toujours Laurent qui file au marché après s'être renseigné sur le goût de ses invités et revient chargé de gourmandises pour choisir le menu avec une cuisinière cordon-bleu qui va mettre le repas en musique. Il aime moins manger que voir les autres se régaler. Sa maison de Marseille a été un coup de foudre qu'il a achetée sans rien vouloir y changer. Il s'est glissé dedans comme dans des chaussons. Il glisse, il rit, il se prête, se reprend, insaisissable dans sa pudeur. Où et quand prend-il le temps de respirer ? Il ne souffle pas. C'est un autre mystère du métier, certains ont parfois leurs racines à l'intérieur, ils n'éprouvent pas la nécessité de se fixer pour se sentir solides. Je ne suis pas de ce bois-là.

L'aisance financière dans laquelle il vit désormais, Laurent n'en parle pas, lui qui a vu le jour chez un docker du Havre et qui s'en souvient. Laurent n'aime pas l'oubli. Cet ancien pauvre ne sera jamais un nouveau riche. Pas une fois je ne l'ai surpris en train de jouer les grands barons du PAF. Il n'en a pas le temps. Arrivés à la tête de grandes émissions, bien des noms de la télévision se mettent à préférer la grosse berline à la Smart, les quatre étoiles aux nappes à carreaux, voire le jet privé au TGV – pas Ruquier. Lui roule en Smart. Il a trop besoin d'être sur le terrain, à guetter tout ce qui bouge. Et tout ce qu'il touche fait de l'or.

Comme tous les naïfs, il a une bête noire : la gauche caviar. Évidemment. On redoute toujours davantage les maladies pour lesquelles on a une pathologie favorable. Sa réussite avait tout pour le faire tomber dans le saladier. Et pourtant non. Quand il parle d'argent – sujet sur lequel il faut un peu le pousser – il reconnaît que dans nos métiers on peut gagner en une heure ce que bien des gens gagnent en un mois. Mais il l'assume : « Je paie des impôts faramineux et à ce qu'on dit ça ne va pas s'arranger ! » Exactement comme je disais à ma mère quand elle voulait bien m'écouter : « Qui ne vole pas le succès ne vole pas l'argent. »

Nous avons beau en sourire, après avoir été élevés comme nous l'avons été lui et moi, nous gardons un fond de culpabilité, un embarras sur le sujet.

Quels que soient ses revenus et son mode de vie, je pense qu'on peut rester en accord avec ses origines. Pour moi, c'est la différence entre les riches héréditaires et ceux qui penchent à gauche. À gauche on partage mieux le pactole. Être de gauche c'est avoir davantage le sens du partage et le goût des autres.

Les belles résidences, les rentrées d'argent, la certitude des lendemains qui chantent... la meilleure façon d'engranger les gains tout en restant en accord avec sa conscience, c'est de redistribuer un peu. Un million d'euros de bénéfices peuvent très bien se gagner à gauche, ça dépend ce qu'on en fait et comment on vit avec. Je conçois tout à fait une fortune de gauche mais pas un requin de gauche. Ce qui ne veut pas dire que des gens de droite n'aient ni cœur ni sens de la solidarité. Mais, à gauche, chacun se doit de rester plus détaché des clichés des possédants.

L'expérience ne m'a d'ailleurs pas détrompé, aujourd'hui je peux bien le dire, après cinquante ans de carrière passés à voir fructifier ou se créer des fortunes, ce n'est pas à droite que j'ai rencontré les plus philanthropes. La vraie gauche ne partage pas seulement par conviction ou par charité mais parce que c'est normal et parce que c'est apaisant. Le monde paraîtrait trop absurde sinon.

Partager un peu mieux est l'ordre des choses. Bon, il y a bien quelques soirs où vous ragez devant votre feuille d'imposition mais après une bonne nuit de sommeil, personnellement, je me suis toujours relevé à gauche, discrètement. Ma famille m'a trop bien appris que devant un gros gâteau, le savoir-vivre minimal consiste à ce que chacun ait sa part.

Sans vouloir caricaturer, ce sont toujours les plus nantis, les *money makers* que j'ai entendus pester le plus fort contre les taxes, le fisc, la solidarité nationale. C'est encore à droite que j'ai vu le plus grand nombre de citoyens se trouver des raisons légitimes de quitter la France. Bernard Arnault a voulu devenir belge, mais Élisabeth Badinter, autre immense fortune nationale, héritière de Marcel Bleustein-Blanchet, le fondateur du groupe Publicis, continue de vivre à Paris-sur-Seine où personne n'entend parler de ses états d'âme millionnaires.

Personnellement, je ne comprends toujours pas comment des riches, très riches même, ceux qui vivent au sommet du CAC 40, peuvent prospérer dans l'opulence sans générosité.

Et je n'ai jamais compris non plus pourquoi, sous le compteur du Téléthon ou devant les sacs de pièces jaunes de Mme Chirac – dont j'ai animé les rendez-vous télévisuels – quatre-vingt-dix pour cent des donateurs sont des gens modestes. Pourquoi la richesse amène tant de péchés et le dénuement souvent un supplément de cœur ?

Avec Laurent Ruquier, nous partageons ces interrogations et ces indignations. Puisque nous ne sommes pas pauvres, nul ne pourra nous accuser de mordre les riches par aigreur ou jalousie. Nous pouvons nous en donner à cœur joie et d'ailleurs nous ne nous en privons pas. Nous passons de bons moments, lucides et drôles. Parfois Laurent me rappelle mon frère Jean, en plus rieur, parce que Jean, hélas, trop de choses ne le faisaient plus rire. Sa lucidité devant l'envers des décors et des pouvoirs l'a assombri sur la fin.

Dans mon métier j'ai croisé bien des fortunes. Des têtes d'affiche et des monuments. Pourquoi ai-je si facilement oublié Gilbert Bécaud ou Yves Montand, superpros aux répertoires merveilleux quand je ne pourrai jamais, au grand jamais, oublier Ferrat ou Ferré ? Eux aussi ont gagné beaucoup d'argent, mais la vie ne les a pas changés. La maison de Jean Ferrat, en Ardèche, aurait pu être celle de n'importe quel retraité de l'Éducation nationale, retiré pour herboriser sous les châtaigniers. Je me sentais si bien chez lui, avec lui. Bien que je ne sois pas un pêcheur à la ligne, quand il m'emmenait surprendre les truites descendre le torrent au fond de son jardin, nous parlions le même langage. Comme Brel, qui avait choisi les Marquises, comme Brassens à Sète. J'aime les géants qui mènent la vie de M. Tout-le-monde. Il n'y a pas de signes extérieurs du talent.

Savez-vous pourquoi je n'ai pas un grand souvenir de Gilbert Bécaud ? C'est que je nous reverrai toujours, Françoise Coquet et moi, au cours d'un « Sport en fête » un dimanche après-midi, face à un Bécaud triomphal, au sommet de sa gloire, nous demandant de supprimer la chanson d'un débutant parce qu'« il est jeune et [qu']il peut attendre ». À la place, lui, « Monsieur 100 000 volts », voulait « chanter quatre chansons au lieu de trois ». Je me souviens également de ce débutant qui attendait un peu tremblant en coulisses. C'était Yves Duteil, à quelques minutes d'un de ses premiers passages télévisés. Il chantait son premier succès, « Virages ».

Françoise et moi n'avons pas cédé. On a souvent raison de dire non. Bécaud n'a pas claqué la porte, mais il nous a fait la gueule longtemps, étonné que deux producteurs à peine trentenaires lui résistent. Il a chanté ses trois chansons, pas quatre.

Dans le même genre d'excès, je me souviens aussi d'une grande photo dans *Le Nouvel Observateur* d'Yves Montand ceint de l'écharpe tricolore, prenant la pose d'un président de la République. En 1987, un an avant la présidentielle qui allait voir la réélection de François Mitterrand, certains disaient «Montand président, ça aurait de la gueule!». Le grand Yves s'y voyait assez, sans avoir l'air d'y toucher. Il rayonnait. Là encore, la télévision a servi de détonateur avec «Vive la crise» à la fin des années quatre-vingt. Une émission dont Yves Montand avait assuré l'animation au débotté et sans cachet. Le but? Expliquer au public que le gouvernement allait devoir adapter son idéal socialiste au pragmatisme économique. Yeux dans les yeux, Montand demanda aux Français de comprendre les enjeux, les difficultés et de se serrer la ceinture – on parlait déjà de rigueur et d'austérité.

«Vive la crise» eut un impact et une audience phénoménaux. La classe et la faconde de Montand semblaient pouvoir faire avaler n'importe quelle pilule. Même *Libération* lui consacra sa une. Dans la foulée des deux ou trois émissions qui suivirent, le chanteur-acteur-visionnaire commença de prendre une stature de présidentiable iconoclaste pour le landernau politico-médiatique. Montand pouvait-il être le Ronald Reagan de la gauche *made in France*?

Pourquoi pas?

En tout cas, ma mère aussi le pensait. Toute une gauche caviar proche du show-biz poussait cette aventure. Tout cela fut soigneusement orchestré jusqu'à un «Question à domicile» exceptionnel, en prime time sur TF1. Face à Anne Sinclair, Montand vint annoncer solennellement, modeste et espiègle... qu'il renonçait. Ma mère soupira, assise devant sa télévision, captivée par ses deux idoles. Ah, maman...

Une vérité cachée ne tarda pas à sortir du placard. Pour cette ultime émission yeux dans les yeux, main sur le cœur et valeurs aux vents, Yves Montand avait touché... huit cent mille francs. Cachet qui plongea la France dans la consternation. Y avait-il quelque chose de pourri au royaume de TF1 et de Battling Joe? D'un coup, l'opinion s'inversa. Le soutien du *Nouvel Observateur* parut ridicule et choquant. En plus de ce gros chèque, certains murmuraient que le candidat virtuel aurait même demandé un pourcentage sur les recettes publicitaires de la tranche, quand ce n'était pas sur la bouteille d'eau qui apparaissait à l'écran sur la table basse de son salon. Ça a chauffé avec ma mère qui supportait mal qu'on secoue ses chouchous. Je lui ai dit que je ne trouvais pas « son » Montand très cohérent. Et la cohérence se venge toujours.

Dans la cuisine, le sang de maman n'a fait qu'un tour.

— On ne parle pas comme ça de Montand, Montand a chanté « Le chant des partisans »!

— Et alors? « Le chant des partisans », c'est Druon et Kessel.

— Comment tu sais ça, toi?... Montand était docker à Marseille, il vient de loin !

— Et alors? Nous aussi...

— Tu ne vas pas te comparer à Yves Montand maintenant !

Ça m'a énervé.

— Il est plus malin qu'intelligent... Depuis que Simone Signoret n'est plus là, il fait n'importe quoi.

— Parce que *L'Aveu* et *Z*, c'est n'importe quoi, peut-être ! Yves Montand écoutait son épouse, c'était un grand couple.

Ça m'a doublement énervé.

— Quand ils sont allés à Moscou, le Goulag ne l'a pas étouffé, ton grand couple !

— Michou, arrête !... En tout cas tu étais bien content qu'ils viennent dans tes émissions, Montand et Signoret. Ils auraient pu se contenter d'aller chez Jacques Chancel, tu sais.

Ça a achevé de m'énerver.

— Huit cent mille francs pour faire le beau et la morale, enfin maman !

Elle s'est fermée et nous ne sommes plus adressé la parole pendant au moins vingt minutes.

Je ne souhaite bien sûr à personne le cancer de la mâchoire de Bécaud, atroce. Ni le scandale qui suivit cette émission de TF1 dont l'image de Montand ne s'est jamais vraiment remise. Un

excès d'avidité, pour son prestige ou plus prosaïquement son profit, un quart d'heure de mégalomanie idiote peuvent obscurcir la postérité
brutalement sur les plus hautes marches du succès.
L'heureux élu, tel Icare, y est plus vulnérable
qu'au pied de l'escalier.

Évidemment, il y a des choses que j'aurais préféré ne pas voir, ne pas savoir, ne pas vivre. Des
artistes, des personnalités que j'aurais mieux fait
de ne pas rencontrer.

Le petit bonnet rouge du commandant
Cousteau, par exemple, longtemps héros national, ne réchauffait pas une belle âme. Dans les
coulisses d'un spécial « Champs-Élysées », l'équipe
et moi l'avons vu, effarés, révéler une nature bien
différente de sa renommée. En rentrant d'Aus-
tralie où il m'avait reçu à bord de la *Calypso*,
j'avais déjà été témoin de son comportement
limite avec une hôtesse de l'air... Heureusement
pour « le Commandant », la plupart de ses admi-
rateurs ne l'auront connu qu'en image ou en
promotion.

Mais j'arrête là, à quoi bon, ma mère ne trou-
verait pas correct de m'entendre dire du mal des
morts. Je préfère laisser à l'oubli mon voyage au
bout du monde avec le Français préféré des
Français pendant plus de dix ans.

Réussir sa vie...

L'envie me démange de cracher dans la soupe, parfois. À soixante-dix ans sonnés, j'arrive à l'âge de me passer des convenances quand elles sont du mensonge ou de l'imposture.

Elles aussi finissent par peser.

Quand j'étais chanteur

[...]
Les gens de la police
Me reconnaissaient
Les excès de vitesse,
J'les payais jamais
Toutes mes histoires
S'arrangeaient sur l'heure
On m' pardonnait tous mes écarts
Quand j'étais chanteur.

> Michel Delpech, paroles avec Jean-Michel Rivat,
> musique : Roland Vincent.

La gloire est à la fois un système et une loterie. Même si vous l'avez désirée ardemment, y être confronté est toujours déphasant. Et périlleux. Dans les premiers rounds, elle vous procure du plaisir. Puis elle devient une habitude avant de tourner à un besoin bientôt aussi vital que l'air que vous respirez. Besoin d'être vu, reconnu, entouré, admiré, porté, assisté, conforté, aimé, adulé... À la fin, elle peut devenir un fléau. Faire de vous une star et un enfant. Votre jouvence et votre drogue. Jusqu'à votre perte.

J'ai vu ça cent fois.

Je ne m'interroge pas beaucoup sur ma propre notoriété. Ce n'est pas que j'y sois indifférent, que je n'aie pas eu envie et besoin de reconnaissance, mais mon désir a toujours été la volonté de transmettre. D'espérer que cinquante ans de métier ne soient pas engloutis et d'être prolongé en pensée. Comme j'ai moi-même voulu prolonger les valeurs que m'ont données mes parents, et les artistes, les sportifs ou les figures qui m'ont formé. Je me suis toujours senti plus proche de la transmission que du succès. La gloire, je passe mon temps à la voir entrer et sortir de la vie des stars.

Au fond, je suis toujours resté le journaliste sportif qui, au bord du terrain regarde, fasciné, ce que ces grands joueurs vont faire avec la gloire au bout de leurs pieds, sous la foule passionnée des tribunes. Ce goût de l'observation m'aura sauvé de tout.

Aujourd'hui je ne peux pas faire un pas, et encore moins chez mes confrères, sans que l'on me pose la question de ma longévité – j'ai tout fait pour, me direz-vous, et vous aurez raison. Je crois que c'est parce que je suis resté toute ma vie à commenter le championnat du star-system que je suis encore là. J'ai fait ce qu'il fallait, trouvé du plaisir à être salué mais je suis resté un peu en dehors.

Cette réserve s'est imposée il y a trente ans, un dimanche au coin d'une rue... Ce jour-là, je vais voir Claude François dont je suis proche et grâce à qui j'ai même eu la chance de rencontrer la femme de ma vie, derrière le décor d'une émission de variétés que nous coprésentions, au nom prédestiné : «Avec le cœur».

C'est calme, le XVIᵉ, le dimanche. Mais en arrivant en bas de chez Claude, boulevard Exelmans, je distingue une masse au bout de la rue. Un nuage argenté. Ce sont des filles, très jeunes, qui hurlent dès qu'elles voient vibrer la porte de l'immeuble. Elles savent que Claude va sortir pour un gala. Des fans – ce mot n'a jamais été remplacé, on disait «fan» dans les années soixante et on l'emploie toujours en 2013. Cette hystérie reste la base des carrières d'exception. Elle exprime une passion qui emporte la presse, le métier et le public sage. À la fois enthousiastes et un peu inquiétants, les fans sont le pilier de l'amour, la preuve qu'il se passe quelque chose d'hors norme entre un artiste et la foule.

De là-haut, dans son pied à terre de célibataire qu'il était et n'était pas vraiment, Claude ne peut pas ne pas entendre l'essaim de gamines qui à présent doivent être mères de famille, voire grands-mères. J'en souris mais quelque chose me glace. La joie et le désespoir traversent leurs visages étranges. Elles rient comme elles pleurent.

Je connais assez bien, maintenant, l'idole, là-haut, qu'elles adulent. Claude est une bête de scène, un animal fabuleux, mais leur transe me semble trahir un quiproquo entre Cloclo et l'homme qu'il est réellement; une demande, une attente trop chargées, presque menaçantes. Ce dimanche-là, aucun danger ne semble pourtant peser sur Claude qu'un tel succès devrait rendre heureux et qui ne l'est déjà plus. «Il fait beau, il fait bleu», comme il le chante, et pourtant la gloire ressemble déjà «au deuil éclatant du bonheur». Je rentre la tête en me frayant un passage à travers cette horde d'adolescentes aux yeux de chat.

Aujourd'hui, hors des salles de spectacle où un public se lève pour un artiste, je ne sais toujours pas vraiment si j'aime «ça», l'adulation.

Je ne crois pas.

Nous ne sommes pas égaux devant la gloire et ses flèches. Il y a ceux qui pactisent avec elle pour la vie et ceux qui finalement préfèrent la fuir. Ne plus en entendre parler. Être célèbre ou anonyme n'est pas le fruit du hasard, des compétences ou de la chance, c'est le plus souvent une volonté intime farouche. Comme certains grands voyous ne peuvent plus vivre sans l'adrénaline du vol ou de l'arnaque, certaines célébrités ne peuvent plus se passer de leur gloire. Quand elles touchent le fond, c'est déjà en pensant refaire surface. Être célèbre est une guerre avec son lot de héros et de martyrs, ses infirmes et ses oubliés et, comme à la guerre, ceux qui traversent les lignes laissent derrière eux ceux qui sont fauchés.

Delon n'a vécu que pour sa carrière. Johnny aussi. Tous deux ont longtemps fait de leur vie privée des ruines. Julien Clerc, Patrick Bruel, Gad Elmaleh n'ont pensé qu'à ça. Tous ceux qui ont arraché aux aléas des carrières longues n'ont pensé qu'à ça.

Dans ma vie, chaque coup de téléphone, chaque rencontre, à travers une multitude d'éclairages et de circonstances différents, concerne l'ombre et la lumière, la gloire et l'oubli. Je vis immergé dans ce tourbillon depuis presque cinquante ans.

Je me souviens d'un « Vivement dimanche » très remarqué voilà une quinzaine d'années où j'avais reçu Jean-Marie Messier. Oui, Jean-Marie Messier, alors patron de Canal+ et de Vivendi. Sans doute vous souvenez-vous du visage poupin de ce grand manitou des affaires. Peut-être même de sa chaussette trouée en double page de *Paris Match*, qui fit couler beaucoup d'encre. Messier a suscité pléthore d'interviews et de portraits jusqu'en juillet 2002.

C'était J2M, comme l'avaient baptisé les journaux, « J2M, maître du monde » s'étaient empressés d'ajouter ironiquement les Guignols de sa chaîne. Un des rares Français qui incarnait la panoplie de leader mondial, à la tête du premier groupe médias de la planète. J'ai suivi plusieurs jours ce champion de la réussite à la fin des années quatre-vingt-dix, puisque pour son «Vivement dimanche», comme pour chaque émission, nous passons plusieurs semaines en préparation afin de résumer à deux heures d'antenne une biographie. Son papa comptable d'une sous-préfecture normande, sa jeunesse à Grenoble, la préparation à Polytechnique... Dans son Airbus privé nous sommes allés revoir les bancs de son lycée à Grenoble, le lycée Champollion. J'avais trouvé un peu tapageur d'aller en supersonique personnel à Grenoble mais bon, ni lui ni personne à bord n'avait eu l'air de trouver cela excessif, ou ruineux, ou polluant – et je ne suis pas du genre à faire une remarque désobligeante, vous savez bien. J'essaie toujours de me fondre dans le moule de mon invité pour le comprendre de l'intérieur.

Avec J2M, c'était donc supersonique. Un *golden boy*, tous les quatre matins à la une d'un hebdomadaire ou d'un quotidien avec son salaire à cinq ou six zéro. Qui honorait la France industrielle en dirigeant un de ses fleurons. Superdirigeant modèle. Toujours une idée d'avance, bourré de charme et – pourquoi le cacher – sympathique et bon client. Étonné, je l'ai vu garder toujours à portée de main une pile de photos de lui qu'il dédicaçait, notamment aux futurs polytechniciens de son lycée. Il signait avec une telle candeur qu'on aurait pu croire un gagnant de la «Star Ac'» ou votre serviteur trente-cinq ans plus tôt.

Le Tout-Paris du cinéma lui serrait chaleureusement la main, heureux d'appeler Jean-Marie l'homme qui faisait la pluie et le beau temps du petit et du grand écran. On m'aurait annoncé, la veille de son «Vivement dimanche», que M. Messier allait bientôt être débarqué avant de quitter la France dans un fracas de scandale, j'aurais souri en me disant... encore un jaloux.

Et puis soudain, le grain de sable, un éclair de réalité, une plainte des petits actionnaires... Retournement complet, la curée avant l'oubli. Jean-Marie qui?

J'avais mes raisons de le trouver sympathique. Quand j'avais voulu inviter les grands noms du CAC 40 sur mon canapé rouge, presque tous avaient refusé. Les feux médiatiques ne sont pas le dada des patrons de multinationales. Ils soignent leur réputation et leur ego tout en préférant vivre cachés. J2M, lui, avait tout de suite accepté, enthousiaste. C'est bon signe, l'enthousiasme. Les médias aiment ceux qui les aiment et qui s'y sentent chez eux.

On les voit d'autant plus vite partout.

C'était son cas.

Au même moment, dans les coulisses de son milieu feutré où la discrétion fait loi, cette exubérance commençait de lui mettre le grand capital à dos. Au-delà des fautes qu'il a pu commettre, sa caste, qui avait le culte du silence, lui a fait payer cher sa surexposition.

Hier, je déjeunais dans un restaurant du quartier des Champs-Élysées quand une main est venue me tapoter l'épaule. Dans ce cas-là, un sixième sens professionnel me conditionne à faire toujours très attention. Non seulement il faut reconnaître l'homme qui vous interpelle parce qu'il a été hier quelqu'un qu'il n'est plus forcément, mais il faut aussi contrôler ce que vont exprimer vos yeux à l'instant où vous allez le reconnaître. À cet instant-là, un regard peut être plus blessant que le tranchant d'un rasoir.

Pas de problème. J'ai reconnu tout de suite Jean-Marie Messier.

— Michel ! Il faudrait qu'on se revoie. Qu'on refasse du vélo ensemble !

— Bien sûr que oui !

Bien sûr que non. Nous avons discuté un bref moment, avant de nous saluer en nous promettant un rendez-vous et nous ne nous sommes jamais revus. Parce que c'est comme ça. Parce que la vie, l'actualité, la programmation poussent à aller faire du vélo avec de vieux copains ou avec les Jean-Marie Messier du moment et pas ceux d'hier.

J2M n'avait pourtant pas beaucoup changé, l'air encore plus disponible et l'œil tout aussi vif. Ce client dont personne n'attendait plus rien a renfilé son manteau pour se perdre en anonyme sur les Champs-Élysées. Il était le capitaine d'un empire multinational de la communication à la fin du siècle passé. Autant dire, il y a mille ans.

Je suis rentré au bureau et je me suis souvenu qu'il fallait que j'appelle Sheila. Oui, Sheila. J'ai toujours aimé Sheila. Comme toutes les immenses vedettes des sixties, sa carrière a pris un cours plus discret, elle est descendue des podiums où on n'a vu qu'elle pendant vingt ans, en couettes et jupe écossaise puis en bustier disco des années quatre-vingt.

J'ai une tendresse particulière pour elle à cause d'un revers qui a accompagné ses plus grandes années et qui constitue un des pires avatars de la gloire : la rumeur. Cette rumeur lui aura pourri la vie, elle-même a témoigné l'avoir vécue en calvaire. Malgré des amours et une maternité, Sheila était un homme, disait-on. C'était absurde, pourtant pendant toutes ces années rien n'a pu tordre le cou à cette médisance tordue. Quand ce ragot est sorti de nulle part, son manager Claude Carrière a préféré laisser dire sur sa poule aux œufs d'or. En privé, il avouait que cette diffamation faisait parler... et donc vendre. Il se contenta de démentir mollement avec des airs sous-entendus. Dieu sait que Sheila en vendait pourtant des disques, sans avoir besoin de laisser un *gossip* devenir une légende urbaine.

Lorsque la chanteuse accouche de son petit garçon, une soi-disant amie d'amie de la standardiste de la clinique révèle que le jour de son arrivée la vedette, en guise de grossesse, portait un coussin sous sa robe. Et la rumeur tourne à l'enfer, allant jusqu'à miner les parents de Sheila. Que peut bien cacher cet acharnement? Leur contrariété se transforme en chagrin, en mal secret. Selon Sheila, ce poids a même aggravé la maladie qui les emporta successivement. Toute cette boue pour doper des ventes de vinyle...

Sheila a été l'une des artistes les plus en souffrance que j'aurai connues. Car cette rumeur maudite a prospéré en se ramifiant avec les années. Son fils Ludovic, bien sûr, ne pouvait pas être son fils. Là encore, les dégâts ont été considérables. Comme la poisse, une élucubration en amenant une autre, si Sheila n'était pas une femme, ce n'était pas non plus une véritable chanteuse, plutôt une sorte de ventriloque... La preuve, à la télévision, elle ne chantait qu'en play-back en mimant sa voix. Mais très peu d'artistes se produisaient en direct, à l'époque la technique ne permettait pas de restituer la qualité du vinyle. Sauf cas exceptionnels dus à la prouesse des ingénieurs du son, toutes les émissions utilisaient le play-back. Sheila chantait et chante remarquablement, il suffit aujourd'hui d'aller l'entendre dans la tournée «Âge tendre et têtes de bois» pour le constater. Effectivement, elle se produisait peu sur scène,

158

pour une raison là encore mercantile. Les disques générant dans ces années-là plus de profit que les tournées et ceux de Sheila partant comme des petits pains, la maison de disques la cantonnait en enregistrements, enchaînant 45 et 33 tours. *Business is business.* Jusqu'au jour où Sheila a fini par s'apercevoir que l'essentiel des royalties allait à son producteur dont elle n'était que... la salariée! Trop tard. Tout ce trafic honteux a foutu en l'air une grande partie de sa vie.

Perdue, trompée, inquiète, une vedette infantilisée pendant des années est vulnérable. À qui se fier? Parmi tous ceux qui l'assaillent, les plus pressants et les plus séducteurs ne sont ni les plus compétents ni les mieux intentionnés. Presque toutes les idoles yé-yés des années soixante et soixante-dix, à un moment ou un autre, sont tombées sur un aigrefin qui les a laissées à sec, ahuries devant la note que présentait un sale matin le percepteur.

Mal conseillée jusque dans son comeback dans les années quatre-vingt-dix, Sheila est revenue à l'affiche du Zénith, salle bien trop vaste pour s'y produire trois semaines. Vite à moitié vide, la presse y a vu un fiasco avant de faire une croix définitive sur l'ex-vedette. Si Sheila, mieux entourée, avait choisi l'Olympia, à la jauge plus modeste, le music-hall mythique du boulevard des Capucines aurait affiché complet et la presse aurait crié au revival triomphal!

159

À elle seule, Sheila a encaissé presque autant de coups que toute sa génération réunie. Cette artiste parmi les plus consciencieuses a été extrêmement malheureuse tout en vendant cent millions de disques. Mais personne n'a oublié la petite vendeuse de bonbons sur les marchés. Annie Chancel reste une icône. Et j'ai été heureux, aux Victoire de la musique 2012, tandis que les votes de la profession se détournaient du public pour récompenser presque exclusivement des artistes confidentiels, de la voir monter sur scène pour un trophée d'honneur.

Des histoires tordues, pathétiques, j'en ai vu trop. L'univers médiatique actuel est quand même moins démentiel que ce qu'il a été entre les années soixante et les années quatre-vingt. Le marketing pouvait fomenter aussi bien des mariages bidons que de faux accidents. Le public contemporain est moins naïf. Et les vedettes ne se prêtent plus aussi facilement à n'importe quoi. Si le métier abrite toujours des loups cyniques et affamés de profit, leurs mauvais coups ne sont plus si délirants.

Claude François a failli mourir trop souvent. Lui qui était sujet aux syncopes, il eut aussi son faux malaise en scène à Marseille, avec interview en civière aux pieds de l'avion sanitaire, un mini-vaudeville orchestré par son imprésario Paul Lederman.

Jusque dans les années quatre-vingt, les stars pouvaient être manipulées par la promotion comme des poupées. C'était même une des joies du grand avionneur Marcel Dassault. Le cinéma était la marotte de ce tycoon. Le commerce militaire n'empêche pas d'aimer l'eau de rose. Moins doué pour le cinéma populaire que pour les Rafale ou pour la direction de son magazine *Jours de France*, ce capitaine d'industrie avait un goût prononcé pour les nanars sentimentaux. Malgré sa puissance et son entregent, il produisait des bluettes qui ne déplaçaient pas les foules. Aux Champs-Élysées, où le siège de son journal trônait dans un magnifique hôtel particulier du carrefour Franklin-Roosevelt, il a fini par se payer sa propre salle de cinéma où il se faisait projeter ses propres films, seul dans la pénombre. Dès que deux jeunes gens pouvaient incarner la jeune fille modèle et le gendre idéal, hop, il les accouplait. Ainsi, il a régulièrement affiché à la une de *Jours de France* Chantal Goya et Thierry Le Luron comme deux amoureux de Peynet. Tout Paris savait déjà que Le Luron n'avait pas une passion folle pour les filles à anglaises et talons plats, mais c'était secondaire. Chantal et Thierry se couvaient des yeux sur papier glacé, dans un décor de mimosas. M. Dassault était ravi, les abonnés de *Jours de France* aussi. Évidemment, Marcel Dassault adorait Chantal Goya, il en était même fou, à en avoir, je m'en souviens, des trémolos dans sa voix nasillarde.

Au début des années quatre-vingt, Mlle Goya ne faisait pourtant pas sourire tout le monde, elle provoquait même les foudres des intellectuels qui pourfendaient ce qu'ils considéraient comme une abominable sous-culture. À part ça, Chantal Goya déplaçait la France, par autocars entiers des familles se ruaient à ses spectacles, les parents payant pour les enfants. Elle et son mari, le talentueux Jean-Jacques Debout, remplissaient des cathédrales avec Jeannot lapin. Ensemble nous avons enregistré de nombreuses émissions, réuni des millions de spectateurs en audience... C'était parti pour durer – les fées ayant le privilège de n'avoir a priori aucune limite d'âge.

Et puis, un soir de mai 1985, comme bien des gens j'étais chez moi devant ma télé, et là, brusquement, j'ai assisté à un séisme... Qui ne connaît pas ces minutes, multirediffusées, comme celles du plus grand crash de l'histoire de la variété ? La faute de quart, la grimace et le trou noir, en direct, devant les caméras de Patrick Sabatier.

L'émission une fois terminée, Chantal Goya était morte. Pour avoir envoyé se faire foutre une enseignante qui l'attaquait au téléphone, oubliant vingt minutes, vingt petites minutes seulement, d'être sympathique, laissant son masque de star pour enfants glisser sur un rictus déplacé, Marie-Rose s'est autodétruite.

Des téléspectateurs l'interrogeaient via un standard, c'était le concept du «Jeu de la vérité». Certains n'y sont pas allés de main morte. Chantal non plus. Il me semble qu'elle a fini par leur tirer la langue. Rien d'apocalyptique, sinon que d'agressée, elle devenue agresseur. Retournement très dangereux en télé, surtout face à des représentants du public.

Le lendemain matin, Bécassine aurait braqué une banque qu'on l'aurait traitée moins mal. Chantal n'a jamais pu assumer cet instant fatal, elle a toujours affirmé avoir été piégée par des intervenants malveillants, de concert avec TF1 qui voulait la faire tomber de son créneau pour y installer sa propre créature – Dorothée. Pour elle, ce soir-là, un vaste complot avait été ourdi dans l'ombre.

Dès les heures qui ont suivi, l'énorme paquebot de ses ventes de disques, de la billetterie de ses spectacles s'est arrêté. D'un coup, plus rien. Ce jour-là, «Le Jeu de la vérité» a atteint le bout de sa logique. À la stupéfaction générale, le programme est allé jusqu'à son terme non dit : l'exécution de l'idole. Petits et grands du show-biz n'ont d'ailleurs pas oublié la leçon : un tel dérapage ne s'est plus jamais reproduit depuis, avec personne.

Paradoxalement, Chantal aussi, l'ombre l'aura recouverte sans la faire disparaître complètement. Les effigies de Marie-Rose et de Bécassine ont résisté à tout, s'attirant même un nouveau public disco ou gay, heureux de fêter ses souvenirs de mômes dans un groove fracassant. Mi-tendre, mi-parodique. M. Marcel Dassault a dû s'en retourner dans sa tombe. Thierry Le Luron allait bientôt lui en faire voir de pires, en choisissant, lui-même cette fois, de se marier en grande pompe avec une prénommée... Coluche.

Une grande vedette, même fracassée, moquée, laissera toujours un peu de poudre magique sur son sillage. Charles Trenet avait une jolie expression pour ça : «Gloire un jour, gloire toujours». Vous avez beau être encore vivant, vous devenez votre propre photo sépia. Une nostalgie ambulante à travers laquelle les gens rallument leur jeunesse.

Quand un artiste atteint un certain ciel de popularité, même s'il en dégringole, une petit part de lui-même y reste accrochée, et ce fanion demeure aussi dans le cœur des gens. Programmateurs, diffuseurs et producteurs sans pitié peuvent clouer votre cercueil à coups de talon, les «vrais gens», eux, vous sauvent en gardant une petite touche de vous. C'est la politesse du public dans un monde de brutes. Ne lui demandez pas de courir applaudir vos spectacles ou acheter vos nouvelles chansons, il a d'autres choses à faire, d'autres vedettes à aimer, et tous les dix ans le public se renouvelle, mais il vous offre une capsule intemporelle où est gravé «souvenirs éternels». Ce public fidèle est même capable de sursauts qui sidèrent la corporation. Michel Delpech, pour ne citer que lui, enfoui dans un tunnel qui aura duré quinze ans, a vu soudain sa carrière reprendre et la ferveur du public le ramener dans le métier. Son dernier CD de duos a dépassé les deux cent mille exemplaires et le cinéma l'a même fait tomber dans les bras de Catherine Deneuve en clôture du festival de Cannes il y a deux ans dans un film nommé... *Les Bien-Aimés*. À l'heure où j'écris ce livre, j'apprends que Michel traverse l'épreuve d'une maladie et je lui adresse toute mon affection.

L'icône de la jeunesse qui a succédé à Chantal Goya à la fin de la décennie quatre-vingt est venue faire son retour voilà deux ans dans «Vivement dimanche». Par le public, l'ambiance, l'audience et le courrier qui ont suivi cette émission, j'ai mesuré combien elle était restée dans le cœur des gens. Dorothée aura accompli un grand chelem qu'aucun professionnel n'a réitéré depuis : tourner sept jours sur sept, huit heures par jour pendant presque dix ans. Avec elle, Jean-Luc Azoulay et Claude Berda ont posé les fondations de l'empire d'AB Productions à l'aube triomphale de TF1... Mystérieuse Dorothée, elle aussi bête noire du corps enseignant, de *Télérama* et de Ségolène Royal, célibataire endurcie sans fiancé et sans famille, tout entière aspirée par son personnage à l'écran. Après être passée de quatre heures d'antenne par jour à plus rien, elle a disparu. Aux surexpositions dangereuses succède souvent la trappe définitive.

Beaucoup se demandaient ce qu'elle était devenue. Pour ceux qui l'entouraient aussi, les Musclés, la série « Hélène et les Garçons », tout s'est arrêté. Hélène Rollès, qui remplissait Bercy, est repartie vivre au Mans avant de faire un come-back sur le câble. Quand nous lui avons proposé un « Vivement dimanche », Dorothée a hésité, elle luttait contre des problèmes de santé. Finalement elle n'a pas résisté à l'idée de faire revivre pour un après-midi cette aventure.

Lorsque je suis venu lui serrer la main au Studio Gabriel, après vingt ans loin des plateaux, elle tremblait comme une feuille. Elle m'a murmuré : « Je suis dans un tel état de détresse, j'ai peur d'avoir beaucoup changé. »

Dorothée n'est pas une diva, je sais qu'elle ne laissera pas une œuvre fondamentale, pourtant c'est une des images les plus fortes qui me restera de mon métier où finalement l'émotion l'emporte sur tout. C'est d'émotion qu'on se souvient, pas des commémorations. Sur le générique, quelques secondes avant d'entrer sous l'œil des caméras, cette femme qui vacillait de terreur m'a demandé de lui prendre la main. Depuis dix jours je la rassurais régulièrement au téléphone. Même attentif, je n'évalue pas toujours l'importance démesurée que peut prendre un « Vivement dimanche » pour son invité principal. « Ce n'est jamais que du divertissement, que de la télé », comme disent les intellos. S'ils savaient ! Quand l'occasion se présente pour

166

eux de venir dans le petit écran, ils n'ont soudain plus le même détachement.

Dorothée était à vif, trop sensible pour masquer son inquiétude comme savent le faire les vedettes bien en piste. Plus aucune posture ne la protégeait de la lumière. Et plus elle redoutait l'enregistrement, moins elle envisageait d'y renoncer. Son retour était devenu un défi. Tous ceux avec qui elle avait travaillé gardaient de leur meneuse un très bon souvenir, tous avaient répondu présent, ravis et émus de la voir honorée. Jean-Luc Azoulay, son ancien producteur pygmalion, est revenu se placer dans les coulisses. L'émission a commencé, nous faisant basculer dans l'espace-temps particulier de l'enregistrement, les portes coulissantes du plateau se sont ouvertes comme deux parenthèses et Dorothée est entrée.

C'est toujours bouleversant quelqu'un qui revient.

Sa peur la plus profonde concernait son image. Dorothée redoutait que la jeune icône télévisuelle d'hier ne soit plus qu'une ombre, menacée par la maladie. Ce n'était pas le cas. Comme Mireille Mathieu ou Chantal Goya, l'ovale de son visage a à peine bougé, les années et les épreuves s'y sont posées joliment, révélant sa sensibilité, pas du tout le masque d'une sérénité convenue. Très vite son allure s'est détendue, sa voix a pris de l'assurance. Elle a même ébauché quelques pas, des chorégraphies d'il y a vingt ans. Et puis ses larmes... Je me fiche du prestige, des «in» et des «out». Dans certaines émissions, je ne sens parfois qu'un moment de vérité, juste, gai ou triste, et je suis sûr que ce moment le public le perçoit aussi.

C'est du lien.

Lettre à France

Depuis que je suis loin de toi
Je suis comme loin de moi
Et je pense à toi là-bas.
Oui, j'ai le mal de toi parfois
Même si je ne le dis pas
Je pense à toi tout bas
[...]

Michel Polnareff, paroles : Jean-Loup Dabadie

En ce moment j'ai une petite obsession, je me demande si je fais ou ne fais pas un « Vivement dimanche » avec Mireille Mathieu. A priori oui, bien sûr, nous ne l'avons jamais reçue ! Je vais en parler à Françoise Coquet qui est bien davantage pour moi que ma coproductrice, ma meilleure amie et ma jumelle (nous sommes tous les deux du 12 septembre 1942 !).

Programmer suscite pas mal d'interrogations. Personnellement, je suis toujours partant pour ramener un artiste un peu oublié en pleine lumière parce que les longues carrières, même si elles peuvent rencontrer des dents de scie, génèrent plus de souvenirs que les météores. Ce sont même les émissions où je me sens le mieux. Mais je réfléchis, j'entends les critiques qui m'accusent de faire des émissions de vieux... Finalement, pourquoi pas? Après tout, les seniors sont majoritaires à nous regarder et vouloir faire du jeunisme à mon âge serait infantile. Mireille Mathieu est l'une des rares voix tricolores connues en Allemagne, en Russie, jusqu'au Japon, en Chine et...

Et j'aime les retours.

Cela dit, avoir de l'expérience permet d'évaluer mieux l'ensemble des paramètres. «Mimi» n'est pas à proprement parler la plus facile des vedettes. Elle a commencé de se faire plus discrète à la mort de son imprésario en 1989. À la fois père, mentor et manager, Johnny Stark était sa vie comme René Angélil est celle de Céline Dion. Le destin de Mireille Mathieu a la particularité de sembler s'être arrêté avec la disparition de Johnny Stark. Jusqu'à son visage qui semble s'être figé sur une expression hors du temps. Elle vit exactement dans le même monde qu'à cette époque, au sommet de sa carrière internationale; si vous la sollicitez, sa venue s'accompagnera d'une longue liste de desideratas – elle n'est pas la seule, je dois le reconnaître.

Il y a quelques années, j'ai été heureux que Mireille, assez rare, réponde à mon appel pour un gala de bienfaisance au profit du reboisement des Alpilles dont quatre cents hectares avaient brûlé entre Les Baux et Saint-Rémy-de-Provence. Après son accord, malheureusement, ses exigences sur les plans logistique et personnel ont été incompatibles avec le budget d'un événement caritatif et nous avons dû nous passer d'elle. J'en ai été d'autant plus déçu que c'est l'enfant du pays, une diva de la Provence.

Les vedettes ne sont pas de tout repos, mais elles n'ont pas tous les torts. Frédéric François, par exemple, me donne mauvaise conscience. Un soir, dans les coulisses d'une émission à Bruxelles, je lui ai promis son « Vivement dimanche » et... je ne lui en ai jamais reparlé. Ce n'est pas le seul artiste avec lequel j'ai commis cette imprudence. D'abord, certains vous en prient ou vous en font prier avec tant d'insistance que moi qui ne sais pas très bien dire non, je dis oui. Ce n'était pas le cas avec Frédéric François, j'avais proposé l'invitation moi-même et avec joie. Depuis, chaque fois que nous nous croisons, au premier regard, je sais qu'il y pense et il sait que j'y pense aussi. Le genre de non-dit qui met mal à l'aise. De mon côté, je suis toujours partant mais Françoise, ma jumelle-coproductrice, nettement moins. Et c'est elle qui veille aux grands équilibres de la programmation.

— Françoise, laisse-moi au moins tenir ma promesse. Tu sais quand même qui est Frédéric François !

— Bien sûr que je sais qui c'est... On le « prend » quand il veut pour une promo, une chanson, même deux ! Mais tout un « Vivement dimanche », c'est un peu beaucoup, non, Michel ?

Sur ce, Françoise se sauve au fond du couloir du Studio Gabriel, en lançant :

— On le fera, on le fera un jour...

Frédéric a parfaitement droit à son dimanche autant que d'autres ont eu le leur. Annie Cordy, Daniel Guichard, Gérard Lenorman, Michel Delpech... Têtu, j'attends le moment propice pour remonter à l'assaut face à Françoise qui redoute ma liste de seniors. C'est devenu presque un jeu entre nous.

J'ai mes arguments massues. Malgré ce que les diffuseurs, jeunistes par conformisme, ne cessent de rabâcher, bien des gloires populaires rétro sont dans une belle lumière qui porte un nom : la nostalgie. Il n'est pas certain, comme l'écrivait Simone Signoret, qu'elle ne soit plus ce qu'elle était. Après avoir vendu trente ou quarante millions d'albums, au-delà des modes, ces artistes ont gardé leur public, aussi discret qu'eux.

Charles Dumont, octogénaire, est-il ringard ? Plus rien d'autre que « vieux » ? Dumont, c'est le dernier témoin de Piaf depuis la mort de Georges Moustaki, l'auteur avec Michel Vaucaire de « Non,

172

je ne regrette rien». Et il chante encore à l'heure d'aujourd'hui ses chansons admirablement. Pourquoi dois-je toujours prendre des gants quand je cite des noms comme le sien? Françoise Coquet me répond que c'est une question d'équilibre. Que nous n'avons pas «fait» Charles Dumont parce que nous avons reçu Mathilde Seigner, Guillaume Canet, Omar Sy, Lorànt Deutsch, Karine Viard...

— Bon, bon, d'accord... Mais...

— Michel, nous ne pouvons pas recevoir QUE des anciens, c'est une question d'É-QUI-LI-BREUU!

— Oui, oui... Mais Michèle Torr, on la fait quand? Et Frédéric François?

Casse-tête permanent. Elle a raison évidemment, Françoise n'a rien contre Michèle Torr ni Frédéric François, et la bonne marche de notre divertissement passe par son éclectisme. À l'arrivée, toutes les générations ont droit à leur «Vivement dimanche». En fait je dois avouer que c'est moi qui penche de plus en plus vers les revivals et les cartes Vermeil.

J'aime les vieux, les patraques, les éclopés et les monuments.

Untel, Unetelle, tombés du train, blessés... oubliés. Eh bien, justement, de plus en plus souvent je me dis : L'événement, c'est de leur ouvrir nos portes.

Ceux que les journalistes ne voient plus, le public se montre ravi, lui, de les retrouver à nouveau pour un après-midi. Et ça le change des mêmes têtes qu'on voit partout tout le temps. C'est fou ce que j'ai pu entendre dans mon milieu sur les « finis », les « brûlés », les « carbonisés ». Les has-been – ce mot fourre-tout que décidément je hais. Comme si être vieux était insupportable à ceux qui vivent du goût du jour.

Cette catégorie entre-deux, à moitié dans l'ombre et à moitié dans le cœur des gens, moi je l'aime beaucoup. D'abord, c'est avec eux que j'ai fait la route. Recevoir Serge Lama, Pierre Perret, Yves Duteil fait ma joie et mon honneur. Et je sais aussi qu'il y a peu de chance de les voir au « Grand Journal ». Depuis la disparition de Pascal Sevran, l'arrêt du « Taratata » de Nagui et du « Chabada » de Daniela Lumbroso, il n'y aura bientôt plus que Patrick Sébastien et moi – comme par hasard tous les deux sur le service public – pour les recevoir aux heures de grande écoute.

J'ai vu naître toute cette chanson française qui est une arche de notre histoire nationale. C'est grâce à Pierre Bachelet autant qu'à Zola dans *Germinal* que tout le monde sait ce qu'étaient les corons. Grâce à Bernard Lavilliers que les métallos de Saint-Étienne sont surnommés « Les mains d'or ». Grâce à « Inch'Allah » de Salvatore Adamo que le conflit israélo-palestinien est entré dans bien des foyers. Grâce à « La petite Lili », chanson magnifique de Pierre Perret, que bien des gens

174

ont compris la vie des premiers immigrés «venus de Somalie vider les poubelles à Paris» dans les années soixante-dix.

J'en passe, des dizaines.

Souvent Françoise Coquet me dit : «Le canapé rouge, ça se mérite. Si toi, tu ne peux pas le dire, moi si.» Semaine après semaine, puisque notre invité principal constitue lui-même son programme, je mesure la pression du box-office. Souvent son casting reflète l'actualité et le prestige. S'ils n'invitent jamais un artiste que j'aimerais bien voir réapparaître, comment faire ?

Le paradoxe, c'est que les invités «tendance», bien vus et surcotés par la presse, chez nous, ne font pas les meilleures audiences. Les chiffres sont pleins de surprises. Quand je reçois Juliette Binoche, Karine Viard ou Isabelle Huppert, trois actrices prestigieuses mais qui touchent assez peu la France profonde, l'audience est satisfaisante, pas exceptionnelle. Quand j'en reçois trois autres qui n'ont pas la «carte» des milieux culturels autorisés, par exemple Mathilde Seigner, Charlotte de Turckheim ou Michèle Bernier, c'est le carton assuré.

Malgré son succès populaire, Mathilde Seigner souffre de ne pas avoir cette reconnaissance. N'avoir jamais été citée aux César ni aux Molières lui reste en travers du cœur. Charlotte de Turckheim est moins fragile, quand elle signe *Mince alors !*, une comédie sur les rondes qui décolle à deux millions d'entrées, c'est une auteure heureuse. Michèle Bernier, transfuge du «Petit Théâtre de Bouvard», est une tête d'affiche sur scène où elle remplit les salles, ses téléfilms rassemblent en moyenne cinq millions de téléspectateurs... pourtant elle est toujours déçue de voir la critique s'en désintéresser. C'est toujours la même histoire. Je passe ma vie à voir des célébrités souffrir d'être méprisées par les intellos branchés (qu'elles exècrent) et des vedettes chics rêver de ferveur populaire. Quand on a les bravos, on vit mal le mépris des faiseurs d'opinion. Quand on a leur estime, la salle est souvent à moitié vide. Comme le disait Marcel Pagnol à propos d'un dramaturge encensé par la presse : «Sa pièce a un succès fou, tout le monde est venu sauf le public.» La plupart vous diront qu'ils s'en fichent quand l'immense majorité est à vif.

Les artistes vraiment libérés de leurs soucis de reconnaissance et d'ego sont rares – quoi qu'ils prétendent. Dès que j'en croise un qui mystérieusement ne se soucie plus de sa cote ou de sa non-cote, le plus souvent j'en fais un copain. Il vous évade de l'obsession générale. Mais ces artistes-là, qui savent rire d'eux-mêmes, se comptent sur les doigts de la main.

Hier soir, j'étais à un dîner avec mon ami Jacques Balutin. À table, un journaliste lui a fait :

«Dites donc, je vous ai vu dans un beau rôle mais je ne me souviens plus du titre du film».

Et Balutin de répondre : «Ne vous tracassez pas, ce devait encore être une merde.»

Toute la table a éclaté de rire en se détendant instantanément.

Michel Galabru a le même haussement d'épaules sur lui-même, la même sérénité du «ringard» que je trouve plus salutaire que pathétique. C'est quasi une sagesse de philosophe. Après sa magnifique interprétation de l'assassin dans *Le Juge et l'Assassin* de Bertrand Tavernier, Philippe Noiret, son partenaire, l'avait sermonné :

— Maintenant tu arrêtes les nanars, tu fais l'acteur !

— Bien sûr, tu penses bien, m'enfin, Philippe !

Quand Galabru est allé au festival de Cannes avec Romy Schneider qui avait souhaité expressément l'avoir à son bras sur les marches pour présenter *Portrait de groupe avec dame,* il a failli éclater en sanglots sur le tapis rouge. «C'est con, m'a-t-il avoué, je crois bien que ça aura été le plus grand jour de ma vie.»

À peine rentré de la Croisette, il reçoit une proposition de série B, voire Z : deux mois en Inde, bon cachet, tous frais payés, en prime il peut même emmener quatre personnes. Et les maharadjas le font rêver depuis toujours. «Michel, j'ai craqué ! C'était un navet mais quel beau pays, les Indes !»

Les séries B ont plombé sa carrière, Galabru l'avoue lui-même. Avec l'argent de ses « nanars », une année, il a offert à sa femme un séjour à Saint-Tropez. Elle rêvait des stars, de la place des Lices, Gunter Sachs et Brigitte Bardot... « En mai, tu parles ! Y avait pas un chat... »

Mais Galabru ne fait jamais une maladie de rien. Il est resté prendre le frais au balcon de sa chambre avec vue sur le port, quand juste en dessous, à la terrasse de chez Sénéquier, un matin, il entend des producteurs discuter cinéma... « Oui, c'est signé. Le film va s'appeler *Le Gendarme de Saint-Tropez*. Avec de Funès dans le rôle-titre. De Funès et quatre ringards. Lui, et autour, que des abrutis... Ça peut marcher, peut-être. » Galabru se dit : « Eh ben, je les plains les pauvres... »

Il rentre à Paris et n'y pense plus. Quinze jours plus tard, son agent l'appelle, enthousiaste : on lui offre un grand film ! Et Galabru de conclure : « C'était pour *Le Gendarme de Saint-Tropez*, j'étais dans le quatuor ringard ! Et mon agent n'arrêtait pas de me répéter : "C'est toi qu'ils veulent ! Je te jure, personne d'autre que toi, toi !" »

Nous avons fait un merveilleux « Vivement dimanche » avec Michel Galabru... qui a quatre-vingt-onze ans.

J'aimerais aussi recevoir Christophe. Je me souviens parfaitement de son apparition au beau milieu des années soixante. Vraiment on peut parler d'apparition. Physique exceptionnel, tout petit, joueur de pétanque et fou de bolides – je l'ai souvent vu au volant d'une Ferrari rouge. À l'époque, il vivait une passion avec Michèle Torr et ils ont même eu un fils. Christophe a été le prince de quelques étés avant de s'effacer, un peu autiste, un peu brûlé. Après une longue absence, il a donné un récital splendide en 2012 au théâtre Marigny. Le grain de sa voix est resté sublime. Je lui ai proposé de venir chez nous chanter deux chansons et il m'a répondu non, heurté que je ne lui propose pas un dimanche complet. Il avait raison. Seulement voilà, avec Christophe, j'ai peur. Il ne parle pas. Sur deux heures, comment tiendra-t-on? Je redoute de revivre avec lui «l'enfer» que j'ai vécu avec Francis Cabrel. Je crois que je préfère encore un artiste ivre à un mutique. Si le premier me donne des sueurs froides, le second est mon cauchemar. Avec Christophe, ce n'est pas une question d'audience, ni de talent, simplement une angoisse à l'idée du nombre de mots à la minute. Aujourd'hui, je suis un peu rassuré, sur la scène du théâtre Marigny je l'ai vu drôle et presque bavard entre ses chansons rares.

Je crois que Jean-Jacques Goldman ne viendra jamais à «Vivement dimanche», même s'il a fait ses grands débuts à «Champs-Élysées» voilà vingt-cinq ans. Lui a décidé de ne plus apparaître, de quitter le métier en continuant d'écrire des chansons pour les autres et d'orchestrer une fois par an la grand-messe des Enfoirés.

D'autres, au contraire, pourraient venir deux, trois fois par an, voire cinq, pourquoi pas. Dick Rivers, par exemple, est convaincu qu'il évolue encore dans une lumière aveuglante. L'inviter est une urgence. Avec un aplomb touchant il vous assène qu'il a pile-poil la même carrière que Johnny Hallyday et Eddy Mitchell. Avec même un petit supplément d'âme : « Parce que moi, j'ai rencontré Elvis. » C'est exact. Presley et Rivers se sont croisés dans l'ascenseur d'un casino à Las Vegas et ont fait une photo. Dick Rivers est un de nos meilleurs crooners et il a fait d'excellentes chansons. Enfin, un beau jour Alain Chabat a voulu l'inviter dans son dimanche et j'ai été heureux de pouvoir lui proposer le grand ticket selon Françoise Coquet : deux chansons. Quand je l'ai appelé pour le lui proposer, Dick m'a rétorqué : « C'est tout "Vivement dimanche" ou rien. »

Françoise et moi avons opté pour la réponse B. À tort sans doute. Mais l'occasion n'est pas perdue. Dick Rivers a continué de me téléphoner quatre fois par semaine, jusqu'à ce que je change de numéro. Je ne doute pas, dès qu'il se sera procuré le nouveau, qu'il se remette à m'appeler.

Michel Polnareff, c'est encore un autre scénario. Je le rencontre dès 1965, à ses tout débuts. J'ai déjà raconté l'enregistrement homérique du premier « Tilt », émission de variétés en direct de Douai, sous l'autorité magistrale de Michèle Arnaud qui en pleine répétition n'hésitait pas à prendre un haut-parleur pour me crier du fond de la salle : « Bougez un peu, vous n'êtes pas sur le plateau de "Sports Dimanche", Drucker, et je vous rappelle que vous êtes autorisé à faire des phrases de plus de trois mots. » Des mots, Michel Polnareff n'en prononçait pas beaucoup non plus, en coulisses, caché derrière ses cheveux longs. C'était sa première télé. Sinon, il faisait la manche au pied du Sacré-Cœur. La patronne était sous son charme. Ce chat filiforme était son modèle d'idéal poétique et moi sa caricature de provincial. Elle avait deux Michel, Polnareff le chic et Drucker le quelconque.

À l'époque, je trouvais que Polnareff était le sosie de Françoise Sagan. Je l'ai tout de suite aimé et admiré. Il était lunaire, ça s'est d'ailleurs accentué par la suite. Ses chansons ont été instantanément à la fois des ovnis et des standards – cas extrêmement rare. Il est monté dans la stratosphère, et de lunaire il est devenu quasi cinglé sans jamais lever la voix. Comme souvent les poètes, il a attiré tous les rats du show-biz des seventies qui l'ont plumé jusqu'à l'os.

D'un coup, Polnareff a lâché sa carrière jusqu'à l'âge de soixante ans. Un trou aussi stratosphérique que lui. Mais son retour a été à la hauteur de cette si longue absence. Les réseaux sociaux entre l'Amérique et la France – à qui il a adressé avec le parolier Jean-Loup Dabadie une des plus belles chansons d'amour qu'elle ait jamais reçues, «Lettre à France» – ont retissé un lien. La toile a commencé de vibrer, son aura et sa discographie ont fait le reste.

En Californie, il vit de soleil et d'aliments bio, en pratiquant intensivement le karaté. Lui qui n'était pas épais et qu'on traitait de «pédé», s'est sculpté un corps de bodybuilder. Il aime sa vie outre-Atlantique, malgré hélas un problème de vue qui a failli le rendre aveugle.

À la fin des années quatre-vingt-dix, l'auteur de «La poupée qui fait non» est revenu préparer un album dans une suite de l'hôtel Royal-Monceau, à Paris. Son séjour devait durer deux mois, il a duré presque... deux ans. Sans qu'il mette jamais un pied sur l'avenue Hoche. Je crois bien qu'il n'est pas sorti une seule fois du palace. La maison de disques réglait la note chaque semaine.

Polnareff était devenu agoraphobe, et maniaque obsessionnel. L'hygiène l'obsédait. Un reclus chevelu comme Howard Hughes – mais toujours aussi charmant. Quand je le retrouvais pour déjeuner au Royal-Monceau, il portait des gants de vaisselle de peur d'attraper le sida. Plusieurs fois nous avons évoqué son comeback télévisuel mais au dernier moment, chaque fois, il multipliait les exigences farfelues, me demandait un duplex, envisageait une émission avec uniquement le son de sa voix, sans sa présence. Un peu comme si je faisais un « Champs-Élysées » avec Dieu, en fait.

Je soupirais :

— Ça, Michel, c'est de la radio, pas de la télé ! À l'écran on mettra quoi ?

— N'importe quoi... Par exemple mes fameuses lunettes noires à montures blanches, sur un coussin rouge.

— Avec des pompons en or ?

J'avoue que je n'ai pas eu le cran de me lancer. Sa *Folie des grandeurs* (lui qui avait composé la musique de cette superproduction française de Gérard Oury avec l'extraordinaire trio Montand, de Funès, Sapritch) dissimulait une angoisse abyssale, un inextricable désir de fuir autant que d'apparaître. Notre émission n'a pas abouti et c'est un de mes regrets. Michel Polnareff est revenu avec Michel Denisot sur Canal+. Eux n'ont pas eu peur d'aller poser un piano à queue dans le désert de Californie – ce n'était pas tellement notre style à « Champs-Élysées ». Aujourd'hui je m'en veux de n'avoir pas été assez dingue pour Polnareff.

Bien sûr je suis allé le voir à Bercy où il a accepté un duplex sur scène avec les Victoires de la musique que je présentais. Sa voix était là, et par chance lui aussi. Le retour de cet éternel disparu restera même dans les annales comme un des grands soirs du métier. À Paris il avait changé d'hôtel pour descendre au Plaza-Athénée où je lui ai fait porter un gilet zippé en cachemire comme il les aime – c'est très rare que quelqu'un n'aime pas le cachemire. Et je n'ai plus jamais eu de ses nouvelles. Polnareff est retourné vivre l'anonymat aux États-Unis dans un parfum de scandale et de vicissitudes conjugales.

Mais l'oubli est un vieil ami de Michel puisque Polnareff est inoubliable.

Le prix des allumettes

Tout va trop vite et tout change sans nous attendre
Et tout nous quitte avant que l'on ait pu comprendre
Comme bien d'autres, je me demande où va ma vie
Souvent j'y pense, heureusement qu'il y a...

Toi, tu ne changes pas, tu as toujours la même tête
Toi, tu ne changes pas, tu es comme le prix des allumettes
[...]

Éric Charden, interprété avec Stone,
paroles : Yves Dessca

Avec certains artistes, le fil ne se rompt jamais, l'amitié l'emporte sur tout. En allant faire une apparition en 2005 sur la scène de la tournée «Âge Tendre», j'ai retrouvé Stone et Charden. Plus particulièrement Éric. Pourquoi lui ? Pour son talent. Sa façon de jeter au vent des chansons ou de faire fredonner les salles me touche tellement. Encore un qui venait de loin, de la baie d'Along au

Vietnâm, né d'une mère d'origine tibétaine et d'un père industriel. Éric était de cette race très rare des plus grands mélodistes. Si je vous dis un seul vers : «Le monde est gris, le monde est bleu» ... immédiatement vous l'avez mis en musique. C'est ça, un grand mélodiste. Laurent Voulzy est de cette trempe. Pascal Obispo aussi.

Elle, elle s'appelait Annie mais tout le monde disait Stone. Avec Éric, amour fou à la ville, grand duo à la scène. Une passion dont Éric fit «L'avventura», titre inspiré aussi du film d'Antonioni parce qu'il était brillant et cultivé.

Pendant les seventies, tous les deux vont vendre vingt millions de disques, comme ça, l'air de rien, en battant du pied derrière une guitare. «Le prix des allumettes», «Made in Normandie», «Il y a du soleil sur la France»... Tube sur tube, cartons énormes. Annie chante, disons... moyennement. Lui a des notes à la place des gènes, l'harmonie dans le sang.

Je les présentais dans la première partie de la tournée Europe 1 en 1986 dont la vedette est Thierry Le Luron. Ce fut le zénith de Stone et Charden. Dix mille juillettistes et aoûtiens en liesse chaque soir, sans délires hystériques, juste l'effusion de retrouver toutes ces ballades que le public reprend en chœur. La nuit descendait sur la plage et leurs chansons ressemblaient aux vacances. Présenter un gala est un métier et un barnum bien différents de la télévision assis face caméra; là, il faut se jeter dans la fosse. Et gérer *backstage* les vedettes de l'été. Thierry Le Luron était heureux et fier de se retrouver à moins de trente ans dans la caravane qu'utilisait le grand Yves Montand. Thierry aussi faisait se déplacer dix mille personnes de Perros-Guirec à Palavas-les-Flots. Après le récital, il partait en nuits blanches dans les boîtes felliniennes de province où sa joie était de m'entraîner. Stone et Charden, eux, avaient un autre hobby dès qu'ils n'étaient plus sur scène : s'engueuler. À se demander si être ensemble ne leur servait pas à se hurler dessus. Après une énième dispute, Stone disparaissait ou s'enfermait dans sa loge. Le temps passait, le soleil déclinait, les techniciens rebranchaient la sono. Éric venait me trouver, en rage.

« Tu vas voir, elle va pas venir, rien que pour me faire chier elle va pas venir ! »

Et effectivement, par vengeance et plaisir de le défier, Stone réapparaissait au dernier moment. Ultraprofessionnelle, elle a toujours réapparu.

Éric était dadaïste, un pur déconnecté de tout. Aussi désintéressés l'un que l'autre, ce couple-là s'est fait détrousser maintes fois au coin des tiroirs-caisses. Des imprésarios sans scrupules les arnaquaient d'autant plus facilement qu'ils s'en fichaient. Cette insouciance-là aussi, d'amour et d'eau fraîche, n'a pas passé la fin des années quatre-vingt. Éric était toujours entre deux mai-

187

sons, lâchant l'une saisie par le fisc pour sauter dans une autre.

À partir des années soixante-dix, Charden n'a plus travaillé que pour l'impôt. Ses recettes de l'année lui servaient à payer l'ardoise des années précédentes. Stone et Charden auraient dû être les millionnaires du show-biz mais rien à faire, ils ont claqué des fortunes en négligeant les comptes, en laissant à peu près n'importe qui gérer leurs affaires. Pour lui, seul chanter était sérieux.

Longtemps, il a eu sa maison à Eygalières où je l'ai vu souvent. Le fisc la lui a fait vendre aussi. Mais nous sommes restés copains. Par contre, à force de se déchirer, le couple a fini par craquer. Comme ils se l'étaient si souvent promis, Stone et Charden se sont séparés.

Ils ont reformé leur duo en 2007, pour la tournée «Âge tendre». Et leur habitude de disputes est revenue avec un degré supplémentaire, maintenant ils s'engueulaient... sur scène. Le soir où Éric – qui pouvait être sale gosse – devant la salle stupéfaite a hurlé au micro : «Dégage! Tu chantes trop mal!» Stone, à bout, l'a fait en criant : «Je ne reviendrai jamais.»

Cette rupture a coïncidé avec les premiers signes de fatigue d'Éric.

Voilà deux ans, j'ai reçu un coup de fil de lui. Il vivait à Boulogne et il était souffrant.

— Michel, viens me voir.

Il avait refait sa vie avec Gabrielle, sa nouvelle femme. Elle m'a accueilli dans leur charmant petit triplex.

— Il t'attend dans sa chambre, en bas.

Je le vois allongé, manifestement fatigué. Mais il ne m'a pas fait venir pour parler bilan de santé.

— Je voulais te faire écouter quelque chose. Avec Annie et la maison Warner, on va faire un medley de nos grands duos avec quelques standards, «Dieu est un fumeur de havane» par Gainsbourg et Deneuve, le «Manhattan Kaboul» de Renaud et Axelle Red, la «Chanson pour une drôle de vie» de Véronique Sanson, «Désir désir» que Véronique Jannot a chanté avec Voulzy. Tu veux bien écouter les maquettes?

J'écoute.

À la fin il me lâche, comme entre parenthèses :

— Tu me vois, je suis fatigué... La Warner veut le sortir au printemps. Est-ce que tu feras quelque chose pour la sortie?

J'ai beaucoup d'admiration pour lui et je n'hésite pas.

— Bien sûr. Un spécial Stone et Charden.

Son visage s'éclaire.

— Le disque sort dans moins d'un an, en avril. Tu ne traîneras pas, faudra faire l'émission dans la foulée, hein, pour bien le lancer. On trouvera des dates, tu me le promets?

— C'est promis.

Il ne m'avait jamais rien demandé, Éric n'était pas du genre à tirer les sonnettes pour assurer sa promo. Baliser, «réseauter»... très peu pour lui.

— Je te préviendrai une fois le disque terminé.

Un chat, sans cesse, vient tourner autour de son fauteuil en se frottant contre ses jambes.

— Regarde mon chat, il sait que je suis malade, les chats sentent tout... Oh, j'ai un truc compliqué mais tu as vu, je sais encore chanter. Je vais aller en chimio et puis ça ira...

— Tu sais ce que c'est exactement?

— Depuis deux ans, j'ai un cancer qui se soigne très bien. Un lymphome. La chimio va arranger ça, je te dis.

— Tu sais ce qu'on va faire, je viens souvent rouler au bois de Boulogne, je passerai le samedi pour voir où en sont les maquettes.

— Ça me fera plaisir.

Je suis venu le voir environ tous les quinze jours pendant un an. Entre nous s'est tissé un pacte étrange, comme si nous pressentions sans en parler qu'un compte à rebours venait de commencer. À peine rentré chez moi, j'ai appelé des amis cancérologues – je ne manque pas de copains dans toutes les spécialités médicales. Après leur avoir donné des détails, tous ont été formels : «Il en a pour six mois, à cinquante ans on peut se tirer d'un cancer du système lymphatique, pas à soixante-cinq. C'est trop tard.»

190

Quand on vous dit ça, vous accusez le coup mais paradoxalement vous n'y croyez pas tout à fait. Une petite voix vous dit non, il va tenir beaucoup plus longtemps, il va même s'en sortir.

— ... Michel, c'est bien que tu lui promettes un dimanche mais il ne finira pas son disque. Le lymphome, c'est quasiment aussi méchant que le pancréas.

J'ai mis Françoise Coquet au courant. Et le samedi suivant je suis retourné à Boulogne.

— Comment ça va ?

Je le trouve en miettes, fracassé. Sa femme me dit que la première chimio à Villejuif a été trop dure. Éric est exténué et perd déjà ses cheveux. Mais il travaille, peaufine son disque, couché le micro à la main dans son petit studio à domicile, au rez-de-chaussée, avec son chat qui ne le quitte plus. De fin de semaine en fin de semaine, je le vois décliner à vue d'œil. Un samedi, après avoir parlé du disque, en fixant son chat qui le fixe, il murmure, las :

— T'as vu le chat... Lui, il sait que je vais mourir.

Dans ces cas-là on dit tous la même chose, on dit :

— Ne dis pas de bêtises, Éric.

Et puis, brusquement, ça change. Ça repart. Le nouveau protocole est bon. Éric reprend des couleurs. Son niveau de plaquettes remonte. Ses enfants passent et repassent en visite. Tout le monde fait semblant, l'air d'y croire, mais je vois bien qu'il reste exténué. Nos entrevues se calent sur une vingtaine de minutes tous les quinze jours.

— Je vais m'en sortir, Michel. On m'a dit que tu allais présenter la tournée «Âge tendre» au Québec ? J'irai avec vous. Tu vas voir. C'est dans six mois.

Sans arrêt il me répète :

— Et je suis chez toi pour la sortie de mon disque, tu n'as pas oublié ?

Il n'est jamais venu au Canada.

Régulièrement, il m'appelle comme si de rien n'était.

— Dis, le patron de Warner vient de me proposer des dates d'enregistrement, je vais t'en donner deux ou trois en fonction de la sortie du disque.

Il me parle de son «Vivement dimanche». Sa compagne m'avoue qu'il ne parle que de ça.

Il se bat. Sa vie a toujours été pleine d'emballements étranges, poétiques. Après s'être lancé à la recherche de la meilleure spécialiste de la lymphe, il est tombé sur le nom d'une professeure. Il s'est traîné jusqu'à son cabinet. À peine eut-elle ouvert sa porte qu'Éric s'est écrié :

— Mais on se connaît, madame !

— Bien sûr on se connaît, quand vous habitiez boulevard de Courcelles j'étais votre voisine du dessus !

Cette professeure a vite compris. Il ne s'agissait pas d'une question de vie ou de mort, il s'agissait d'une question de semaines. D'avoir assez de force et de temps jusqu'aux dates de sortie du disque et d'enregistrement de «Vivement dimanche». Elle a retravaillé les prescriptions et trouvé le meilleur des protocoles pour qu'Éric tienne. Ses taux de plaquettes sont devenus ses bonnes notes à lui. Il avait besoin d'en parler, de se sentir vivant.

Entre-temps j'apprends qu'on va le décorer de la légion d'honneur – je suppose que son ami Didier Barbelivien, proche de l'Élysée, n'y est pas étranger.

— Oh, j'ai la légion d'honneur, Michel! J'aimerais bien que tu me la remettes.

À partir de là, vivre est devenu une course contre la montre. Sans en dire un mot, tout le monde y pensait. Tiendrait-il jusqu'à sa légion d'honneur, irait-il jusqu'au canapé rouge de son «Vivement dimanche»? Éric a joué contre la mort avec toute sa force de gosse. Un défi qui ressemblait à un pied de nez. Avec en arrière-fond, comme depuis toujours, son perfectionnisme de compositeur.

Dans les salons Potel et Chabot, avec tous ses enfants, Baptiste qu'il a eu avec Stone et qui a produit le disque, Maxime le fils de la comédienne Pascale Rivaud, Stone et ses deux enfants, Gabrielle, toute sa tribu recomposée groupée autour de lui, je lui ai remis la légion d'honneur m'accrochant à mon discours pour ne pas trahir mon émotion.

Le vendredi, huit jours avant l'émission, sa femme m'appelle.

— Malheureusement, je crois qu'Éric ne va pas pouvoir...

J'attendais cette date tout en redoutant qu'il ne puisse pas assurer l'émission. Avec Françoise Coquet, nous avions prévu une alternative et nous nous tenions prêts. Avec lui? Sans lui? Éric tenait depuis plus d'un an, c'était déjà beau. Nous avions tous compris que sa meilleure chimio, c'était «Vivement dimanche». De toute ma vie professionnelle, c'était la première fois que j'étais face à un tel enjeu. Je ne me posais aucune question, fixé, comme mon invité, sur l'horizon d'une date.

Chaque jour Gabrielle me tient au courant, et me confirme :

— Il ne pourra pas.

Mais Éric est furieux qu'elle ait pu le déclarer forfait. Annuler n'est pas admissible pour lui. Sa dernière décision ne sera pas un renoncement.

Il dit : «Pas question.»

La veille de l'enregistrement, il est venu chanter avec Stone deux titres de leur album : «Chanson pour une drôle de vie» et «Dieu est un fumeur de havane». Nous n'avons fait qu'une prise. En régie personne n'osait bouger. Il n'a pas eu la force d'en interpréter une troisième.

194

Françoise et moi nous sommes dit : On a deux chansons, des images de la remise de sa légion d'honneur, mais jamais nous ne parviendrons à mettre en boîte un «Vivement dimanche» complet.

Et le lendemain il était là. L'enregistrement a duré deux heures et demie, heureusement il n'y avait pas de «Vivement dimanche prochain», le soir, pour cause de premier tour de la présidentielle. Éric a fait l'émission. Parfois, on s'arrêtait. On le shootait. Par moments je me disais : Il ne va pas aller au bout. On a gardé des séquences de présence, où il est drôle. Il m'avait permis de souligner d'un mot qu'il était souffrant. Personne ne l'avait vu à la télévision depuis quatre ans. J'ai donc annoncé qu'il était «fatigué». Devant le public du plateau j'ai ajouté : «Mais il va chanter parce que l'adrénaline d'un artiste, c'est vous.» Et on l'a vu entrer avec un chapeau. Sur deux heures, il a fait ce que Bashung a fait quatre minutes aux Victoires de la musique avant de mourir trois jours plus tard. Éric a tenu deux heures et quart. Au taquet. Son dernier dernier round. Je me suis davantage appuyé sur Stone que sur lui, le montage a gommé tous les plans où il était en perdition. À la fin, dans les ultimes minutes, j'ai senti chez lui un au-delà de tout, au-delà de la souffrance comme un fil qui se dénouait, comme s'il allait s'endormir après avoir brûlé jusqu'à la dernière goutte de son carburant. Puis il est remonté dans sa loge avec le médecin de garde et ses docteurs. Juste avant de quitter le plateau, il m'a pris anormalement fort et longtemps entre ses bras, mais nous n'avons pas gardé cette image à l'antenne.

Le lendemain, il est parti pour une transfusion à l'hôpital Saint-Louis et il n'en est pas ressorti. L'émission a été diffusée. L'émotion fut énorme, mêlée à la joie de retrouver toutes ses chansons, peut-être les plus beaux hymnes de l'insouciance des seventies. Il est mort huit jours après la diffusion. La veille, son fils m'a appelé de Saint-Louis.

— C'est une question d'heures, si tu veux venir, Michel, c'est maintenant.

Dans la chambre stérile, Éric est déjà dans le coma.

— Papa voulait que tu viennes pour te dire merci.

Avant de sombrer sous morphine, il m'avait fait passer ce merci comme s'il pressentait que ce dernier rendez-vous n'aurait pas lieu. Il n'était pas nécessaire, nous nous étions salués définitivement en plateau.

Sous assistance respiratoire son cœur bat, saccadé. Il est encore là. Mais depuis deux ou trois heures il ne parle plus. Ce n'est qu'une ombre au milieu de la chambre. Ce n'est plus cet homme-là qui a chanté voilà quelques jours. Ce n'est plus qu'un souffle.

Et il est parti.

Pour la première fois, nous avons rendu un hommage posthume en présence de l'intéressé. L'hommage dont rêvait Éric qui aura usé ses dernières forces à le voir de ses yeux. Quand je lui ai dit au revoir à l'antenne, ma voix n'a pas tremblé, je savais que nous ne nous reverrions pas, sans pouvoir encore y croire tout à fait. On a beau savoir, on n'accepte pas. L'émission commence, l'émission avance, elle continue. Après il y aura forcément encore une émission, encore une chanson. Encore une minute et puis une autre. Mais non, en fait. Éric m'a appris la limite.

À ma surprise, après m'avoir téléphoné pour me demander un papier d'hommage, *Paris Match* a fait sa une sur Stone et Charden avec huit pages intérieures. Jamais ce poète n'avait obtenu un tel traitement de son vivant. Il aurait pu n'en avoir plus rien à foutre mais non, il s'était choisi ce départ et il s'est battu pour l'incarner.

Dernier disque.

Dernière note.

Dernier bravo.

Dernière photo.

Il a été incinéré en présence d'une petite centaine de personnes, dont certains amis qu'il voulait à ses côtés. J'en connaissais peu. Françoise Coquet était avec moi, Stone, la famille d'Éric – et Sheila aussi. On a écouté ses chansons inédites, regardé des peintures et des dessins de lui, qui était également peintre.

La crémation est terrible, j'avais déjà assisté à celle de mon père au crématorium d'Orange. Vous êtes là, le cercueil glisse et s'en va. Maintenant l'assistance ne voit plus les flammes, mais à l'époque j'ai vu mon père partir dans le feu.

Rarement j'aurai assisté à une cérémonie aussi recueillie, sereine, que les obsèques d'Éric. Enterrer et incinérer sont des actes de la vie plus fréquents au fur et à mesure que l'on vieillit. Souvent des gens âgés m'ont avoué combien il est dur de voir disparaître un à un autour de soi ceux avec qui on a fait la route. Le temps de cette « dureté » a commencé pour moi.

Pas une seconde je n'ai pensé annuler cette émission si Éric ne l'annulait pas lui-même. Pas une seconde je ne me suis arrêté à des considérations de pudeur ou de principe. Elle allait de soi, plus qu'aucune autre émission. Plus qu'aucune autre, elle ne se discutait pas. En tout cas pour moi.

Quand il est remonté dans sa loge ce jour-là, il était heureux, il m'a regardé avec cette fierté de gosse qu'il avait, sa joie d'avoir tenu bon. Quelque chose de facétieux, de jusqu'au-boutiste, provocant mais léger, qui lui ressemblait tant.

Je n'ai rien voulu, j'ai laissé faire Éric. Au milieu de sa gaieté même, il a toujours traîné une drôle de vieille mélancolie où résidait sûrement son immense talent de mélodiste. Et moi, juste à côté de lui, je suis resté jusqu'au bout l'accompagnateur du désir d'un artiste.

Annuler «Vivement dimanche», par décence? Quelle indécence! Jamais je n'aurais pu faire ça à Éric.

Quand je venais le voir chez lui, parfois il s'arrêtait de parler pour ne plus quitter des yeux son chat. Tous ceux qui aiment les chats savent que de toute l'espèce animale, ce sont ceux qui sentent le mieux la mort. Plus elle approchait, moins son chat quittait ses genoux. Il semblait vouloir rassurer son maître.

L'une des dernières phrases qu'il m'ait dites, chez lui, à Boulogne, avait à la fois de la candeur, de l'orgueil et de la lucidité.

— Juste avant de m'en aller je vais laisser un album de tubes, un feu d'artifice *made in France.*

«Made in France», les trois mots titres de son dernier album, en écho à «Made in Normandie», un de ses premiers tubes.

— Arrête de dire des bêtises...

Éric m'a lancé ce regard que j'avais déjà croisé parfois et que je reconnais entre mille désormais, le dernier regard, celui qui vous dit je sais que tu sais mais fais comme si nous ne savions pas.

Mourir sur scène

Moi je veux mourir sur scène devant les projecteurs
Le cœur ouvert tout en couleurs
Mourir sans la moindre peine
Au dernier rendez-vous
Moi je veux mourir sur scène
En chantant jusqu'au bout
[...]
Moi je veux mourir sur scène
C'est là où je suis née.

Dalida, paroles : Michel Jouveaux,
musique : Jeff Barnel

En Provence, c'est toujours l'été, cette longue chaleur des vacances, d'année en année. L'an dernier, j'ai continué de partir en visite. À L'Isle-sur-la-Sorgue, pas loin de chez moi, je suis allé déjeuner avec Renaud. Depuis son lointain mariage dans les monts provençaux, il m'invite régulièrement.

— Passe me voir.

À Paris, après l'avoir aperçu à La Closerie des Lilas dont il a fait son point d'ancrage, tout le milieu prétend qu'il glisse chaque mois un peu davantage. Ici, dans le Midi, sa cantine est plus discrète, un petit restaurant où il a ses habitudes. En plein cagnard, je le retrouve avec son producteur et ami.

Attablé, Renaud a le regard fixe. Je viens avec un projet qui me poursuit, le convaincre de faire son comeback. L'inciter à partir enfin en cure. Lui faire miroiter l'avenir : il se prépare physiquement, perd dix kilos avant de revenir prouver qu'il est toujours là. Et je lui fais une émission – s'il veut bien. J'avoue que j'ai une idée en tête en même temps qu'un poids sur le cœur avec Renaud. Métier et sentiment se mêlent souvent dans ma vie. Je suis un docteur-producteur-animateur à la recherche de sens. Ne l'imaginez-vous pas vous aussi, ce «Vivement dimanche»? Tous ses potes viendraient chanter pour lui. Après avoir retrouvé l'inspiration, nous fêterions la sortie d'un nouvel album et son retour à soixante ans. Seulement voilà, tous les jours ne sont pas dimanche.

Je le regarde, immobile.

Nous échangeons quelques propos, l'air du temps, le temps qu'il fait, et j'attaque.

— Tu ne peux pas quitter le métier comme ça, Renaud.

202

Il ne dit rien, en se raidissant imperceptiblement.

— Quand est-ce que tu reviens?

Il ne répond pas.

Pour moi, Renaud est en train de devenir une légende comme Ferrat. Mais, chaque fois, j'appréhende de le retrouver. Sur son dernier disque, la voix est faible. J'ai connu ses parents, enregistré avec lui des émissions formidables, je suis allé à son mariage, il est venu dîner chez nous au mas Doliu. Quand il a eu son petit garçon, tous ceux qui l'aiment ont cru qu'il se remettrait en selle. Et puis il a rechuté.

Aujourd'hui, il est content de me revoir. Mais toujours cette drôle d'absence. Je suis loin de lui. Parfois une lueur ranime ses yeux, sinon son visage reste un masque.

— Ça fait des années que je t'attends pour un dimanche...

— Je sais, tes messages me font plaisir. Mais je n'ai plus d'idée, je ne sais plus quoi écrire. Je n'ai aucune inspiration.

— Avec tout ce qui se passe dans le monde, internet, la jeunesse, les hommes et les femmes d'aujourd'hui?

— Non.

— La politique?

— Non.

— Il y a tant de sujets, ton enfance, ton fils. T'as toujours su faire des chansons avec tout, t'as écrit sur des moments de rien, sur Mitterrand, « Tonton » et même sur son chien Baltique...

— Non... Hollande, c'est pas Mitterrand.

— Mélenchon ?

— Non plus.

— La téléréalité, la crise, la spéculation financière, bordel tout ça ce sont des sujets pour toi !

— Non.

— Tu charries.

— Je n'ai plus rien à dire, Michel. Ça peut arriver.

Je désigne la bouteille de blanc sec.

— ... Je vois que tu as arrêté de boire ?

— Oui, j'ai arrêté. J'ai complètement arrêté le pastis, maintenant je suis au blanc.

— Je vois ça.

— C'est moins nocif.

Il esquisse un sourire à l'abri du cagnard dans le jardin d'ombres, une sorte de bonze. Extrêmement émouvant. Les alcoolos sont à la fois révoltants et bouleversants.

— De toute façon, je vais presque plus à Paris.

— Ici, on est voisins...

— Alors, reviens me voir.

— Renaud... Tu sais qu'on me parle de toi tout le temps...

— Ah oui ? Qui ?...

— Des gens me disent, pourquoi vous ne recevez plus Renaud ?

— Tu réponds quoi ?

— Que tu écris, que tu prépares un album.

Il a un petit rire grinçant.

— Dès que tu as un mot gentil sur moi le dimanche après-midi, les gens me le disent sur Twitter.

— Écoute, même Polnareff, il est lunaire mais il est revenu ! Tu as encore des tonnes de choses à dire. C'est con. C'est pas gentil pour les gens qui t'aiment et qui t'accompagnent depuis quarante ans... C'est pas... sympa.

Elle est un peu idiote ma phrase, mais je ne vois que ça à lui dire, qui semble le faire vaciller. Au fond, peut-être que je l'emmerde ?

— Je sais... Reviens me voir avant la fin de l'été.

Je me dis bordel, c'est une icône. Le public, la presse, tout le monde l'attend. Il a écrit quinze chefs-d'œuvre. Tout le métier parle de lui entre deux portes. Où en est Renaud ? Comment va Renaud ?

Mais je ne dis rien non plus. Il fait trop chaud, trop lourd. La conversation tombe comme un caillou. Je me demande s'il n'a pas trouvé sa fin, entre un olivier et un ballon de blanc. Une forme de suicide conscient.

— J'ai tout dit, je te dis, Michel. T'es un des seuls à venir me voir, je vois presque plus personne. Reviens, on en reparlera...

Beaucoup de choses se jouent en un regard et le sien ne me convainc pas. Les yeux bleus de

Renaud ont la transparence de ceux que la lumière a brûlés.

Parfois ça ne marche pas le comeback. Le silence et l'absence l'emportent. Mais je reviendrai d'ici au 15 août.

Quelques jours plus tard, cet été 2012, j'ai vu un autre regard. Nicolas Sarkozy avait les yeux de ceux qui rentrent dans l'ombre. Cet air à vif et stupéfait. Nous nous retrouvons en voisins au bord des Alpilles dans un lieu chargé de lourds souvenirs pour moi puisque l'ancien président séjourne dans la maison de mon frère Jean à Mollégès, rachetée par un de ses anciens conseillers à l'Élysée. Je connais par cœur ces six kilomètres de route où j'ai mis du temps à revenir rouler après la mort de Jean.

Je range ma voiture au même endroit que jadis. La façade n'a pas changé, en poussant la porte j'imagine voir Jean, si heureux avec son fils Vincent. Mais c'est Nicolas Sarkozy que je trouve à pouponner, papa gâteau de sa Giulia, blondinette aux yeux bleus. La vie, les familles changent, les maisons ne bougent pas. En tout cas pas celle-ci. Même demeure un peu sombre, ouvrant à l'arrière sur la grande pelouse avec ses beaux platanes au fond. Mais ce n'est plus Jean qui profite de cette bastide secrète. Je flanche un peu, Nicolas Sarkozy s'en aperçoit. Nous évoquons Jean rapidement parce que je sens monter l'émotion et ce n'est pas le moment.

Je salue les trois officiers de sécurité avant de tomber sur Claude Allègre, lui-même étonné de me voir surgir à l'heure du café. Nous nous connaissons. Lors des présidentielles de 2002, Allègre avait remué ciel et terre auprès de Lionel Jospin et de sa femme pour convaincre le couple d'enregistrer le «Vivement dimanche» que je leur proposais, après celui de Mme Chirac. Malgré son insistance, celle de Jacques Séguéla et d'autres, les Jospin avaient décliné. La suite a éloigné Claude Allègre des socialistes. Et je le retrouve aujourd'hui en train de déjeuner dans l'intimité estivale de Nicolas Sarkozy. En les voyant terminer leur repas je me dis qu'en politique, vraiment, tout est possible.

Le président me demande des nouvelles des uns, des autres, passage en revue du landernau, «Tu l'a revu?», «Et lui, qu'est-ce qu'il devient?».

Carla apparaît. À quelques mots, par-ci, par-là, on la sent bien plus blessée que son mari par l'odyssée présidentielle, notamment par le comportement des médias. La partie lui semble avoir viré à la chasse à l'homme.

— Je n'imaginais pas le monde politique aussi cruel...

Par exemple qu'une conversation pour laquelle elle avait demandé le secret un soir d'épanchement au téléphone avec Franz-Olivier Giesbert puisse se retrouver in extenso dans les *Derniers Carnets*[1] du journaliste...

Je suis apaisant.

— 48, 5 %, c'est la moitié d'un pays à un cheveu près... Surtout après avoir été lâché dans les sondages pendant un an.

Avec le couple Sarkozy, nous nous répétons un peu ce qui se dit partout dans le pays. Le président sortant soupire.

— ... Avec quinze jours ou un mois de campagne supplémentaire, je gagnais sur le fil.

Qui le saura jamais ?

Jean-Michel Goudard, spécialiste des médias et ancien conseiller du président, pense lui aussi qu'ils sont partis en campagne trop tard, précisant qu'il existait « une pente irrationnelle irréversible dans le rejet » – la belle langue des communicants. Nicolas Sarkozy ne relève pas. C'est un homme avec lequel on peut parler et qui adore débattre mais qui ce jour-là n'a plus le cœur à ça.

Footing, natation, conférence, reprendre sa robe d'avocat comme il y songe, toute cette activité ne suffira pas à cet hyperactif. Après avoir tourné en sur-régime de sprinter, je ne le vois pas redevenir marathonien. Je me souviens de la phrase que m'a dite Lance Armstrong chez lui dans le Colorado, retiré du cyclisme à trente-sept

---

1. *Derniers carnets, scènes de la vie politique en 2012 (et avant)*, Flammarion.

ans : «La douleur me manquait... Mon corps n'avait plus sa dose de souffrance. C'est la douleur de pédaler dont j'avais besoin, pas du plaisir...» Et le retour d'Armstrong a été son apothéose avant de signer sa fin et sa déchéance. Je rappelle à Nicolas Sarkozy le jour où le champion était venu avec moi lui offrir un vélo de pro à l'Élysée.

— Mais je l'ai toujours. Viens rouler avec moi demain !

Non, ce sera sans moi. Ici Nicolas roule quotidiennement, il sort de dix à treize heures, sous un cagnard de «fada». Lorsque je suis arrivé, les gardes du corps qui déjeunent à côté m'ont soufflé :

— À vélo, faut le suivre, on en bave.

Carla et Nicolas sont à l'évidence très unis, bien ensemble, fous de leur petite Giulia. Nous voudrions parler d'autre chose que des élections mais nous ne pouvons pas. Tout nous ramène à la défaite. Face à de tels enjeux, la vie courante ressemble vite au magasin des accessoires. Malgré l'azur qui invite au repos, l'avenir d'une vie neuve et en famille... l'ancien président revient sans cesse à la politique.

— C'est trop frais. Je vais prendre du recul, j'ai déjà mon projet pour le futur.

Personne ne sait lequel et je ne le lui demande pas. 2017 est loin. Fillon et Copé, frères ennemis, ne semblent l'intéresser que d'une oreille. Son détachement m'étonne. J'ai devant moi un homme de cinquante-sept ans qui vit uniquement pour la politique depuis plus de trente ans et qui vient d'achever le plus court mandat présidentiel de la Ve République. Donne-t-il le change? Peut-il tourner la page?

— Il ne faut jamais dire jamais, mais je suis loin de tout ça pour l'instant, je ne supporte plus le bouillon médiatique.

Carla sourit.

Nous parlons natation, vélo, footing... Puis, de fil en aiguille, performance, dépassement. Déjà, l'ex-président est dans la deuxième phase. Après avoir vacillé, sa priorité est d'apparaître plus en forme physiquement qu'il ne l'a jamais été. Pas un instant je ne l'imagine lâcher la politique. Ma main à couper qu'il sera candidat à la prochaine présidentielle. Je le sens prêt à tout pour revenir en vainqueur. Nous convenons de dîner le lendemain soir au restaurant L'Oustau de Baumanière aux Baux-de-Provence. Carla en a marre des têtes politiques. Je crois que ce break en Provence leur fait oublier un milieu qu'ils ne supportent plus.

Le lendemain soir, à Baumanière, je retrouve les trois officiers de sécurité, deux pour Sarko, un pour Carla – rien à voir avec l'essaim au milieu duquel le président vivait depuis cinq ans.

M. Charrial, le patron, me demande si nous accepterions de venir saluer le chef et les mitrons. Nicolas Sarkozy accepte. En cuisine, toute la batte-

rie lui serre la main chaleureusement en l'appelant «Président», titre dont il jouira à vie. Je le
sens heureux de cette attention. Blindés, les
grands fauves politiques n'en sont pas moins sen-
sibles sous la cuirasse – lui plus qu'un autre.

Je le soupçonne de penser à Jacques Chirac
qui sans rien faire, après avoir quitté l'Élysée a vu
sa cote de popularité devenir stratosphérique.
Nicolas Sarkozy attrape les dernières mains, se
retourne... Dans ses yeux je lis cette interrogation,
«Pourquoi? Pourquoi ai-je été battu?»

Il écoute davantage, laisse parler les autres
en scrutant dans leur regard où il en est et quelle
est la mesure exacte de son échec. Comme un
acteur huit jours après un bide retentissant. Dans
ces cas-là on attend que l'oubli fasse oublier
l'échec.

Revigoré par notre virée dans les cuisines, il
me dit que l'après-midi même, il a croisé un jeune
exploitant qui déchargeait des bouteilles de rosé
devant un domaine viticole.

— Alors, monsieur Sarkozy!... Avant, mes
heures supplémentaires étaient défiscalisables,
maintenant elles ne le sont plus. Bravo la gauche!
Je sens que je vous regrette déjà.

Ça lui a fait chaud au cœur et c'est visible.
Hier Sarko voulait être aimé, maintenant il veut
être regretté. C'est touchant. On pensera ce que
l'on voudra de lui, c'est l'homme le plus «cash»
de notre classe politique.

— ... Michel, tu sais que c'est dans ton émission que j'ai remarqué Carla, dans le «Vivement dimanche» de Julien Clerc... Je m'étais dit cette fille est non seulement ravissante mais aussi très cultivée.

Carla lance son rire enjoué.

— Et du jour où nous nous sommes rencontrés chez Séguéla, nous ne nous sommes plus quittés... On se revoit, Michel?

— Venez dîner à la maison si vous voulez?

Décidément, nous ne nous quittons plus non plus.

Le lendemain, la presse relatait l'arrivée de François Hollande à Brégançon, serrant la main aux touristes de Bormes-les-Mimosas exactement comme Nicolas Sarkozy les serrait trois ans auparavant avant de recevoir François Fillon, s'offrant un bain de foule quotidien, manifestement aussi en sueur qu'heureux de faire l'événement.

Chez nous, au mas Doliu, mon invitation a secoué la maisonnée. Nous n'y recevons pas beaucoup d'habitude. Branle-bas de combat. Dany ouvre la salle à manger où nous ne mettons jamais les pieds, préférant la cuisine et la terrasse. De bon matin, Claude file au marché.

— On sera combien?

— Trois couples, plus les trois officiers de sécurité.

— Et Carlita, elle est végétarienne je suis sûr...

212

Au dîner, nous parlons musique et chanson, de l'album de Carla qui nous lit le texte d'un de ses prochains titres : « Mon Raymond ». Raymond... c'est Nicolas. Une idée gonflée, un texte spirituel et bien écrit. Nous prévoyons une émission pour la sortie de son album au printemps prochain. Moi non plus, je n'arrête jamais tout à fait de penser télé. De temps en temps, Nicolas Sarkozy aussi revient à son obsession.

— Je suis sûr que les médias accepteront de Hollande tout ce qu'ils m'ont refusé à moi, la presse de gauche est tellement complaisante... Mais ça n'est plus mon problème.

Et il entonne une chanson de son ami Barbelivien. Si j'ai une affection particulière pour Nicolas Sarkozy, c'est qu'il aime et connaît la chanson populaire française. Il se met à fredonner « Reviens » et « Méditerranéennes » d'Hervé Vilard, Carla enchaîne avec « Les amoureux des bancs publics » de Brassens avant que nous reprenions tous en chœur « La montagne » de Ferrat... La campagne et la défaite sont loin et comme beaucoup de Français en vacances, nous finissons la soirée en chansons sous l'œil ravi des gardes du corps qui pensent que demain, pour la sortie matinale en vélo, le président sera en forme.

À l'heure du départ, j'ai envie de lui demander « Alors Nicolas... tu reviendras ou tu ne reviendras pas ? » mais je n'ose pas. C'est l'été, le Sud, la paix de l'heure où les cigales s'endorment. Notre dernier mot ne sera pas politique.

Sur François Hollande, Nicolas Sarkozy se trompait. Au bout de six mois, le Hollande-bashing allait frapper le nouveau président avec la même violence que son prédécesseur. Les toreros peuvent se succéder dans l'arène, le taureau y reste toujours aussi féroce.

Le plus étonnant, c'est que quelques jours après avoir reçu le président sortant, j'ai croisé son vainqueur qui, comme moi, arrivait en Avignon par la voix des airs.

Quand vous êtes aux commandes d'un avion, le copilote n'en a vite rien à fiche de votre statut. Qu'on s'appelle Drucker ou Dupont, la seule chose qui compte c'est qu'on soit capable de poser l'engin. J'aime me confronter à des experts qui vous jugent au guidon du vélo ou au manche de l'hélicoptère, qui que vous soyez.

Depuis quelques mois j'ai décidé de passer mon brevet de pilote privé d'avion. Je prends chaque jour des cours à bord d'un petit Cessna 152. Cet appareil est devenu mon juge de paix, après l'hélico. Si je me plante, ça ne tiendra qu'à moi, pas aux audiences, ni aux patrons de chaînes ou aux invités. Après trois ou quatre tours dans le grand bleu, je reviens sur le plancher des vaches.

Cet après-midi-là, comme à la fin de chaque leçon, je pose mon avion-école avec mon instructeur, coupe la machine sur le tarmac du terrain d'Avignon après avoir remercié la tour de contrôle :

— Oscar Delta pour couper, merci.

La contrôleuse du ciel reconnaît ma voix et demande à mon instructeur, Jacques Simac :

— Tu crois que ton élève monterait nous dire bonjour ?

Nous nous dirigeons vers la tour de contrôle, véritable Fort Knox. Ce bâtiment est mieux protégé qu'une banque, depuis le 11 Septembre les mesures ont été renforcées dans la moitié du monde. On vient nous chercher, en haut des marches je tombe sur une femme charmante, ex-militaire que j'ai déjà croisée.

— C'est bien. Vous avez progressé...

Quand vous volez, la tour vous suit au radar. Je m'étonne de remarquer en bout de piste une foule inhabituelle d'uniformes, de motards et de voitures à gyrophare. La contrôleuse m'indique un des écrans.

— Vous voyez cette petite tache, là, c'est l'avion du Président qui arrive pour le festival d'Avignon. Il est au-dessus de Montélimar, il va se poser dans sept minutes et repartira cette nuit.

Je redescends sur la piste. En jean et baskets, je vais saluer le préfet de région en casquette et gants blancs, qui fait les cent pas, dans ses petits souliers.

— Monsieur Drucker... restez avec moi, le Président va arriver !

Pour la première fois je vais voir François Hollande en situation de chef de l'État. Je repense à notre « Vivement dimanche », à l'interview de sa famille en Normandie, au tournage à Tulle.

Je vois se profiler l'avion qui transporte cet homme en compagnie duquel je déjeunais deux fois par an avant qu'il se lance dans la campagne présidentielle, rituel amical à quatre chez Lipp en compagnie de l'écrivain Denis Tillinac et de la journaliste Catherine Nay. Nous avons tellement ri, dans ces déjeuners. La dernière fois, les observateurs et les sondages ne parlaient que de Dominique Strauss-Khan sur la voie royale...

L'avion présidentiel se pose et s'immobilise.

En haut de la passerelle apparaissent la sécurité du président dirigée par son garde du corps (une femme), David Kessler son conseiller culturel, Valérie Trierweiler et la suite. François Hollande, le dernier, jovial, m'aperçoit et me fait signe.

— Je suis content de vous voir !

Regard clair, droit, ouvert et sûr de lui. Heureux dans l'autorité. Ce regard au sommet de l'État dont rêvent tous les grands politiques, surtout ceux qui vous diront le contraire.

Tout de suite, deux, trois mots sur l'audiovisuel.

— Alors, comment ça se passe à France 2?

Je ne lui apprends rien, il sait déjà tout.

— Comment m'avez-vous trouvé dans le débat?

— Très bon. Je crois que Sarkozy vous a sous-estimé.

— Il n'a pas sous-estimé que moi.

Toujours l'humour à fleur de lèvres, mais ce n'est plus le même homme. Le protocole l'encercle. Je viens de dîner avec les Sarkozy dans la défaite et je retrouve les Hollande dans l'onction du pouvoir dont on dit en France qu'elle frise la toute-puissance. Les premiers s'en consolent tandis que les seconds la découvrent et la savourent – forcément. Contrairement à son souhait, je pense que François Hollande ne pourra pas être tout à fait un président « normal », à la suédoise. Déjà plus rien n'est pareil, le staff, la façon dont les autres le saluent et s'adressent à lui, y compris moi. La nouvelle ministre de la Culture Aurélie Filippetti l'attend au pied du palais des Papes. Depuis le double septennat de Jack Lang rue de Valois, le monde culturel fait toujours meilleur accueil à un président de gauche que de droite – et celui-ci vient juste de commencer son règne.

Berlines, gants blancs du préfet, cocardes tricolores, je regarde le président Hollande s'en aller vers les remparts d'Avignon. Cinq minutes plus tard, l'aéroport a repris son rythme tranquille, écrasé de soleil. Les gendarmes sont remontés dans leurs estafettes et tout est redevenu normal sans le nouveau monarque.

À dix kilomètres de là, le roi d'hier sue sang et eau sur son vélo.

Si tu t'imagines

Si tu crois petite
[...]
que ton teint de rose
ta taille de guêpe
tes mignons biceps
tes ongles d'émail
ta cuisse de nymphe
et ton pied léger
si tu crois petite
xa va xa va xa
va durer toujours
ce que tu te goures
fillette fillette
ce que tu te goures
[...]
la ride véloce
la pesante graisse
le menton triplé
le muscle avachi
[...]

Juliette Gréco, paroles : Raymond Queneau,
musique : Joseph Kosma

Je vais rarement à l'étranger et je n'y reste pas longtemps. Je n'y passe pas mes vacances. Kourou, quelques jours, pour le lancement de la fusée Ariane... Le Cambodge en reportage photo avec Tina Kieffer pour son association « Toutes à l'école ». L'Afghanistan pour fêter Noël avec les pilotes français sur la base de Kandahar. Marrakech et son festival du rire, quelques heures, pour Europe 1. Je voyage pour le travail. Je crois que je ne sais plus ce que pourraient être le tourisme ou la promenade. Tout vient par le travail, y compris la découverte et l'imprévu – il y a toujours de l'imprévu. Je réponds à une cause, parfois je me déplace pour une raison amicale.

À l'étranger il se passe une chose inhabituelle : on ne me reconnaît pas. Personne, sinon quelques Français ou l'équipe d'accueil. Je suis anonyme.

Au Cambodge, l'hôtesse derrière le comptoir de l'hôtel me tend ma clé avec le même sourire qu'à mon voisin. Je ne suis plus l'homme vu dans le poste, juste moi.

C'est un soulagement. Presque un court-circuit. Plus de regards, de tensions, de reconnaissance. Une sorte de flottement. Le public ne peut pas imaginer cette libération. L'angoisse majeure de toutes les personnalités est de décevoir physiquement les gens qu'elles croisent au hasard des rues, des trains, des imprévus. D'être perçu vieilli, bouffi, abîmé hors du carré magique d'un bon directeur photo et malgré toutes les prothèses, ces magiciens botox et Photoshop où commencer implique souvent qu'on ne sait plus s'arrêter.

À l'étranger, tout ce poids s'envole. Plus le risque que n'importe où, n'importe qui vous trouve « tapé » et pour tout dire antipathique.

N'être plus public – quel confort !

La pression est si forte qu'il faut parfois fuir à l'autre bout du monde. Omar Sy vit aujourd'hui aux États-Unis pas uniquement pour des raisons de carrière mais pour entrer et sortir de chez lui sans être immédiatement ramené à son statut. Pour les stars dont tout le monde parle, qui déchaînent l'engouement, le rire ou le scandale, respirer devient une exhibition. Le moindre déplacement un événement.

Je me souviens d'une conversation avec Dany Boon pendant le triomphe de *Bienvenue chez les Ch'tis*.

— C'est dingue ! Je ne peux plus sortir acheter une baguette.

Souvent, on pense que les stars exagèrent, qu'elles en font trop.

— ... Je te jure, Michel, j'ai essayé, ce n'est plus possible. Je ne peux plus aller nulle part.

Dany gardait un air comique dans l'étonnement, mais j'ai compris que ce n'était pas si drôle que ça.

Quand Dany Boon entre dans une boulangerie, forcément on le reconnaît. La boulangère, les
clients – même le chien remue la queue.

— Oh... Mais c'est Dany Boon...

— Ça alors !

— Si, si. C'est lui !

— C'est pas vrai !... Nom de Dieu de nom de
Dieu. Gérard ! Gérard !...

La boulangère appelle le boulanger qui arrive
du four, couvert de farine, en s'essuyant les mains
sur son tablier.

— Ça alors ! Alors ça !

L'apprenti, la vendeuse, les clients...

— C'est t'y pas vrai !

— Bonjour... Une baguette tradition, s'il vous
plaît.

On fait une blague. On a vu le film. Bien sûr
qu'on a vu le film. Deux fois même.

— Qu'est-ce qu'y veut, le biloute !

— Merci, c'est gentil. Une baguette tradition,
s'il vous plaît...

— Hein, le biloute !

Les minutes passent et les gens rigolent, ravis,
attendant que Dany Boon les fasse rire.
Autographes, photos. Partout le même accueil,
chaque boutique, chaque pas de porte, vingt-
quatre heures sur vingt-quatre.

— Suzanne, va chercher le Polaroïd !

— Christiane, ramène le livre d'or !

— Chérie, on a bien une photo de la petite, qui veut faire du cinéma ?

— Téléphone à mamie, on va lui passer !

— Va chercher les voisins !

Dany se tortille, sourit et remercie en attendant sa baguette tradition. Les rires continuent de fuser, c'est dimanche, il y a dix, quinze, vingt personnes maintenant dans la boulangerie.

— ... Et je repars sans ma baguette, je te jure que je te dis la vérité.

— Mais je te crois, Dany.

Même scène chez le boucher, à la poste, à la pompe. Sans parler des supermarchés de tous les dangers où ça peut tourner à l'émeute. Du nord de la France, son berceau, où en traversant une rue Dany devient à lui tout seul une attraction... Votre vie, votre liberté de mouvement, c'est terminé. Sa tête aux grandes oreilles est devenue un défoulement national.

Je crois que nous étions dans sa loge au Studio Gabriel. Dany était assis, le regard perdu, avec un drôle de sourire. Sonné. Lorsque je l'ai revu quelques semaines plus tard, cette gravité émanait toujours de lui, le clown *number one*. Alors lui aussi a pris le large et traversé l'Atlantique avant de voir l'Hexagone partir en polémique sur ses revenus et ses cachets pharaoniques.

Cette angoisse du trop, trop de gens, trop d'amour, trop d'argent, de paraître, de bonne humeur obligée, je l'ai vue envahir les yeux d'Omar Sy et de Jean Dujardin aussi. Cet esclavage de ne plus s'appartenir, de devenir juste son image et son image une affiche. Chacun imaginera dans ces ascensions vertigineuses le rôle que peut jouer l'entourage, en garde-fou ou en catastrophe. Vous sortez du monde. Vous n'êtes plus pareil. Emmener ses enfants à l'école peut devenir un raid. Les gens, une horde. Le moindre écart, le plus petit ridicule, une grimace, un bourrelet, tomber dans l'œil d'un portable avant d'inonder la toile, la presse, à la vitesse de la lumière. D'ailleurs, vous voyez à peine la tête des passants qui vous arrêtent, tout de suite ils vous balancent à la figure leur portable pour la photo. Un peu comme s'il pleuvait à verse tout le temps, il faut rentrer le cou, raser les murs, mettre une capuche, un chapeau, une casquette, des lunettes noires – et pour Dany Boon un K-way, évidemment.

Je suis persuadé que le public n'imagine pas ce que c'est, le public. J'ai vu des stars littéralement fuir. Ne plus savoir où elles habitent. Se terrer. Rêver que tout ça cesse et ne plus vouloir que ça recommence. J'en ai vu me parler de cette gloire-là comme d'un fléau. Jean Ferrat ne l'aimait pas. Qu'on admire ses chansons le comblait, mais lui? Brel aussi a fui. Cabrel, Goldman ne veulent plus se montrer du tout, même sur un plateau de télévision. Décision radicale. Le bonheur pour eux est redevenu de pouvoir traverser une rue sans qu'il se passe rien. Le public peut toujours vous reconnaître, quand il vous voit moins, il se calme pour devenir aussi discret que vous, et le tourbillon de votre image s'apaise.

Vivre célèbre entraîne la plus dure des disciplines, celle qu'on s'impose à soi-même. Jusqu'où doit-on laisser entrer la lumière ? Jusqu'à quelle profondeur lui appartient-on avant de pouvoir redevenir soi, sans l'approbation de personne ?

Pas plus tard qu'hier, en sortant du Studio Gabriel avec Adamo, j'ai retrouvé cette ambivalence. Pas mal de gens étaient restés à l'attendre, massés sur le trottoir. À la fin d'un rendez-vous médiatique qui est toujours un enjeu, un stress, l'artiste ou le présentateur peuvent être vannés, avoir un train à prendre, mais les gens sont là. Ils attendent, ils espèrent. Le plus souvent un bonjour. Un signe. Un échange léger. Parfois davantage, des choses qu'on ne pourra pas leur donner. Face à eux, il y a plusieurs écoles. Les vedettes qui s'en foutent et qui même les méprisent. Celles qui peuvent pousser un coup de gueule parce qu'on les emmerde. Claude François pouvait être tantôt chaleureux, tantôt odieux. Michel Sardou est soupe au lait. Il y a ceux qui abrègent, adeptes du service minimum : sourire, bonjour, signature en baissant les yeux, avant de filer. Leur art est ailleurs... A contrario, il y a ceux qui aiment ça et font durer le plaisir. Après avoir traversé un groupe de vingt personnes, ceux-là vous diront qu'ils étaient deux cents. Quand on murmure leur nom sur leur passage... qu'une foule a failli les étouffer. Et puis il y a ceux qui évaluent le moment, le nombre de gens en se disant ça va durer quinze, vingt minutes et ces vingt minutes, je les donne. Serge Lama, Adamo sont ainsi. Toujours calmes, charmants, ils donnent un moment. Je suis de cette dernière école, la vieille école. Ce n'est pas une question de génération ou de niveau de notoriété. Je préfère ne pas me presser. Je me dis : Tu as voulu durer... tu as duré. Voilà pourquoi les gens sont encore là. Ces vingt minutes peuvent vous en apprendre davantage que bien des conversations en boucle avec des gens du métier. En face de soi jaillissent des vies venues de tous horizons, avec un livre ou une photo à signer, parfois une fleur, un flan maison ou une lotion capillaire miraculeuse que j'offre à Jean-François Kervéan... Un portrait aquarelle de moi qui me fout un petit coup au moral (comme mon premier buste au musée Grévin qui avait traumatisé ma mère). Parfois rien. La plupart du temps, il suffit d'écouter.

Pour en revenir aux voyages dans les villes étrangères, je m'offre parfois un luxe rare, je sors me balader pas rasé et en jean. En France, s'il me prend l'envie d'en faire autant, au bout d'une heure, je me sens déphasé, presque culpabilisé. La peur d'être pris en défaut l'emporte, je file me raser. Après m'être évadé un moment, je reviens en uniforme bon chic bon genre. Dans mon livre précédent, *Rappelle-moi*, j'ai raconté que le seul jour où j'ai pris l'avion avec une sale gueule, une barbe de deux jours et des vêtements de la veille, c'est le matin où mon frère Jean est mort en Provence. Les gens me regardaient bizarrement, je ne comprenais pas pourquoi, en arrivant je me suis vu décavé dans la glace et j'ai compris.

L'anonymat absolu, jusqu'à la réclusion parfois, c'est le confort idéal. Des femmes souveraines comme Garbo, Marlène ou Bardot s'y sont résolues. Le bonheur est de pouvoir vivre sans crainte – libre. Mais le prix à payer pour ce relâchement, c'est que tout a tendance à vite foutre le camp... La discipline et les obligations formatent le corps et l'image. La célébrité est un conditionnement. Une fois qu'on sort du processus c'est plus difficile d'y revenir. Quand on quitte la lumière, elle ne vous maintient plus. On peut rapidement perdre la tête de l'emploi. Se laisser aller, comme l'a encore si bien chanté Charles Aznavour.

Dès qu'une personnalité subit un choc, un coup dur, une déprime, sa première réaction sera de s'enterrer, de ne plus être vue par personne – elle sait que les épreuves s'impriment sur le visage.

Son deuxième réflexe sera de sortir quand même pour ne pas s'enfoncer jusqu'à un point de non-retour... Raison pour laquelle les cocktails, les soirées sponsoring de téléphonie mobile ou des marques de couture qui font les pages people attirent des vedettes en rade qu'on ne voit plus guère que là. Elles viennent prendre une dose de lumière – une minidose parfois. Elles viennent arrêter l'effacement qui les affole.

Et puis il y a le temps qui passe. Vingt ans plus tôt, vingt ans plus jeune, en voyant votre image vous vous posiez d'autres questions que celle de votre âge. Tout va de soi quand on n'y pense pas. Moi aussi je vieillis, et longtemps je ne m'en suis pas aperçu. Je l'ai réalisé en voyant vieillir les autres. Surtout ceux que je n'avais pas vus depuis longtemps. Comme tout le monde, en fait.

Si vous restez en scène, personne ne vous voit vieillir vraiment. L'habitude. Mais quand vous restez dix ans à l'ombre, vous ne pouvez pas éviter un choc frontal au moment de repasser la rampe. Vous voyez une curiosité cruelle dans le regard des autres.

Quand le groupe Il était une fois, en vogue au début des années quatre-vingt est venu se reformer à «Vivement dimanche», en hommage à leur chanteuse Joëlle disparue tragiquement, j'ai salué un homme au bord du plateau. En me serrant la main, il m'a fait :

— Tu ne me reconnais pas ?

Non, je ne le reconnaissais pas. C'était un des deux guitaristes du groupe. Je l'avais vu des dizaines de fois pourtant, enregistré pas mal d'émissions avec lui.

— Bien sûr que si, je te reconnais !

Ce n'était qu'une demi-vérité. Il m'a fallu de longues secondes pour retrouver dans ce visage épaissi, simplement vieilli, l'homme que j'avais connu. Il s'en est aperçu.

— Je sais que j'ai changé.

Ce musicien savait que le temps était passé sur lui, la gloire, la jeunesse en même temps que la discipline l'avaient quitté – triple peine. Mais il ne m'en a pas voulu et nous en avons ri en vieux amis.

Quand vous recroisez des « tombés du train », en un clin d'œil de gros blocs de temps vous dégringolent sur les épaules, on ne sait plus quoi se dire. Et puis ça revient et on s'embrasse.

— Ah, Michel, nous n'avons pas vu le temps passer.

Je les regarde et je pense : Comment ont-ils vécu ? Avec quelles espérances ? Comment ont-ils payé leur loyer ? Quels proches sont restés près d'eux pour traverser les caps difficiles ? Je connais les violences que recouvrent ces questions.

Certains ne changent pas, inaltérables, ils déboulent comme au premier jour. Marcel Amont, à quatre-vingt-quatre ans, vient faire le grand écart devant les caméras de « Vivement dimanche ». Ou

229

Hugues Aufray, quatre-vingt-quatre ans aussi; Annie Cordy, quatre-vingt-cinq – youp la boum, tagada-gada-tsouin-tsouin, et en loge elle n'est pas loin d'avoir le même tonus...

Nous ne sommes pas égaux devant le temps. Nous ne le sommes devant presque rien, finalement.

Avec les autres, ceux qui ont pris un sacré coup, on ne peut pas s'écrier : «Ah, tu n'as pas changé...» parce que si, la personne a changé, beaucoup même, trop. Vous dites : «Je suis content de te revoir, j'ai souvent pensé à toi...» alors que non, ce n'est pas vrai, vous n'avez pas souvent pensé à lui, à elle. «Avec le temps va, tout s'en va...»

Si j'aime la télévision depuis toujours, c'est que je crois dur comme fer qu'elle me permet d'échapper à la décrépitude et au vide. Elle m'a tenu et me tiendra encore bien vivant contre ce foutu temps qui passe. Si je m'arrêtais, j'aurais peur de tomber, de vite ne plus me reconnaître. J'en ai connu tant, des hommes qui tombent.

Au maquillage, juste avant une émission de télévision, devant les miroirs auréolés de spots, tout se voit. Pour chacun de mes invités, entre l'intimité et l'antenne, c'est la minute de vérité. Il ne se passe pas de semaine dans la loge make-up du Studio Gabriel, une heure avant d'enregistrer, sans que je surprenne dans une glace l'œillade apeurée d'un artiste, homme ou femme.

La télévision est une loupe impitoyable qui ne laisse rien passer. Avec les techniques de l'image de plus en plus pointues, les maquilleuses ne cessent de trouver leur travail de plus en plus difficile. Et nos invités arrivent de plus en plus tôt.

Quand Line Renaud est notre hôte, le directeur de la photo et la maquilleuse savent, devant la salle encore déserte, qu'il va falloir la filmer sous son bon profil. Scène immuable. Chez Line Renaud, trois quarts gauche. Bruel, trois quarts gauche. Julio Iglesias, trois quarts droit. La plupart des artistes expérimentés ont de tels impératifs, exprimés plus ou moins sereinement. Si vous-même faites à peine la différence entre leurs deux profils, eux la font instantanément. Ils sont leur propre miroir, les procureurs de leur apparence. Paradoxalement, presque tous ces personnages publics qu'on imagine épris de leur personne n'aiment pas se voir. Une caméra trop basse et peu flatteuse peut déclencher un drame, une contre-plongée sur un menton jugé vieillissant tourner à la catastrophe.

Quand on s'habitue à la lumière, on exige qu'elle soit bonne. Les politiques le savent aussi et ne laissent plus rien au hasard. Botox, régimes de fer, retouches Photoshop sur le papier glacé des photos deviennent excessifs jusqu'au malaise. Les actrices sembleront bientôt toutes sorties du même banc de poissons-lunes. Je trouve ces excès grotesques.

Pour un homme, l'enfer est plus local. Les deux juges de paix sont la calvitie et l'embonpoint – la bedaine est un attribut masculin. Mais depuis quelques années, tout compte : la démarche, les épaules, les paupières, les dents, même les taches de vieillesse sur les mains. Je connais des vedettes qui prennent soin de ne plus laisser filmer les leurs. Les caméras de plus en plus fouilleuses, les images de mieux en mieux définies vous font perdre ou gagner des points sur chaque détail. La période sombre commence de plus en plus jeune. On se refait le nez ou les seins en début de carrière pour améliorer ses chances d'en avoir une. On formate son corps pour rentrer dans des programmes formatés.

J'observe le phénomène y compris chez moi : soucis et coups de stress se répercutent immédiatement sur mon visage. C'est une loi commune, le moindre coup dur se trahit par un affaissement, laisse sa marque. La bonne nouvelle est que ce n'est pas indélébile. Avoir belle allure peut ressembler à un yo-yo. La notoriété aide à se maintenir au plus haut. Quand Michel Delpech est revenu avec son album de duos et que son talent a renoué avec le succès, aussitôt son image a suivi. Littéralement, son visage s'est rallumé. Sa silhouette s'est affûtée.

On l'aura compris, le succès est un anti-âge. Gérard Lenorman a vécu la même métamorphose que Michel Delpech. Blanchi, un peu flou, soudain le goût retrouvé du public pour ses ballades l'a rasséréné, redessiné. L'insuccès, lui, systématiquement vous dégrade. J'ai vu tant de vedettes glisser dans ce brouillard. Vous n'êtes plus Untel, Unetelle, vous devenez celle « qui a morflé », celui « qu'on ne voit plus ». Et vous finissez par vous confondre à la cendre qui vous engloutit. Vous imaginez l'angoisse ? Personne ne vous dit un mot de votre dégringolade, bien sûr que non... Pourquoi faire mal ? Vous n'en parlez pas non plus. Jusqu'au bord du Pôle emploi, du gouffre, une vedette déchue prétendra toujours aller très bien : « Pleine forme ! », « Surbooké ! »... Ses yeux fuyants disent autre chose si vous la regardez en face, tandis que dans son dos enfle la rumeur : « Elle ne fait plus rien. Qu'est-ce qu'elle devient ? »

Pour dissimuler son étoile pâlissante, un artiste peut aller jusqu'à s'inventer des contrats qu'il n'a plus, des désirs qu'il ne suscite plus.

Mes cinquante années professionnelles sont remplies de ce vécu caché. C'est souvent ça, la vraie vie des stars.

Par bonheur une chanson change moins qu'un visage. Quand l'interprète disparaît, elle se substitue à lui, intacte. Cet élan souterrain, durable, loin des sunlights, est la grandeur secrète du spectacle. Daniel Guichard, par exemple, avec sa dégaine de Gitan et son phrasé de titi a continué de chanter pendant quinze ans sur les places de village et les parkings de supermarchés, bourrés à craquer, bien qu'il ait disparu des radars médiatiques. Insubmersible, « Mon vieux », chanson qu'il a écrite avec Michelle Fricault et dont la musique est signée Jean Ferrat, est restée un des classiques préférés des Français. Et la chanson qui fait pleurer Alain Delon.

Si des acteurs et des chanteurs qui ne tournent plus depuis des années demeurent dans le cœur des gens, ce n'est pas seulement grâce à une tendresse fidèle. Ils s'y enracinent aussi via la télévision. Grand paradoxe de cette boîte devenue surpuissante : à la télé personne ne meurt tout à fait. Le comble de l'ambivalence. En même temps qu'elle passe son temps à trier cruellement les « in » des « out », même si vous êtes relégué au grenier depuis des lustres, il suffit d'un programme pour que vous envahissiez à nouveau l'écran. La télévision fait, défait... et refait presque à l'infini de nos jours. C'est le nœud de Möbius. Une horloge dont les aiguilles peuvent aussi bien tourner à l'endroit qu'à l'envers. La foultitude de chaînes du câble, de la TNT, le coût moins onéreux des rediffusions ont permis ce phénomène dans la chanson, le cinéma. Pas une semaine sans qu'on puisse revoir Gabin et même Pierre Fresnay, Sacha Guitry, Lino Ventura, Micheline Presle ou Louis Jouvet. Une série des années soixante-dix,

«Columbo» ou «Les Mystères de l'Ouest». Hier j'ai entendu un présentateur culturel citer C. Jérôme! Avant-hier j'ai suivi une rétrospective musicale des années soixante. À tout moment, un disparu ou un démodé peut revenir dans votre salon via la chaîne Télé Melody. Moi qui trouve la télévision fossoyeuse, éberlué, je dois reconnaître qu'elle sauve maintenant de l'oubli des pans entiers de générations. Merci l'Ina – on ne dira jamais assez combien l'Institut national de l'audiovisuel assure la mémoire du métier.

C'est la double fonction de la télévision désormais. Énorme caisse de résonance de la mode et de l'actualité, entre deux surexpositions, elle glisse une page du passé, une pastille de souvenir. L'écran plat nous ramène au bon vieux téléviseur d'hier. Ainsi, des moments d'archives relayés par internet sont devenus cultes. Grâce à la télé et à sa pléthore de chaînes, des répliques inoubliables, des moments forts se gravent à jamais. C'est extraordinaire quand même. Une machine à fabriquer de l'oubli qui sauve de l'oubli. Tout passe et semble disparaître mais, archivés dans des années d'antenne, les artistes et les engouements vieillissent et ne vieillissent pas, meurent et ne meurent pas.

J'en reviens toujours à ça. La télévision, c'est du temps qui passe et qui ne passe plus, enfin fixé.

Maintenir son image au milieu d'une offre de plus en plus vaste devient un défi impossible. La guerre des apparences a redoublé. Avec les photos, on s'arrange. Au cinéma, on joue un rôle. À la télévision, on se montre et on est soi. Même si on ne se plaît pas. Raison pour laquelle j'ai toujours considéré la radio comme un refuge. On peut y prendre quinze kilos, avoir une tête de déterré, le micro s'en fout. En radio, on peut envoyer un texto, boire, fumer (au fumoir) pendant les pauses de publicité. Une voix, sauf accident, vieillit mieux qu'une silhouette. C'est pour ces raisons que je suis retourné sur Europe 1, enthousiaste, après vingt-cinq ans passés loin des stations. Inquiet de ne plus avoir une bonne voix, j'ai préféré passer des essais. Dans mon timbre, on percevait les décennies mais ce n'était pas inquiétant – ou alors on ne me l'a pas dit. Avec l'expérience, une voix a plutôt tendance à embellir. Si le temps abîme le corps, il bonifie le son. Quoi de plus beau, à l'oreille, que le grain de Jeanne Moreau, Jean Rochefort, Jean-Pierre Marielle ou Fanny Ardant... Personnellement, j'ai toujours eu plus de mal à me voir qu'à m'entendre.

Sur Europe 1, chaque matin, j'ai fait une découverte formidable : à la télévision on prend des coups de vieux, à la radio des coups de jeune. Les ondes sonores se foutent éperdument du temps qui passe. La fatigue donnera souvent un supplément d'intimité à un échange, et les auditeurs l'apprécient. Ce n'est pas un hasard si les émissions de confidences chuchotées au creux de la nuit rencontrent une telle audience. Sur Europe 1, Caroline Dublanche assure en noctambule une relève digne de la reine des «sans sommeil», Macha Béranger.

Cela dit, à peine sorti de la station sur le trottoir de la rue François-Ier, je recommence à gamberger sur la question du paraître.

J'ai commencé à m'inquiéter sur mon âge à cinquante ans, après quatre années sur TF1 à séduire la ménagère... de moins de cinquante ans. Séduire, c'est tout un mental. En télé, l'obsession est maximale entre 18h45 et 21h30, tranche horaire à hauts risques où l'audience doit rester forte – soixante pour cent des recettes publicitaires télévisuelles se font dans cette fourchette; en radio, le «prime time» est entre 6 heures et 9 heures. Le matin aussi, il faut être jeune, dynamique. Et à midi. Et l'après-midi. Et le dimanche. Sept jours sur sept, trois cent soixante-cinq jours par an, la forme, la forme, la forme.

Voilà presque un demi-siècle j'ai eu une grande chance en débutant à l'ORTF, je n'avais pas de concurrent. Aujourd'hui, je vis la seconde chance de ma carrière : le public audiovisuel vieillit. Comme le petit écran manque d'audace, de moins en moins de jeunes le regardent, attirés par d'autres fenêtres. La télévision a donc pris de l'âge en même temps que moi – une aubaine pour votre serviteur. Selon les sondages, je suis devenu l'idole des vieux. Cela dit, je me démène quand même pour rester frais.

Dès cinquante ans j'ai commencé à investir dans la santé et j'ai tout fait pour rester le plus jeune possible, je l'avoue. Puisque mon challenge était de faire la carrière la plus longue possible, fallait bien entretenir la machine. J'ai tourné mon regard vers les vieux sages, aujourd'hui ce sont eux qui m'attirent, m'apprennent et me bluffent. Ils m'ont signifié une autre sacrée bonne nouvelle : vieillir n'est plus forcément un naufrage. C'est devenu un apprentissage. Et moi, l'ex-cancre, j'aime apprendre.

Concrètement, le plus grand succès de «Vivement dimanche» jusqu'au printemps dernier aura été : «Ils ont quatre fois vingt ans»... avec Charles Aznavour, Annie Cordy, Jean Piat, Michel Galabru, Hugues Aufray et même Valéry Giscard d'Estaing, un peu surpris de se retrouver en si bonne compagnie.

Au vu des courbes d'audience, à la stupéfaction des analystes médiamétriques, plus mes invités sont des seniors plus ils font un tabac. Ça a changé ma vision des choses en me rendant de plus en plus sourd aux sirènes des faiseurs de tendance, en général à côté de la plaque. Chaque semaine je suis confronté à une autre réalité que celle des a priori. Doucement, secrètement, j'ai vu vieillir les téléspectateurs et le pays. Le privilège de la jeunesse qui, par les temps qui courent, n'en a plus beaucoup est devenu le privilège de l'âge. Intégrant ce changement, j'ai décidé de ne pas jouer les faux jeunes, de me comporter en senior qui vieillit bien, et qui reste au boulot avec une nouvelle obsession : repousser au maximum la limite de péremption sans sombrer dans le ridicule. Avec l'allongement de la durée de vie, de plus en plus de gens ont pris la même décision. Faire avec et faire bien. En sachant se contenter de petites victoires.

Le jour où un contrôleur de train, me voyant sortir ma carte senior, m'a fait : «Vous l'avez volée celle-là !», je me suis dit *bingo*.

J'avais soixante-deux ans.

Depuis, ma cible est à la fois ambitieuse et raisonnable, je pourrais l'appeler : les dix de moins.

— Monsieur Drucker j'ai fait un pari avec ma femme, elle croit que vous avez cinquante-sept ans.

— Perdu, c'est plus.

Du jour où je me suis aperçu paraître dix de moins, j'ai essayé de garder ce capital. Aujourd'hui, je suis un monsieur de soixante et onze ans qui en fait, paraît-il, soixante. Et je vais essayer de garder cette marge. Je veux travailler encore dix ans. J'ai appris par cœur la liste des octogénaires heureux de leurs noces d'or avec la vie active. Ce club qui ne cesse de s'agrandir, de Jean d'Ormesson à Jane Fonda, est en train de tourner au phénomène de société.

Vieillir s'est mis à passionner tout le monde. Quatre-vingts ans pour moi marque aussi une pierre blanche, l'âge du jour où mon père a enfin posé sa sacoche de médecin. Comme lui, j'aimerais poser le micro vers ces années-là. Ne pas aller trop, trop loin. Aussi fort soit-on, au final, ce n'est pas un combat qu'on gagne.

Quand je regarde par-dessus mon épaule, je me souviens que jeune, je trouvais mes parents à soixante ans très âgés, presque antiques. De nos jours c'est moins vrai.

L'âge rajeunit.

La forme et l'apparence, ce n'est pas sorcier. Ça s'écoute, ça s'apprend et ça s'entretient. Le déclic peut venir du jour au lendemain. Les recettes sont bien connues, sans aller jusqu'aux dingos du botox et du bistouri. Personnellement j'ai investi surtout dans le sommeil et le sport, deux compagnons loyaux et peu coûteux. La nuit, je dors. Qu'un homme stressé comme je le suis n'ait qu'à fermer une paupière pour s'endormir reste un mystère. Au bord du sommeil, ma journée s'évanouit – et plof, je dors déjà.

Aujourd'hui il y a des experts en tout, y compris du bien vieillir. Je les ai écoutés. Quels sont les sports qui entretiennent le mieux l'organisme ? Le vélo et la natation. J'ai sauté sur un vélo et dans la piscine. Depuis longtemps l'anticipation et la gamberge m'ont appris à surnager et à pédaler.

J'ai consulté pour connaître l'état de mon corps. Pour ce qui ne se voit pas à l'œil nu, j'ai demandé aux médecins de dresser le bilan de ma cylindrée. Examens du cœur, du sang, des pulsations, du rythme pulmonaire, électroencéphalogramme, dopplers en disent plus long que des blablas. (J'ai pourtant une lacune, je ne suis jamais allé chez le psy.) Faut pas avoir peur du constat. Tout de suite les toubibs m'ont répondu : «Vous êtes un anxieux.» Je n'ai pas eu l'air surpris. Fallait baisser le rythme cardiaque. Se bouger, récupérer, dormir, s'alimenter équilibré, boire de l'eau. Franchement rien d'onéreux, ni d'impossible, c'est à la portée de tous. Je n'ai jamais fumé. Ce programme est presque aussi simple que de dire bonjour – en un peu plus prenant. Et le résultat est sans prix.

La santé et l'apparence sont en train de devenir un hobby de riches. En tout cas, les marchands voudraient le faire croire. La foire à la vitalité lance de vraies et de fausses jouvences, en général pas bon marché du tout. Mais on peut très bien s'en passer. Moi aussi j'ai mes trucs, quelques privilèges. Un boîtier à pilules, des compléments alimentaires sélectionnés par la championne cycliste Jeannie Longo (je trouve infamant qu'on ait pu la taxer de dopage parce qu'elle n'était pas coupable). Un laboratoire me procure une grille de ces compléments. Rien de bien farfelu, pas de poudre d'or ni de mixture au caviar : magnésium, vitamines, omégas. L'essentiel. Avoir une santé, une image, un tonus ne doit pas devenir l'exclusivité des nantis quand c'est le plus naturel des droits. Qui dépend pour l'essentiel d'un facteur précieux, parfois rare mais parfaitement gratuit : la volonté.

C'est moins par amour de moi que de mon métier si je suis devenu à ce point gestionnaire de mon corps. J'ai simplement compris avant d'avoir un pépin que ma discipline était ma survie, mon bout d'avenir. Je me fiche de la mort, je n'y pense pas puisque je n'y peux rien, mais autant que possible je voudrais éviter les accidents vasculaires et leurs séquelles... Je ne rêve pas d'immortalité, je veux juste ne pas baisser, rester debout le plus longtemps possible. C'est une organisation, au début. J'habite en face d'une clinique et d'un laboratoire, vite atteignables en cas d'urgence et pour consulter souvent. Quand j'ai commencé à rêver d'une maison au soleil, j'ai tout de suite regardé le tracé des TGV pour ne pas trop perdre de temps. Le temps perdu, les trajets, ça épuise. Je n'ai pas un cardiologue et un kinésithérapeute – j'en ai deux. Le doppler pour les artères du haut et du bas n'a plus de secret pour moi, je pourrai bientôt les passer moi-même à domicile. J'entre beaucoup plus souvent dans un laboratoire médical que dans un magasin de vêtements.

Et tout cela devient naturel – comme une seconde peau. Je cours mais je ne me presse pas comme ces jeunots au vélo qui ne pensent qu'à forcer l'allure pour finir «dépouillés» dans un fossé, exsangues.

Je n'ai presque pas de vie mondaine, sinon les sorties professionnelles et le clan des proches. J'ai toujours cherché à ne pas fréquenter les gens du métier après vingt heures, ils fument et picolent trop. J'aime la lumière douce, je ne suis pas star. Un artiste au top ne peut pas avoir ce fond de vie tranquille. Ceux qui sprintent de film en film, avec six à neuf mois d'intenses tournages par an, ceux qui courent de nuit, de jour, par monts et par vaux pour aller chanter un soir au Mans et le lendemain à Nice ne peuvent pas avoir ce genre d'existence. À ma grande surprise, un médecin m'a confié l'autre jour que de ne pas voir assez sa famille constitue une cause majeure de stress. Décidément ce mal se nourrit de tout.

Passé une certaine limite, tous les écarts, toutes les carences finissent par se retourner contre soi. J'ai vu des artistes vivre sans s'en soucier. Flamber et se brûler. Après les folles années, c'est le retour du boomerang. D'ailleurs, après les années soixante-dix, quatre-vingt, un état de conscience s'est imposé dans le spectacle. La rock attitude a pris du plomb dans l'aile. Je n'en reviens pas du nombre de jeunes comédiens, chanteurs, animateurs qui ne peuvent pas s'empêcher de me glisser : « Comment fait-on pour durer, Michel ? »

Jadis on se foutait de moi pour avoir ce souci. J'étais considéré comme le notaire de la profession, ainsi baptisé par Thierry Ardisson qui aujourd'hui passe autant de dopplers que le « notaire » et qui a engagé un coach sur son conseil...

Je n'ai pas voulu devenir Léon Zitrone et pas non plus Yves Mourousi que j'ai pourtant tant admiré aussi. Un roi du métier, descendant de princes russes. Une idée à la seconde, une curiosité d'ogre, un toupet de révolutionnaire, sans peur de rien, brillant, joyeux, avec autant de don pour le show, de goût pour l'info que de tendances à l'excès et qui hélas s'est carbonisé la santé, les cordes vocales et finalement le cœur, le 7 avril 1998, à cinquante-cinq ans.

Gainsbourg s'est abîmé en devenant une figure mythique. Johnny le rescapé, bon gré mal gré, a enfin réussi à changer radicalement de vie. Vingt fois Depardieu a essayé de tuer en lui Raspoutine et Gargantua. Jacques Villeret a bu à mort. Piaf s'est autodétruite. Le cœur de Joe Dassin a implosé un soir au bord d'une piscine à Papeete, après avoir rencontré une femme fatale nommée cocaïne. Renaud se détruit de jour en jour – il le sait et on attend tous qu'il arrête. Eux sont des artistes, pas moi. Leurs vies se nourrissent autant de déséquilibre que d'équilibre et le péril sans doute exacerbe leur talent. Je les

244

admire pour ça. Leur aura vient des gouffres où se forgent les légendes. Mais quand on ne fréquente pas ces sommets, à quoi bon la frénésie triste, on peut préférer se consacrer à vivre vieux et mieux. Voilà encore cinq ans, j'aurais eu honte de l'avouer.

Maintenant ça va...

J'entends siffler le train

J'ai pensé qu'il valait mieux
Nous quitter sans un adieu.
Je n'aurais pas eu le cœur de te revoir...
Mais j'entends siffler le train
Mais j'entends siffler le train
Que c'est triste un train qui siffle dans le soir
[...]

Richard Anthony, paroles et musique : West Hedy
adaptation : Jacques Plante

Bouche à oreille, affluence record, raz de marée du public... Un succès si phénoménal que la presse, la télévision et le microcosme applaudissent après s'être beaucoup moqués. Sur la tournée «Âge tendre et têtes de bois», des foules de seniors mettent le feu aux Zénith de France et de Navarre.

Le producteur Michel Algay a eu l'intelligence de mettre à la disposition des gloires du

passé un instrument à la mesure de leur répertoire, eux qui souvent ne connaissaient plus que
les galas à l'économie. Le top technique et scé-
nique pour des gens qui n'y sont plus. Belle
lumière, son dernier cri, musiciens hors pair, sous
des lasers dignes du Stade de France devant des
milliers d'amateurs éblouis. Le succès ne s'est pas
démenti depuis sept ans. La première fois que j'y
suis allé j'ai été emballé par cette idée géniale de
produire ces artistes dans le même contexte quali-
tatif qu'un Julien Clerc ou une Nolwenn Leroy. En
quelques secondes le passéisme et la poussière
s'évanouissent pour laisser place à la formidable
énergie de la nostalgie. Dans cet écrin moderne,
Herbert Léonard, Annie Cordy, Hervé Vilard,
Gérard Palaprat, Annie Philippe, Christian
Delagrange, Gilles Dreu, Georges Chelon, Leny
Escudero, Patrick Juvet, Claude Barzotti, feu Frank
Alamo...

Comme leurs chansons n'ont pas pris une
ride, l'âge s'efface. Une chanson populaire peut
passer sur l'instant pour ringarde mais vieillir si
bien qu'elle devient culte, un mot synonyme
d'éternité dans nos contrées.

J'ai été parmi les premiers à ne pas ricaner
pour m'empresser de leur consacrer un grand
dimanche, j'en ai même fait deux dont les
audiences ont ressemblé à celles de leurs tournées.
Je remercie le producteur autant qu'il m'en a
remercié, en plus ça a fait ma joie. Toutes ces voix

que j'ai vues débuter, j'ai cessé tout à coup de les voir s'éteindre. Les has-been entrent sous des hourras encore plus fournis qu'à leurs débuts devant un public venu prouver que *non, rien, rien de rien, non, il n'a rien oublié.*

Si vous passez côté coulisses, l'enchantement opère aussi sur les vétérans, puisque les bravos donnent bonne mine. Leurs carrières s'en sont trouvées prolongées de dix ans. À soixante-dix, quatre-vingts printemps, un tel sursis peut s'appeler le paradis.

Michel Algay veut prolonger le concept, après «Âge tendre», les années quatre-vingt, je lui ai suggéré de lancer les «Années Champs-Élysées». Il m'a proposé de m'y associer en présentant cette tournée. J'y réfléchis. Nous pourrions boucler la boucle ensemble, d'ici six, sept ans, je m'y vois bien vers 2020. Chenu, j'annoncerais un Patrick Bruel sexagénaire. Un jour ou l'autre je sens que je renfilerai mon costume pour aller me joindre à eux. Leur tournée, sur laquelle les intellos et les médias ont tellement daubé, j'ai tout de suite compris que c'était la mienne.

La fatigue? Mais quoi? «Âge tendre», c'est cinquante galas par an. Ce sera ma Jouvence de l'Abbé Soury. Les «Années Champs-Élysées», trois heures de show, deux services par jour, en fin d'après-midi et en soirée, avec un long entracte pour reposer les artistes et leurs fans, boire une tisane avant le chorus final...

J'y pense. En même temps, je me souviens soudain que Léon Zitrone a fini par faire «Intervilles» sans caméra. Je gamberge. Je me tâte. J'en parle à Dany qui éclate de rire.

— Tu pourrais aussi essayer de te cloner, Mimi.

Bon, si ça se trouve ça ne se fera jamais, d'autant que j'apprends en bouclant ce livre que l'habile producteur vient de lancer la tournée «Sacrée Soirée» présentée par... Jean-Pierre Foucault. Qui sera suivie de «Rendez-vous avec les stars», présentée par Patrick Sabatier.

J'adore venir faire un saut quand la tournée s'installe au Palais des Congrès. Michel Orso, à soixante-douze ans, a un tube, un seul : «Angélique». Et il est là. Je l'ai prié de venir avec les autres sur le plateau de «Vivement dimanche». Ensemble nous avons évoqué les débuts de l'aventure en 2006. Plus personne n'évoquait cette génération, partout elle ne suscitait que murmures d'ironie, mi-consternés, mi-rigolards... L'humoriste Mathieu Madénian, qui travaille avec moi, les appelle la tournée «Âge tendre et jambes de bois»... Untel a triplé de volume. Unetelle sucre les fraises... J'ai tout entendu. À quoi bon reformer des duos séparés? Leurs fortunes se sont écroulées. Dès la première année, l'organisateur rêvait

250

de la participation de mon ami Dave qui ne voulait pas en entendre parler. Il me téléphonait : « Michel, je ne vais pas aller chanter devant des civières, quand même ! » – Dave a le don des raccourcis saisissants. Toujours est-il qu'il a fini par accepter et qu'il est ravi des « civières ». Il termine le spectacle en vedette, avec six tubes, presque trente minutes de récital, le seul à avoir ce privilège. Je suis sûr qu'Adamo finira par se laisser tenter. Ceux qui ont su être prévoyants et chez qui l'argent n'est pas un souci se montrent les plus récalcitrants. Hervé Vilard aussi s'est fait prier plusieurs années, avant de venir ouvrir le show triomphalement. Au Canada, quand Robert Charlebois m'a vu animer la soirée, il a tiqué.

— Comment, c'est toi qui présentes ça ?

J'ai dans l'idée que Charlebois aussi va craquer. Ginette Renaud, la diva du Québec, avait toujours répondu non... Cette année elle sera outre-Atlantique l'invitée d'honneur. Isabelle Aubret, dans un registre poétique et littéraire, proche interprète de Ferrat, de Brel, est la sociétaire de la troupe année après année dans sa longue robe blanche. Quand elle entonne « La montagne », tout le public frémit. Le soir de la mort de Jean Ferrat, le JT de France 2 s'est connecté à la salle où comme chaque soir elle chantait « Deux enfants au soleil ». Et ça n'a plus paru ringard à personne.

C'était splendide.

Loges spacieuses, fleurs, assistants attentifs, public passionné, bon hôtel et berline avec chauffeur : le revival de rêve. Au début, les troupiers se sont pris le bec, pas évident de réunir de vieux paons solitaires. On s'est volé dans les plumes derrière la scène, pour la plus grande loge, pour le plus gros bouquet. Celle qui retenait trop longtemps le maquilleur sautait à la cravate de celui qui monopolisait le coiffeur. Bien forcé de partager le show, chacun a appris à partager les coulisses et le spectacle où pourtant on ne se fatigue pas trop : une quinzaine de minutes, quatre, cinq chansons, parfois deux ou trois seulement, pour entendre bourdonner à ses oreilles le délicieux brouhaha des salles impatientes, revivre le ballet des autographes, la cohue des soirs complets et le tintement revenu des euros dans l'escarcelle.

Les vieux cabots redeviennent de jeunes loups, cédant parfois aux vieux réflexes égotistes. Ce qui n'est pas propre aux vétérans. Je me souviens du tournage d'*Une chance sur deux* de Patrice Leconte avec Jean-Paul Belmondo et Alain Delon qui se retrouvaient trente-cinq ans après *Borsalino*. Le producteur Christian Fechner avait mis un soin maniaque à faire régner entre eux l'égalité absolue. Les deux superstars avaient donc été surprises de se voir attribuer deux caravanes jumelles, même largeur/même longueur/ même moquette/même clim... tous les signes extérieurs du vedettariat en deux exemplaires. Je crois qu'il y avait même deux hélicos, chacun le sien, pour éviter une tragédie au cas où Alain et Bébel auraient voulu décoller au même moment. Un clash aurait mis le film en péril et pu provoquer la faillite de la production.

Faut pas plaisanter avec l'amour-propre.

Surprise imprévue dans le déroulement des premières de la tournée «Âge tendre» : aucun des participants ne voulait quitter la scène, se laissant aller aux *bis*, aux bravos, entretenant l'effusion avec de grands gestes de Castafiore. Le régisseur devait carrément se faufiler sur scène en attraper certains par la manche pour les tirer hors de la lumière. Le spectacle s'étirait en reprises, en rappels, à n'en plus finir, jusqu'à durer quatre ou cinq heures ! Durée trop longue pour un public âgé qui tout en retrouvant du peps peut être sujet à des syncopes. Innover n'empêche pas de garder la tête froide, le producteur Algay et sa femme Françoise Malet ont pris les choses en main et briefé leurs vieux poulains. Trois minutes d'ovation, et par ici la sortie. Pensez au copain qui poireaute au coin du rideau en trouvant que décidément vous en ferez toujours trop. La fête ne pouvait pas durer jusqu'à l'aube, les chauffeurs de car n'avaient pas toute la nuit devant eux. Et déplacer le Samu chaque soir ne ferait pas une bonne publicité. Tous les deux ont su apaiser les rivalités pour que l'aventure ne tourne pas au meurtre collectif comme dans l'Orient-Express d'Agatha Christie.

La prestation s'est régulée, assagie. Aujourd'hui chacun occupe son créneau et passe à son tour. Dans la vie, il faut parfois attendre longtemps pour goûter aux joies du jeu collectif. Chacun chante ce qu'il a à chanter avant de se retrouver au *catering*, la cantine ambulante, avec bonne humeur. Ces longs buffets ressemblent au paradis de la variété de papa. On prend une salade de courgettes, et toc, on tombe sur Catherine Lara. On s'assoit à de grandes tables entre Georgette Lemaire et Herbert Léonard, on discute charlotte au chocolat avec Richard Anthony qui n'y a plus droit, tout en demandant le sel à Demis Roussos qui n'y a pas droit non plus. Chaque fois que j'y vais, je vis un rêve en me disant, vraiment, il ne manque que moi.

Michel Algay a inventé le kolkhoze-variétés-senior, tout en garantissant à chacun son pécule – tout est libéral aujourd'hui.

En 2012 j'ai craqué, moi qui suis assez casanier et franco-français, quand le producteur m'a proposé de venir présenter sa tournée lors de son passage au Canada francophone, j'ai dit oui et j'ai sauté dans l'avion. Le Québec est l'ex-Nouvelle France, sa devise officielle est «Je me souviens»... C'était le printemps. Ces huit jours ont été une des plus grandes semaines de ma vie.

La fureur québécoise, tabernacle!

Là-bas, le spectacle n'est pas que sur scène... Bon, à propos de la tournée «Âge tendre», les supporters vous diront souvent – moi le premier – qu'on y voit aussi des jeunes... Ce n'est pas faux, en cherchant bien, vous pouvez en voir quelques-uns, soit déchaînés, soit prostrés. Sinon, la moyenne d'âge tourne autour des soixante-cinq ans. En croisant des quasi-centenaires parmi le public et parfois sur scène, je me sens comme un mousse qui mettrait le pied sur le pont d'un immense trois mâts. Ça fait un bien fou de redevenir cadet !

J'aime aller saluer Isabelle Aubret dans sa loge où elle passe sa robe, morte de trac, comme au soir du concours de l'Eurovision 1962 – l'avoir remporté ne l'a jamais rassurée. Isabelle traverse les coulisses au bras de son mari Gérard Meys jusqu'au rideau, et lui, chaque soir, va se placer côté public pour l'écouter.

Juste avant le concert, je me glisse sur scène – une patinoire reconvertie en méga music-hall. Une gigantesque tour domine le plateau et le parterre où près de soixante mille personnes vont se succéder en quatre jours. Je rejoins Michel Jasmin, mon alter ego ici. La salle gronde. J'ai l'impression de commenter une finale de Coupe du monde. Michel le Canadien a un accent à couper au couteau, Michel le Français a un accent à couper au couteau, les Québécois rigolent autant de notre « baragouin » que nous du leur. Pour eux je suis un « maodi français ».

255

Et j'annonce Michel Delpech qui, au Canada francophone, vient fêter l'apothéose d'un retour mérité.

— Je vous présente quelqu'un qui est bouleversé d'être là. Vous ne l'avez pas revu ici depuis trente ans mais vous avez tous connu «Laurette», vous avez tous fait des folies «Pour un flirt» et après... parfois...

Delpech entre par le fond de la scène sur les premières notes des «Divorcés», instantanément quinze mille personnes se lèvent. Un déchaînement, une vague si violente que Michel finit hébété. C'est poignant une marée humaine qui se souvient en chantant à l'unisson. Tous ces fragments de mémoire intime fixés sur des refrains...

J'aime ça. Je n'ai pas honte d'esquisser un slow avec une dame sur les mesures de «Pour le plaisir». Je suis en famille, moi qui n'ai plus ni père ni mère qu'en souvenir. Et je n'aime pas qu'on se moque de la tournée «Âge tendre». Le pouvoir des chansons, toutes les chansons, les monuments comme les bluettes, c'est ma madeleine.

Autour de moi les gens hurlent, m'acclament aussi, dans la foulée. Je n'ai pas tant de mérites, le Québec m'honore surtout pour avoir lancé Céline Dion en Europe. Je viens un peu en beau-frère d'outre-Atlantique. On m'arrête dans les rues de Québec autant que dans mon arrondissement, à huit mille kilomètres de là. J'ai beau en avoir l'habitude, ici, dans le dépaysement, ça m'étonnera toujours. L'an prochain, à l'été 2014, je serai de retour pour présenter avec la star de la télé locale Julie Snyder un talk-show sur la chaîne TVA, retransmis sur France 2 avec la participation exceptionnelle de Céline Dion.

Ça s'appellera «L'été indien». C'est ça aussi la francophonie.

Au Québec, la tournée «Âge tendre» se nomme plus prosaïquement : «Le retour de vos idoles». Les Québécois sont comme ça, fiers d'être une province qui ne va pas chercher midi à midi dix. Mais les salles font quinze mille places. Au Canada, il y a un Bercy au bout de toutes les villes. L'oncle Sam est le grand voisin. Suréquipement, hypermodernité et... vie rustique. À Montréal, le Centre Bell, autrefois connu sous le nom de Centre Molson, est le temple de toutes les stars internationales. Les Québécois chantent comme ils respirent, comme j'imagine qu'on chantait sous le Front populaire.

Ce public m'a soufflé.

Je l'ai adoré.

— Et maintenant Claude Barzotti...

— Et maintenant, extrait de *Starmania*, «Le blues du businessman», chanté par Claude Dubois...

— Et maintenant, invité exceptionnel de la tournée, Demis Roussos...

Arrive Barbe Bleue, pantalon bouffant style montgolfière, bottes de cosaque et suçant une pastille de Viagra.

Une fois lancée mon intro, je me précipite dans la salle au milieu des quinze mille spectateurs pour observer. Toutes les chansons sont sur toutes les lèvres. Les Québécois ne font pas que chanter, ils «jasent» et commentent le plateau comme s'ils étaient chez eux devant leur écran de télévision.

— Elle est encore bien, elle. Quel âge qu'elle a, mon Robert, dis-le moi donc bien.

— Elle est toujours blonde, Isabelle Aubret, ça c'est bien.

— Tu vois qu'Hervé Vilard il hurle «Reviens, reviens!», on dirait qu'on vient de lui arracher le bras.

— Et Michèle Torr... C'est pas toi qui danserais comme ça, Thérèse.

Emmène-moi danser ce soir...

En vérité, les gens se disent nous ne sommes pas si mal que ça, finalement. Le revival des idoles devient le leur. Entre le passage des artistes, j'assure la transition en bavardant avec le public, un micro baladeur en main. Certains ne sont pas allés au spectacle depuis vingt ans. D'autres, avec un naturel désarmant, me répondent ce qui leur passe par la tête.

Une dame a les cheveux bleus, une autre des plumes sur la tête.

— Parbleu, on a passé quatre heures au coiffurage.

— On a mangé dans le car. Y a du monde, j'ai jamais vu autant d'autocars.

— Moi non plus, madame, sauf à Lourdes.

Et tout le monde s'esclaffe, entre soi, comme si nous étions entre nous autour d'une table de salle à manger. C'est dément. Le Canada est un continent à la bonne franquette. À côté, l'Olympia fait franchement guindé.

J'observe, j'écoute, j'admire ce public qui s'éclate. Quand ils ne chantent pas, ne parlent pas, ils se lèvent pour danser. Pendant la seconde partie ils font les trois à la fois. C'est l'Acadie. Les dames se sont faites belles, celles qui ont de la poitrine arborent des décolletés pigeonnants. Leurs maris rentrent le ventre, mais c'est la gente féminine qui a fait le plus d'efforts pour être en beauté et signifier à Delpech, Vilard, Dumont et compagnie que leurs supportrices ne sont pas décaties et qu'elles aussi ont de la ressource.

Le dernier quart d'heure est carrément sexuel.

Pour Tony, le Tino Rossi acadien, on se lève, les dames lâchent leurs petites laines, arrachent leurs foulards. Heureusement qu'elles ont élargi le pantalon de monsieur, qu'il puisse bouger... et monsieur a ressorti sa paire de bottines argentées. Dans la foule, les femmes font de grands signes.

Crooner d'origine italienne, Tony dirige maintenant des restaurants.

> — *Je t'ai aimée mais pour aimer*
> *Il a fallu que je te mente...*
> *J'ai beaucoup ramé,*
> *J'ai beaucoup péché*
> *Mais je t'ai aimée... ée... ée... ée...*

Ma mère me dirait que, vraiment, c'est pas du Aragon. Et non, c'est pas du Aragon, c'est du Tony, maman. C'est la salle, le génie. Ceux qui ne sentent pas ça ne connaissent rien à la chanson. Une chanson devient ce que les gens en font. Moi aussi je me lâche, j'y vais dans le sentimental entre les rangées de fauteuils.

— Madame, vous êtes encore plus jeune de près que de loin.

Maquillée, bijoutée, elle ne fait pas plus ses soixante-dix ans que moi.

— Et vous, monsieur, avez-vous beaucoup menti à madame ?

— J'ai menti ce qu'y faut pour pas avoir d'enquiquinements.

Tony bisse son finale :

> — *Mais on s'est beaucoup aimés*
> *Et on s'aime encore... re... re...*

Le délire. Vraiment dommage qu'un journaliste de *Libé* ou des *Inrocks* ne soit pas dans la salle, ce qu'il écrirait le changerait de ses habitudes.

À la fin du concert, c'est tout juste si des mamies ne draguent pas leurs voisins, l'œil brillant. J'en vois qui se dressent en balançant les seins comme des topless. Se foutant éperdument de leurs années et de leurs kilos.

C'est merveilleux.

— Mesdames, messieurs, celui qui va s'avancer devant vous maintenant, vous le connaissez depuis cinquante ans. Il a bourlingué depuis l'Égypte, comme Claude François, vendu des frigos et puis il est arrivé chez nous en France dans les années cinquante. Je suis sûr que ce train...

Clameur instantanée dans la salle.

— ... Ce train, vous l'avez entendu aussi siffler dans la nuit...

Richard Anthony ouvre sa chanson depuis les coulisses, la salle entre en lévitation, huit mille mamies brusquement se jettent au fond de leurs sacs pour chercher leurs mouchoirs. De la pénombre on voit émerger Richard, cinquante kilos en moins, un peu boudiné quand même dans son costume cintré. De toute façon il n'a pas eu le choix, il n'aurait pas maigri il serait décédé. On ne peut pas dire qu'il se précipite, ça non, c'est pas Marcel Amont. Il marche tout doucement, à petits pas, suspendant le public à son ralenti. Son timbre chaud est intact, quand il chante, rien ne bouge, sauf sa glotte.

C'est le Don Corleone de la variété française. *Mezza voce*, la salle enchaîne tous les couplets, jusqu'aux soupirs... Au Québec, un artiste aphone n'annule jamais son concert, les fans assurent le récital à sa place.

— ... *J'ai pensé qu'il valait mieux nous quitter sans un adieu.*

Grondement immense, nirvana de la nostalgie. Le pot-pourri est triomphal... Même Richard, si placide, qui a tout vu tout connu, chancelle en prenant l'ovation dans la gueule. Les chanteurs de scène vivent cette transe qui me fascine toujours, cette émotion torrentielle. Je n'avais pas vu une telle fusion du public depuis des années.

— ... *À présent, tu peux t'en aller.*

Les gens chialent, rigolent, se prennent la main, se tiennent, ne se tiennent plus, les chignons parfaitement laqués sont partis en compote, de vieux couples s'enlacent. Tout fout le camp mais non, pas tout, quand même. Pas nous. Quand trois mots sur trois notes entrent dans le cœur des gens, ils y restent. Soixante-dix pour cent des personnes qui viennent voir la tournée reviennent l'année suivante, c'est la sortie annuelle de ceux qui ne sortent plus – pour des raisons économiques aussi. Côté salle, ceux qui ne peuvent plus tenir debout se rassoient, cannés. Côté loges, les vedettes sont toutes KO debout. Michel Algay est un grand producteur, à chacun il a proposé de produire un soir leur tour de chant personnel à l'Olympia. Avant la tournée «Âge tendre», il a managé Léo Ferré. Sa passion ? Aimer les artistes et toutes les couleurs de la chanson, de « Jolie môme » à « Frida oum papa ».

Je suis allé avec lui sur la tombe de Félix Leclerc sur l'île d'Orléans. Au bord de la dalle, j'ai vu ces dizaines de paires de chaussures, en tas, usées, trouées avec dans chacune un petit mot qui se souvient de « Moi mes souliers »...

... Qui ont passé les prés
ont piétiné la lune
couché chez les fées
et fait danser plus d'une...

Triomphe, *bis*, tubes, liberté, signatures de programmes et autocars. Moi aussi je reprends mon avion pour Paris, vite. J'ai dix-huit piges, cent ans, je n'ai pas d'âge. En France François Hollande vient d'être élu président de la République. Tout change et rien ne change. Je voyage, je me bouge, j'ai l'impression d'avoir fait le tour du monde et de ma mémoire. Je suis normand, parisien, provençal, juif d'Europe centrale et québécois...

Je suis des chansons.

Nul ne guérit de son enfance

[...]
Le temps qui part en marche arrière
Me fait sauter sur ses genoux
Mes parents l'été les vacances
Mes frères et sœurs faisant les fous
J'ai dans la bouche l'innocence
Des confitures du mois d'août
[...]
Le vent violent de l'histoire
Allait disperser à vau-l'eau
Notre jeunesse dérisoire
[...]
Nul ne guérit de son enfance
[...]

Jean Ferrat

Noël approche et je redoute le 19 décembre 2012 qui vient. France 2 va diffuser en prime time l'adaptation de *Mais qu'est-ce qu'on va faire de toi ?*, mon premier livre. Je suis anxieux à l'idée des réactions que vont susciter ce film. Pas uniquement quant à l'accueil qu'il va recevoir, mais aussi à cause des questions qu'il ouvre en moi. Qu'en auraient pensé mes parents ? Fallait-il accepter cette adaptation que j'ai pourtant souhaitée à condition qu'elle soit servie par une équipe de qualité ? Je l'ai voulue en hommage à mon père et à ma mère ainsi que comme un document sur la France des années cinquante.

En même temps mes souvenirs restent douloureux. La tendresse se mêle toujours au chagrin quand j'évoque mon enfance.

J'ai vu le film en présence de Jean-Daniel Verhaeghe le réalisateur, de la scénariste Joëlle Goron, ainsi que de Jean Nainchrik le producteur, un des meilleurs amis de Jean et parmi les derniers à l'avoir vu vivant dans le TGV Paris-Avignon, l'avant-veille de sa mort le 18 avril 2003. Françoise Coquet m'accompagnait, j'ai besoin d'un proche près de moi quand je ne me sens pas très solide. J'avais à la fois peur de ne rien reconnaître et de tout retrouver.

La lumière se rallume – Françoise essuie une larme, elle connaît trop bien cette histoire. Même Jean Nainchrik, qui a déjà vu son film, est ému. Je sens leur trouble de voir à quel point je suis moi-même incapable de dire un mot.

Simon Abkarian qui incarne mon père est époustouflant – c'est Françoise Coquet la première qui a pensé à lui. Françoise Gillard, de la Comédie-Française, est merveilleuse en Lola Drucker, chacun des jeunes acteurs qui campent les frères Drucker petits puis plus grands aussi.

Dernière scène du film : un soir de 1965, vers vingt heures, un couple découvre le visage de leur fils dans le petit écran aux côtés de Roger Couderc. Peu à peu, l'image de la fiction passe au noir et blanc d'une véritable archive conservée à l'Ina... Les premières minutes balbutiantes de mes débuts. Dans ce glissement, à la place du jeune comédien Jérémie Duvall, ma tête apparaît devant la France entière. Le lendemain, Abraham Drucker téléphone à Raymond Marcillac, patron de l'ORTF : «Allô, je suis le docteur Drucker, vous êtes inconscient! Michel, mon fils, que vous avez mis à l'antenne n'a fait aucune étude, c'est un anxieux...» Et la voix de mon père s'estompe sur la chanson de Jean Ferrat, «Nul ne guérit de son enfance».

Je suis KO.

Ma vérité résumée en une heure trente. Le fond de ma vie en biopic. Tout est vrai. Si proche du réel que le film se confond maintenant avec mon passé. Je me suis fabriqué une mémoire nouvelle. Le père que je viens de voir à l'écran était-il bien Abraham Drucker? Peut-on juger ses parents? Ai-je été juste? Est-ce bien cet homme-là qui hante mes souvenirs? C'est ainsi qu'il aura été pour moi. Ce père, c'est le mien. Il aurait aujourd'hui cent ans. L'ai-je trahi? Que vont en penser mon frère Jacques, mes nièces Léa et Marie? Moi qui suis un homme de pudeur, ai-je été impudique? Confus, je ne sais plus. Le film me plaît beaucoup. Là-bas, à Vire, tous ceux qui sont encore vivants vont-ils retrouver *leur* docteur Drucker, *leur* médecin de famille qui a mis au monde la moitié de la Basse-Normandie? Mon portrait, ma description ne sont-ils pas excessifs? Manquent-ils d'indulgence? Pourtant c'est bien lui, cet homme caractériel que j'aimais tant et qui m'a bousculé avec ses mots abrupts. Dans cette salle de projection, pour la première fois, je préfé-rerais presque oublier tout ça au moment même où le livre ressort en librairie.

J'ai plongé de nouveau dans des souvenirs auxquels je préfère ne plus penser. En quittant la salle, je me suis mis à douter : c'est peut-être mieux d'oublier. Ramener sans cesse à la lumière ceux qui ne sont plus est douloureux. Dans ce film apparaît aussi mon frère aîné Jean, son lit dans la chambre que nous partagions, des bribes de nos conversations enfantines, la nuit, filtrent à travers six décennies. «Si tu travaillais mieux à l'école, papa ne serait pas dans tous ses états.»

Simon Abkarian a retrouvé le ton de mon père, son débit précipité, haché par la toux, sans méchanceté innée mais trop violent pour un gamin.

L'étang de Saint-Sever, le ciel lourd, la gri-saille de mon enfance et pourtant la vie même et son enchantement. L'amour fort que se voue une petite famille juive de l'après-guerre. Douleurs et parfums ne se referment donc jamais?

Les moments difficiles d'une vie restent toujours dangereux. Instantanément, à Neuilly, dans la salle de cinéma, j'ai retrouvé cette sensation d'asphyxie qui ne m'a jamais quitté vraiment. Une noyade juste voilée par l'oubli, rétractée sous la surface tranquille. À la sortie de la projection, je la retrouve palpable. Tout ce que vous ne voudriez pas qu'on sache de vous, une faiblesse, une faille, à nouveau exposées – par ma faute. Je n'avais pas mesuré la force de cette résurrection cinématographique, plus crue dans un film que dans un livre, malgré la justesse de la scénariste et la délicatesse du réalisateur. Ma sensibilité s'est ravivée à la mesure de leur talent.

Au même instant, je me suis dit : Lâche prise. Faut lâcher prise, s'en ficher, être désinhibé, enfin. Qu'est-ce que tu en as à faire, les gens penseront ce qu'ils veulent. Je n'ai pas menti et je peux l'assumer. Jacques, mon petit frère, dernier survivant du clan avec moi, m'a jugé parfois sévère envers notre père, mais Jacques était trop petit pour l'avoir perçu comme nous. Jean, lui, partageait cette vision, mais Jean n'est plus là.

Et qu'aurait pensé Abraham en «se» voyant? Aurait-il accepté cette adaptation? Avec la maturité, nos rapports ont évolué. J'ai beaucoup parlé à mon père, moins inquiet et soulagé devant mon début de carrière. Nous nous sommes mieux compris, rapprochés. Pas assez, pas autant que je l'aurais voulu, mais n'est-ce pas le regret que bien des fils gardent de leur père ?

N'avoir pas su se dire comme on s'aimait.

Il est mort en 1983, quelques semaines avant les débuts de « Champs-Élysées », il aura vu son fils apprenti à la télévision accomplir des progrès. Assez pour se rassurer – sans plus. Il n'aura pas vu ma carrière à partir du milieu des années quatre-vingt.

Quel œil m'aurait-il jeté à la fin de la projection en se dépliant nerveusement de son fauteuil ? Ceux qui ne l'ont pas connu me disent : « Tu as dérouillé. » Ceux qui l'ont connu : « Ton père était exactement comme ça et il t'aimait. »

Le plus fort des paradoxes, c'est qu'Abraham Drucker aura nourri toute ma vie. À cause de et grâce à lui, j'ai eu la niaque de m'acharner et de me structurer, moi qui étais voué à l'échec. Depuis cette minute d'arrachement où, tout jeune, je me suis sauvé de Vire, je n'ai plus cessé de travailler. Quand j'ai rencontré Dany, j'ai trouvé la femme idéale et l'ai imposée à mes parents. Même si elle m'a aidé à sortir de leur emprise, tous deux restent le moteur de mon destin. Les deux premières stars de ma vie, ambivalentes comme le sont les stars. Alors j'ai voulu sauver mon père et ma mère de l'oubli eux aussi, par le livre, puis par l'image, parce que l'image est mon métier.

Nul ne guérit de son enfance

Je suis dans mon bureau et je lis une chanson...

Parlez-moi de moi
Y a qu'ça qui m'intéresse
Parlez-moi de moi
Y a qu'ça qui m'donne de l'émoi
Mais parlez-moi, parlez-moi de moi

Vous me dites ci
Vous me dites ça
Comment vous avez vaincu vos orages
Vos petits soucis
Et vos gros tracas
Mais si vous voulez m'toucher davantage

Mais parlez-moi, parlez-moi de moi

Comme c'est touchant ce que vous vivez
Mon Dieu vous racontez bien vos angoisses
Ce que les méchants vous en ont fait baver
Entre nous tous vos problèmes m'agacent

Mais parlez-moi, parlez-moi de moi...

C'est un succès de 1980 dont je ne me souvenais plus, dans le recueil qui va paraître des œuvres complètes de Guy Béart[1]. Et je me dis merde, moi aussi je parle trop de moi. Je voulais faire un livre

---

1. *Le Grand Chambardement : intégrale des poèmes et chansons*, Le Cherche-Midi.

sur le métier, la saga du spectacle, les autres... et je parle beaucoup de moi. Cette chanson dit tout, et si c'était aussi mon portait craché? Guy Béart est un génie. Je le pense depuis trente ans. Mais pour la sortie de ce livre, je sais qu'il ne viendra pas chez nous faire son «Vivement dimanche». Cent fois je lui ai proposé, y compris en compagnie de sa fille Emmanuelle. Rien à faire. Il est le seul monstre sacré de la chanson à avoir refusé.

Il est souvent passé dans mes émissions, nous en gardons lui et moi un souvenir mitigé. J'aurais pourtant aimé lui consacrer du temps, lui à qui on doit des chansons inoubliables, «Il n'y a plus d'après», «Les couleurs du temps», «L'eau vive» et tant d'autres... Lui qui a inventé une émission qui s'appelait «Bienvenue chez Guy Béart» et qui inspira beaucoup «Le Grand Échiquier» de Jacques Chancel.

Béart restera un de mes grands regrets... mais je n'ai pas dit mon dernier mot.

Star

[...]
Tes faiblesses et puis tes excès
Ça fera partie de ton succès
Ça se nourrit de tout, la gloire
Tu seras comme un animal
Ébloui sur ton piédestal
Comme un lapin pris dans un phare
Voilà ce que c'est qu'être star.
[...]

Serge Lama, musique : Alice Dona

L'été, je fais le bilan de l'année écoulée et je flaire celle qui vient. Juillet-août sont mes points de jonction. Deux agendas se croisent dans ma tête. L'an dernier, en 2012, une date a commencé à envahir mon horizon. Le 9 avril, Jean-Paul Belmondo fêterait ses quatre-vingts ans. Sans en parler à personne, en faisant mes longueurs de piscine, je me suis persuadé que nous ne pouvions pas rater un tel anniversaire. Mais comment programmer un événement pour un acteur aussi colossal qu'invisible ?

À peine rentré à Paris, je lance quelques ballons d'essai. À commencer par l'avocat de Jean-Paul, Michel Gonest. Il n'y a pas mieux que les avocats pour vous dire où en sont une star et son clan. Je sais que l'entourage de Belmondo a traversé des tensions en vivant mal la polémique médiatique à propos de sa flamboyante compagne. Après bien des déchirements, Jean-Paul a fini par la quitter.

L'idée d'un hommage séduit l'avocat. J'appelle aussi Thierry Frémaux, qui dirige le Festival de Cannes, également très partant. Il lui a consacré une soirée magnifique l'an dernier sur la Croisette.

— Je vous aiderai, tout le cinéma français sera là, j'en suis certain. Activez vos réseaux, j'active les miens.

Les grands rendez-vous de télévision commencent souvent par un coup fil et une envie partagée.

Je ne vais pas en parler directement à Bébel ; pendant presque huit mois, je vais préférer lui tourner doucement autour. Le voir se rétracter, émettre d'emblée un refus et tout serait par terre. Quand on redoute qu'une personne vous réponde non, le mieux est de tout tenter pour qu'au moment où vous lui demanderez son accord, elle ne puisse plus que vous dire oui.

Et je gamberge. L'idée est bien sûr d'associer à cet hommage la jeune génération du cinéma. Françoise Coquet et moi commençons par dresser des listes de contributions longues comme le bras. J'en parle à ma chaîne. Sur le plan économique, une soirée exceptionnelle à vingt heures trente est exclue, le service public est à sec. Ce budget imprévu n'a pas été programmé. Le grand *tribute* à l'anglo-saxonne exigerait la présence en direct de trop de vedettes, certaines venues de l'étranger, et autant de défraiements. Et puis les auteurs... Le public oublie souvent que la partition de ces grandes soirées est soigneusement scénarisée, dialoguée, comme une pièce de théâtre avec quarante rôles derrière le maître de cérémonie. Aux Oscars, dix auteurs écrivent le texte, aux César cinq. Donc, exit le grand prime time à l'américaine, trop compliqué, trop cher.

Pour un «Vivement dimanche», des messages préenregistrés de bon anniversaire sont envisageables, encore qu'on puisse vite se trouver noyé par un torrent de congratulations. «Belmondo est génial», «Bébel est merveilleux!», etc. Tout le monde est formidable et se le répète en boucle. On me le reproche déjà assez. Nous sommes en septembre. Avec Françoise, nous tombons d'accord pour échafauder un programme qui tienne vraiment la route avant d'en parler à Jean-Paul que je n'ai pas vu récemment. Va-t-il bien ? Et son élocution, comment parle-t-il depuis notre dernière émission voilà trois ans ?

Pour lui faire plaisir, la priorité sera de retrouver des archives de son père, Paul Belmondo. Sa joie est de favoriser l'évocation des œuvres de ce talentueux sculpteur néoclassique. Jean-Paul n'a jamais pardonné à Georges Cravenne de lui avoir préféré César pour créer les trophées du cinéma français. Bébel aurait très bien vu ces récompenses s'appeler des Belmondo ! Et aurait trouvé une statuette paternelle plus esthétique qu'une compression. Lorsqu'il a reçu un César pour *Itinéraire d'un enfant gâté*, il n'est pas venu le chercher.

Les grands témoins seront tous là, je veux parler de ses copains du Conservatoire, bien sûr. L'hommage à Bébel rendra aussi hommage à une génération. Cette fameuse bande des huit du Conservatoire d'art dramatique : Annie Girardot, Michel Beaune et Bruno Cremer hélas disparus... Françoise Fabian, Pierre Vernier, Jean Rochefort, Jean-Pierre Marielle et le doyen Claude Rich. Parallèlement, au fil des enregistrements de « Vivement dimanche », nous commençons à mettre en boîte le « bon anniversaire » à Belmondo de certains de nos invités : Omar Sy, Jean Dujardin ou Gérard Lanvin, au cas où ils ne pourraient être disponibles au jour J. Nous continuons de travailler sans contacter Jean-Paul tout en craignant, s'il refusait de venir, que l'hommage en son absence ait franchement l'air d'obsèques.

Vingt, trente messages de souhaits et les amis du Conservatoire ne nous suffisent pas. Belmondo, aujourd'hui comme hier, c'est un clan, une famille. L'idéal serait de réunir cette saga sur les banquettes rouges, trois générations de Belmondo. Patriarche, enfants et petits-enfants. Avec Françoise, nous commençons une nouvelle liste : les Belmondo au complet pour un dimanche en famille. Son frère, sa sœur, son neveu, sa fille, son fils, ses petits-enfants, avec en bout de liste Stella, sa petite dernière, âgée de dix ans, l'étoile de sa vie.

Stella?

Peu à peu, le rêve de mon été en Provence prend tournure. Ses proches, les incontournables, des surprises pertinentes commencent à constituer un canevas, avant les premiers soucis... La moitié du clan vit en Amérique, autour de Florence, la sœur de Paul. Niveau budget et défraiements, la facture commence à coincer.

Au mois de février, nous contactons son fils Paul pour la phase 2. Françoise le met au courant et nous prenons rendez-vous pour déjeuner ensemble au Relais-Plaza, façon de dire que les petits plats sont déjà dans les grands. Ce projet nous tient de plus en plus à cœur. J'approche la direction de *Paris Match,* histoire de voir si tout le clan Belmondo autour de son patriarche pour ses quatre-vingts ans ne lui inspirerait pas une *cover* comme ses lecteurs les aiment. Rechercher cette synergie fait partie de mon job. *Match* se déclare intéressé, ce qui ne m'étonne pas. Une photo serait-elle envisageable en parallèle avec l'émission? Le projet se déploie. Et l'hebdomadaire propose de payer les billets d'avion pour la famille américaine. Olivier Royan, le directeur du magazine, et ma consœur Catherine Tabouis sont enthousiastes.

— On marche à fond. On en fera notre une.

Et je retrouve Paul Belmondo au Relais-Plaza, à deux pas de mon bureau à Europe 1.

— Michel, j'ai donné la liste de toute la famille à Françoise Coquet, maintenant il va vous falloir convaincre papa...

Une douzaine de noms, que j'ai tous connus petits ou même dans le ventre de leur maman puisque je fréquente Jean-Paul depuis cinquante ans. Paul nous donne un sacré coup de main. Il va intercéder auprès de son père.

— Méfiez-vous, faire défiler la terre entière pour dire de papa qu'il est génial, je le connais, ça va le gêner. Il a l'air d'avoir envie d'aller fêter son anniversaire à l'île Maurice...

— Rien ne l'empêche de faire les deux...

L'affaire Barbara Gandolfi a peiné l'acteur qui a souffert de voir sa vie privée «déballée».

Avec pour conséquence de ne peut-être plus vouloir du tout s'exposer.

Très vite, Paul en touche un mot à son père et nous rappelle.

— Papa a dit pourquoi pas...

— Quand ton père dit pourquoi pas, ça veut dire plutôt oui ou plutôt non ?

— Ça veut dire pourquoi pas... Évitez les surprises. Il n'aime pas être piégé et découvrir des gens qu'il aurait préféré ne pas voir.

Huit jours plus tard, nouvel appel de Paul.

— Au cas où... Papa insiste pour choisir lui-même les extraits de films que vous allez évoquer. J'ai passé sa liste à ton bureau, vous vous en sortez ? Si ça pose un problème, papa aimerait savoir...

— Ça roule... S'il s'y intéresse, c'est qu'il viendra !

— Il n'a pas dit ça. Il a dit qu'il tenait précisément à certaines scènes, avec certains partenaires.

Je sens monter à l'horizon le soleil des dimanches mémorables, l'Hommage avec un grand H, les trois heures qui feront date. Malgré Europe 1 et les autres émissions, je ne pense qu'à ce dimanche-là. C'est ma baleine blanche. Le voyant rouge clignote, comme avec Jacques Chirac en 2009. J'ai presque peur d'appeler Jean-Paul maintenant. Sent-il que cette émission sera unique et qu'il n'en fera pas deux ? Suscite-elle chez lui peur ou désir ? Qu'est-ce qui va l'emporter dans sa sensibilité, ce for intérieur dont il ne parle jamais ?

Après sa filmographie, via Paul, Jean-Paul se renseigne... Alors, y aura qui ? Qui pensent-ils inviter ? Paul en parle de plus en plus à son père. Quels amis ? Quelles figures du passé ? Qui sur les banquettes rouges ou aux premiers rangs de la salle ? Déjà tous les potes et les *yes man* se manifestent, tous les « poissons pilotes » de Jean-Paul, cette cour sans laquelle une star n'est pas une star et qui dès qu'on allume la lumière se poussent du coude pour être dans le cercle. Même notre ami Carlo Nell sera là, l'éternel Carlo, indéfectible camarade de Bébel. À la grande inquiétude de Françoise Coquet, Carlo promet de nous raconter à l'antenne une des blagues de son répertoire, la même depuis 1959, celle où une jeune débutante avoue à Louis Jouvet n'avoir jamais le trac et à qui le maître répond : « Ça viendra avec le talent, mademoiselle... »

Françoise m'attrape dans un couloir.

— Je sais que tu adores Carlo et qu'il est adorable, mais n'oublie pas qu'il perd la vue et qu'il se déplace difficilement.

Quoi qu'il en soit, Carlo sera au premier rang, puisque Bébel n'a jamais oublié Carlo.

Côté vie privée, enfin, nous prenons le pouls des relations interfamiliales. Natty, ex-épouse et la mère de Stella, n'est pas au mieux avec Paul. Entre l'avocat de Jean-Paul et son fils, j'ai l'impression de faire le grand écart. Composer un après-midi biographique, c'est devenir un peu psychanalyste.

Entre entourage et aréopage, la liste s'allonge et se complique.

Nos bureaux se mettent à ressembler à la rédaction des *Cahiers du cinéma*. Tout le monde est excité, ce qui est toujours bon signe.

Mais je n'ai toujours pas vu Jean-Paul.

Il choisit Godard, *À bout de souffle* – évidemment. De Broca, *Le Magnifique* et *L'Homme de Rio*... Très vite nous comprenons qu'il retient surtout les films dans lesquels il a joué avec ses copains qui se retrouveront en plateau. Au fil des jours se précise un puzzle à la fois cinéphile et amical. Dans *Week-end à Zuydcotte*, il réclame l'unique scène avec Jean-Pierre Marielle, sur la plage, lorsque les deux soldats évoquent Dieu. Dans *Stavisky*, la seule scène avec son ami Pierre Vernier. Dans *L'Homme de Rio*, celle avec Jean Rochefort. Et *Désiré* de Sacha Guitry au côté de Claude Rich. Mais aussi *Dragées au poivre*, film en noir et blanc et à sketches de 1963 où il interprète un légionnaire au téléphone avec Simone Signoret. En déshabillé froufroutant, la dame lui rappelle leur folle nuit d'amour, mais le bagdaf a trop la gueule de bois pour s'en souvenir. Pourquoi cet extrait oublié et pas facile à retrouver? Parce que les dialogues sont signés Guy Bedos, qui lui aussi sera présent. Ses choix retissent un passé où chaque image forme un gage d'amitié. Quand il était au sommet du box-office, Belmondo a toujours offert un rôle à Rochefort, Marielle ou Vernier. Sans oublier une panouille pour faire vivre Carlo.

Dans *Itinéraire d'un enfant gâté* de Claude Lelouch, il sélectionne cet échange légendaire et improvisé où en baroudeur il conseille à Richard Anconina de ne jamais faire l'étonné. Et enfin, dans *Un singe en hiver* d'Henri Verneuil, le magnifique moment éméché avec Gabin, au zinc d'un café de Villerville sur la côte normande. Pour nous, pour eux, pour le public, comme un monteur, Jean-Paul a découpé toute sa vie de cinéma.

Phase 3. Plus les jours passent, plus je suis persuadé que Jean-Paul vaincra ses appréhensions et qu'il sera parmi nous. Encore un effort. Pour moi, la cerise sur le gâteau, la touche finale, le producteur que je suis sait où elle se trouve. Cette cerise s'appelle Stella et elle fêtera bientôt ses dix ans. C'est elle aussi que je voudrais avec nous. La télé, comme le diable, se niche dans les détails. Je l'avoue à Michel Gonest, son avocat.

— J'aimerais qu'il y ait Stella, sa petite dernière. Ça te semble possible ?

— Hou, là !... Franchement, aucune idée.

Si je me permets d'évoquer Stella, c'est que le jour du mariage de Jean-Paul avec Natty, sa maman, j'étais le témoin du marié, avec Jean

Rochefort. Ça crée des liens. Sur les questions privées, je préfère passer par l'avocat plutôt que par Paul parce que la famille s'est déchirée.

— Je voudrais demander à cette petite fille si elle a déjà vu des films de son papa.

Michel Gonest trouve que ce serait épatant mais ne s'avance pas. Une émission se construit brique à brique, jusqu'à poser au sommet le « clou » qui parachèvera sa préparation.

Enfin, j'appelle Jean-Paul.

— ... C'est Michel.

— A... alors !... Dis, ça a l'air bi... bien. Paul m'a raconté.

— Tu seras avec nous ?

— Oui je... je te fais confiance.

Mine de rien je l'appelle aussi pour tester sa voix, au débit haché par le handicap... Et je la trouve très bonne.

— Tu viendras ?

— Je viens !

J'ai deux autres fers au feu, *Paris Match* et *TV Magazine,* à qui je fais passer les excellentes nouvelles. *Match* réagit en faisant monter la pression.

— Michel, nous sommes bien d'accord pour une cover en famille ? Nous prévoyons dix pages intérieures, avec ton interview de Paul sur son père. C'est du cent pour cent sûr ?

— Disons quatre-vingt-dix. Et la petite Stella ?

— Elle est prévue sur la photo de famille.

Je n'ai toujours pas parlé à Bébel de sa fille. Je me dis que si Stella vient au shooting, *Match* laissera tomber la photo de groupe pour préférer le duo père-fille (je ne me suis d'ailleurs pas trompé). Et si la fille de Jean-Paul est en photo dans *Match*, je suis plus à l'aise pour demander sa présence sur le plateau.

Je rappelle Jean-Paul – doigté et diplomatie.

— Jean-Paul ?

— Quoi, quoi ?

— On ne peut pas faire l'émission sans Stella. C'est un soleil. Une merveille. Dans le conducteur, nous avons bien fait de prévoir un moment avec elle, non ?

Un blanc.

— Stella, c'est l'étoile de ta vie.

— Ahh voui !

J'enfonce le clou, vite.

— Et si elle vient, elle ne peut pas venir toute seule, elle est trop petite, il faut que Natty l'accompagne, tu ne penses pas ? Ce serait... plus élégant...

Au bout du fil... autre blanc.

— Jean-Paul, t'es là ?

— Vouais... vouais.

Je n'en tirerai rien de plus. J'ai compris. Jean-Paul veut bien que la petite participe à l'émission, mais je crains que la présence de la mère ne soit problématique. Moi, je suis pour l'image dominicale idéale, la réconciliation des familles. Tout le monde sur la photo. Et je suis un obsédé du consensus – on le sait bien.

Je joins Natty en lui demandant si elle ne verrait pas d'inconvénient à laisser apparaître Stella à l'antenne, et je la sens ravie par la proposition. Pour Natty, Stella est une Belmondo, pas une pièce rapportée. Message reçu cinq sur cinq. Je lui propose d'accompagner sa fille sur le plateau, ce qui l'enchante également. La partie va devenir plus serrée avec le clan Belmondo. Ce rôle impromptu de conseiller ex-conjugal me motive. Ces efforts et ces stratégies peuvent paraître superflus, ils sont capitaux pour la réussite d'une grande émission populaire.

Quand je déjeune enfin avec Paul huit jours avant l'enregistrement, nous ne parlons pas de Stella et Natty, surtout pas, je l'interviewe sur son père pour *Paris Match*.

Ça y est, le compte à rebours jusqu'au jour J est lancé.

Nous commençons toujours «Vivement dimanche» par la deuxième tranche diffusée à dix-neuf heures. Nous y traitons principalement de l'actualité culturelle et souvent nos invités sont attendus au théâtre. Plutôt que de les voir partir précipitamment en moto-taxi, nous avons préféré inverser les tournages afin de profiter de leur présence en toute tranquillité. Nous commençons donc par la fin, en faisant comme si nous retrouvions l'invité d'honneur après avoir passé l'après-midi autour de lui.

C'est l'heure H et c'est merveilleux. Dès les premières minutes d'antenne, je sens le bon tempo. Le ton est à la fois vif et détendu, l'équilibre parfait. Évidemment, à la première pause, il y a un problème en coulisses. C'est la vie et c'est la télé. Natty, qu'on a installée dans mon bureau, discrètement, loin des loges de l'autre famille, remonte le couloir avec Stella, et Paul n'apprécie pas la présence de son ex-belle-mère. Mais le patriarche accueille très bien son ex-femme, prend sa fille sur ses genoux et tout rentre dans l'ordre.

Paix des ménages.

Et l'émission se déroule exactement telle que j'en rêvais depuis l'été dernier.

Chaque mercredi vers vingt heures, quand la régie lance le générique de fin et que nous remontons du plateau, c'est l'heure du bilan. J'imaginais mon invité épuisé après ce marathon, pas du tout. Devant la bonne humeur de son père, Paul a même retrouvé la sienne. Dans sa loge envahie par les photographes, Jean-Paul me prend dans ses bras.

— C'est in... incroyable tous ceux que tu... tu as eus. J'au... j'aurai le temps de remercier tout le monde?

286

Jean Dujardin, Guillaume Canet, Gilles Lellouche, Antoine Duléry, Albert Dupontel, qui ne met presque jamais les pieds à la télé. Et puis les messages. Johnny. Daniel Auteuil. Gérard Lanvin. Valérie Lemercier. Et enfin Alain Delon, borsalino à la main.

— T'as vu, j'ai... j'ai quand même bi... bien parlé.

— Tu as été parfait, Jean-Paul.

J'ajoute, avec un sourire.

— Tu as vraiment tiré un trait sur ta carrière ?

— Haaaaaa non... Si c'est une bo... bonne histoire d'un mec estropié qui p... p... parle pas, c'est moi qui... qui dois avoir le rôle.

Soudain, j'ai un mouvement d'inquiétude. Le lendemain, Jean-Paul doit partir pour Moscou fêter son anniversaire invité par la télévision russe. Leurs caméras ont d'ailleurs filmé dans nos coulisses. Belmondo est encore une icône française mondiale.

— Ça va, pas fatigué ?

— Non !... Mais toi, dis donc, tu te... te... te tapes ça qua... quarante fois par an !

— Bah oui.

— Des fois, t'as des mecs qui di... disent rien ?

— Des fois. Mais pas autant que toi.

— Y a... y a que moi !

— Tu te souviens que vendredi prochain, on va ensemble à Granville pour l'inauguration du nouveau centre de thalasso ?

Dix ans plus tôt, Natty et moi l'avons accompagné à Granville dans un des moments les plus durs de sa vie. Il s'en était fallu d'un cheveu que Jean-Paul ne reparte le soir même, ne supportant pas du tout cette ambiance d'éclopés. Natty avait été là et c'est à cause de ce souvenir que je voulais qu'elle ne reste pas en coulisses pendant la fête.

On croit que la télévision est facile, parce qu'on n'y voit pas les risques, la tension. Pendant presque trois heures, je suis resté sur le fil du rasoir craignant que Jean-Paul hésite, qu'il se lance et se plante, cassant l'ambiance, que son cerveau patine, qu'il se mette à ânonner. Je le surveillais du coin de l'œil. Si ses difficultés se trahissaient trop, si Jean-Paul se lassait, j'aurais perdu mon pari. Je voulais qu'un bonheur chasse l'autre, qu'on ne pense plus au handicap parce que ce panache ressemble à Bébel, qui s'est avéré l'un des meilleurs « clients » de la saison.

Celui qui faisait jouer ses copains dans ses films, qui pouvait croiser Bruel dans un Concorde pour New York et l'entraîner voir un match de boxe à Las Vegas. Une star égoïste parfois, comme le sont toutes les stars, mais qui n'a jamais changé de maquilleur ni de coiffeur. À ses débuts, Belmondo a croisé un petit Arménien, discret, qui voulait maquiller des vedettes. Il lui a dit : « Quand j'en serai une, je te prendrai. » Et Charly Koubesserian maquille depuis trente ans sa gueule cassée où chaque ride est un film. C'est Charly qui chaque soir au théâtre Marigny transformait Bébel en Cyrano en lui posant son faux nez.

Pierre Dux, patron de la Comédie-Française dans les années soixante, n'avait pas été tendre en voyant débouler ce drôle de gars. L'administrateur l'avait prévenu qu'il ne ferait pas de vieux os dans la maison de Molière où son physique lui vaudrait l'emploi des valets de comédie, que jamais il ne serrerait une jolie femme dans ses bras. Le petit Belmondo était un Scapin, un Sganarelle.

Quelques années plus tard, Jean-Paul a croisé Pierre Dux sur les Champs-Élysées avec sa fiancée au bras.

— Monsieur Dux, lui a-t-il lancé, je vous présente Ursula Andress... J'ai fait ce que j'ai pu.

Ursula Andress n'était pas parmi nous, nous y avions songé pourtant. Mais Jean-Paul m'en avait dissuadé.

— Vous êtes fâchés ? Pourquoi ?

— Pour une co... commode... Elle me réclame une co... commode mais je ne sais mê... même plus où elle est, sa commode !

Effectivement, soudain, je me suis souvenu d'une histoire de commode, la dernière fois que j'avais croisé dans un aéroport l'ex plus belle femme du monde, originaire de Suisse allemande dont elle a gardé l'accent et un solide caractère teuton.

— Michel, tu ne chanches pas ! Tu vois toujours Chan-Paul ? Dis-lui que che l'embrasse mais que che voudrais vraiment maintenant la commode que chai laissée chez lui.

La vie, c'est souvent des histoires de commode, y compris chez les superstars internationales.

Faute d'Ursula, nous avons préféré recevoir Claudia Cardinale pour *La Viaccia* dont ils partagèrent l'affiche, tout jeunes. J'ai toujours eu dans l'idée qu'à Cinecittà, ces deux-là n'avaient peut-être pas fait que du cinéma.

Trois heures durant, Belmondo a bouleversé gaiement le Studio Gabriel. On n'entendait pas une mouche voler, plus la moindre quinte de toux. Trois heures de grâce évidente et de gravité discrète. Avec son sens insolent du bonheur. Chez cet homme, tout paraîtra facile, quelles que soient ses difficultés. À l'opposé d'un Delon, le mot qui le caractérise est légèreté. Son regard frise sans arrêt. Pendant l'émission, le caméraman, qui s'y connaît, est venu me chuchoter :

— Jamais il n'a une expression triste. Toutes ses rides sont des rides d'expression.

À l'écran, son naturel est revenu sans qu'un seul instant Jean-Paul ne trahisse combien il avait souffert. Il persiste à nous parler de la vie qui va plutôt que du temps qui passe. D'ailleurs c'est ce que lui a dit dans ses vœux d'anniversaire Nicolas

Sarkozy. C'était la première fois que l'ancien président prenait la parole publiquement depuis son départ de l'Élysée un an auparavant. «C'est un homme qui a fait tellement de bien. Autant sa vie est une leçon, autant il n'en a jamais donné.» Hommage... et petite phrase sur laquelle s'est jetée toute la presse, assaillant notre standard pour en avoir la citation avant même la diffusion.

Jean-Paul aussi est resté embusqué longtemps, personne n'avait de ses nouvelles. Les gens continuaient de penser à lui sans présumer des ravages de son accident vasculaire cérébral. Qui pouvait imaginer le Guignolo paraplégique? En tentant ses premières sorties avec sa chienne Corail, il a encaissé les regards bouleversés sur lui, cascadeur brisé qui peinait à dire bonjour. Une fois seul, en secret, il a fait face. Aujourd'hui il ne fait plus son âge. Barbe taillée, bronzé, coquet, toujours «smart» comme on disait dans les années soixante – pour «Vivement dimanche», il revenait de l'île Maurice.

— Je veux être bi... bien pour l'ém... l'émission.

J'ai suivi ses progrès phénoménaux depuis 2001. Son AVC lui avait fait perdre soixante pour cent de motricité et l'usage de la parole. Millimètre par millimètre, syllabe après syllabe, il a ramené son handicap à quarante pour cent. Dans sa maladie, il a retrouvé le ring de sa jeunesse. La bataille, sourire aux lèvres! Le corps à demi mort, sourire aux lèvres! Il n'arrivait plus à articuler un mot, aujourd'hui il a retrouvé le langage. Voué à la chaise roulante, le voilà qui arrive sur une simple canne. Il prend l'avion, seul, son chauffeur le dépose à l'embarquement, les hôtesses s'occupent du reste.

— Seul! me lance Jean-Paul, l'œil pétillant de fierté.

Après l'émission, je l'ai raccompagné jusqu'à sa voiture.

— Tu es content?

— Et to... toi, t'es content?

— Je suis content si t'es content.

— J'ai fait mes adieux, c'est fi... fini. T'as tout ce qu'y faut.

Il m'a lâché ça, rayonnant. Réussir ses adieux, j'imagine que c'est une grande joie. Je crois qu'on ne reverra plus Jean-Paul dans un tel contexte. De mon côté, moi aussi je me suis accompli. À l'instant même où le tournage de ce «Vivement dimanche» a débuté, l'enregistrement est devenu de la mémoire. Belmondo s'est comme éclipsé dans sa lumière. Magie de star. Il n'est allé nulle part ailleurs, même pas au journal de 20 heures. J'aurai été son seul passeur et j'en suis fier. Sa derrière prestation au cinéma, *Un homme et son chien,* avait laissé un goût mélancolique, il a balayé cette image qui n'était pas vraiment la sienne, fondamentalement enfant gâté de la vie.

Le vendredi qui a précédé l'émission, mon copain de toujours Laurent Cabrol, M. Météo sur Europe 1, m'a annoncé une mauvaise nouvelle, du moins pour moi. Le week-end serait très beau.

— Pas de chance pour dimanche, c'est la première journée d'été depuis des semaines. Tout le monde sera dehors. 30 °C à Biarritz, 25 °C à Paris !

Le dimanche matin, sous un soleil en effet radieux, je vais faire du vélo au parc de Saint-Cloud. Un monde fou. Jean-Paul est rentré de Russie, lui aussi doit être dehors. Mes copains me lancent : «Ah, j'aurais bien voulu voir Bébel mais avec un temps pareil je vais rouler, tu pourras me faire passer un DVD ? »

À l'heure du générique je suis devant ma télé, allongé sur mon lit. Je n'ai jamais aimé me regarder, mais je ne peux pas m'en empêcher. En fait, je veux voir l'émission comme tout le monde la voit. Sur quarante numéros dans l'année, il y en a une quinzaine où je me trouve pas mal.

Je craignais un rendez-vous mitigé entre émotion et chagrin, j'ai du mal avec le chagrin à l'antenne. Une fois montée, l'émission me paraît encore meilleure qu'à l'enregistrement. Jean-Paul gère très bien son handicap. À peine si on s'en aperçoit à l'écran. Jean-Paul, le silencieux rayonnant. Nous avons commencé assis, lui à ma place au centre du rond. Je le regarde voyant défiler sa filmographie, ses souvenirs, ses amis, ses parents,

293

les hommages du métier. Et enfin Stella qui lui saute au cou.

Stella. Soixante-dix ans d'écart avec son père. Hors plateau, Jean-Paul n'a pas pu s'empêcher de me glisser.

— Tu as vu, elle est de moi.

Elle ressemble à sa mère aussi, dont elle a les yeux. En montrant son « étoile », en fait Belmondo vous dit : Oui, j'ai baisé à soixante-dix ans. C'est mon enfant. C'est moi, c'est mon sang. Stella est une Belmondo. N'ayant pas moi-même conçu d'enfant, j'imagine que pour rester accroché à la vie, rien n'est plus fort.

Pendant que je regarde l'écran, couché sur mon lit, je reçois une dizaine de textos. Chose rare. Des camarades, des gens de la chaîne m'écrivent : «Formidable!» Au bout d'une heure, reste encore une heure de programme, avant le second rendez-vous du soir. Je jette un œil par la fenêtre, le ciel est toujours aussi bleu. Seize heures, nouvelle dizaine de textos.

Il se passe quelque chose.

Avec le soir, les messages se multiplient. Ceux qui ont participé à l'émission ont tenu à la regarder – ce n'est pas si courant. Antoine Duléry ou Laurent Gerra me félicitent. Quand les protagonistes d'un enregistrement le regardent et vous appellent pendant la diffusion, vous tenez le bon bout. Vous sentez le vent dans les voiles, fier comme un gosse.

Lundi matin, de nouveau froidure et giboulées. La seule belle journée de la semaine aura été le dimanche de Belmondo. S'il avait plu, on aurait explosé tous les plafonds. Au sein de la rédaction d'Europe 1, je partage l'espace avec l'équipe de Morandini. Je salue son assistant Romain Ambro.

— Michel, j'espère que ton audimat...

Pendant l'émission de Morandini, les scores tombent. Romain me les confirme : record atomique. En studio, Morandini salue le «carton». Quatre millions de téléspectateurs l'après-midi avec 27,5 % de parts de marché, six millions le soir avec 22 %. Du jamais-vu. Devant «Le Mentaliste» et «Sept à huit» ! TF1 battu sur les deux tranches.

Première personne à m'appeler : l'assistante de Nicolas Sarkozy qui veut savoir le score au moment où il a parlé. Pour un ermite, il n'a rien perdu de ses réflexes de grand communicant. Elle me le passe.

— Nicolas, il faut que tu saches... au moment où tu as parlé, six millions de gens t'ont regardé.

— Je suis content pour Belmondo !

Mon petit doigt me dit qu'il n'est pas content que pour l'acteur. Le buzz autour de la première déclaration publique de Nicolas Sarkozy depuis son départ de l'Élysée a beaucoup compté pour annoncer l'émission. C'est encore un cadeau. Autour de moi, le monde entier semble ravi. Je vérifie une fois de plus à quel point le succès retapisse tout en rose. Jean-Paul, qui n'a pas le cœur à gauche, a été particulièrement touché par les vœux de l'ancien président. Je suis sur un nuage – les confrères me comprendront peut-être mieux que les lecteurs. En télévision, de très belles audiences compensent les affres de certains lendemains matin où, après avoir eu l'impression de tout donner la veille et de ne pouvoir jamais mieux faire, une ligne de chiffres noirs vous fracasse.

J'ai Jean-Paul au téléphone.

— T'as tout cassé !

— J'ai vu ! Je suis con... content !

Lui aussi a regardé son « Vivement dimanche » – c'est rare. En quarante ans, je ne me souviens d'avoir reçu qu'une fois un signe de lui après une diffusion.

— Tu n'as pas oublié que nous filons à Granville vendredi parrainer le nouveau centre de thalasso, à un kilomètre du centre de rééducation où je t'ai amené il y a dix ans ? Le docteur Isambert sera là.

— J'ai pr... promis. Je viens.

Le vendredi matin, je retrouve Jean-Paul à midi au pied d'Europe 1 pour aller ensemble à l'héliport d'Issy-les-Moulineaux. Arrivés sur la piste nous croisons des mécanos.

— Bon anniversaire, monsieur Belmondo !

— Oooh, Michel... Partout on... on me dit

bon anni... anniversaire. Y z'étaient tous devant la téloche!

Une heure vingt de vol, vent de face et dix ans de flash-back. Une tranche de vie dans le ciel. À l'avant je copilote, ma nouvelle chienne Isia à mes pieds. Lui est derrière avec Chipie qui a remplacé Corail. Nous nous parlons au casque.

— ... Je p... peux te le dire Michel, j'ai fa... failli... pas venir à l'émission. Je voulais aller à Antigua...

— Où ça?

— Antigua. Mon île avec ma... ma fille. Mais j'me suis dit la la famille sera là, Michel a bo... ssé. Si j'étais pas ve... venu, t'aurais fait quoi?

— Une rétro.

— ... Une nécro, oui! Alors ça non!

Je rigole mais j'en ai froid dans le dos. Jusqu'au matin de l'enregistrement j'ai redouté entendre sonner le téléphone et que Bébel m'annonce qu'il avait trop mal à sa jambe pour venir. Il souffre continuellement d'une jambe. Mais il a été là. À treize heures quinze tapantes.

Pendant le vol, son acuité me surprend.

— J'me souviens, je reconnais la... la maison, là-bas.

Il n'est pas revenu à Granville depuis cinq ans, pour des complications suite à une fracture et à une infection nosocomiale qui furent un nouveau calvaire pour lui. Le ciel est azur, l'inverse du temps de Toussaint voilà dix ans. Tout me revient. J'imagine qu'à lui aussi.

Le directeur du centre nous attend sur la DZ de la Sécurité civile où se posent les hélicoptères des secours. L'invité d'honneur, parrain du complexe, descend de l'hélico avec sa jambe plus faible que l'autre, porté, soutenu.

— Je vais y arriver mais pas... pas tout seul... Les cascades, faut... faut pas les faire... trop vieux.

Il récupère sa canne, se redresse.

— Et voilà !

Les élus, le maire, une petite foule nous accueillent. Une scène à la fois simple et extraordinaire. Tous ses kinés sont présents, enchantés de le revoir. Ils trouvent son élocution meilleure, il a sacrément repris du poil de la bête. Tous ont regardé l'émission.

Photos. Autographes. Salutations. Dans le centre, nous visitons une chambre. Jean-Paul parle peu, deux, trois mots qui disent tout.

— Soizic ! René, Marcel ! Ah, là, là... J'ai souffert et j'ai été heu... heureux avec v... vous.

Costume à fines côtes de velours noir, chemise blanche, manteau noir, pull et foulard rouges. La star. Impeccable. Flamboyante. Dès qu'il est debout ou assis, on oublie le handicap, sa jambe et son bras trop enflés. *Belmondo is back*. Au restaurant, un copain lui coupe sa viande – moi, je n'oserais pas. Et Bébel a toujours un copain avec

298

lui. En général Charles Gérard, poisson pilote en chef, fidèle entre les fidèles.

Soudain, pendant le déjeuner, il me parle de Delon.

— Alain, il est malade?

— Non, je ne crois pas.

— Je... je suis plus en forme que lui, non?

Je n'ai eu aucun texto de Delon ni pendant ni après l'émission et pourtant je suis presque certain qu'il l'a regardée. Bébel à quatre-vingts ans, avec son clan, sa famille, son cercle. Trois remparts que Delon n'a jamais connus.

Jean-Paul me fixe.

— Il est seul, Alain.

— Oui, je crois. Pourquoi t'as pas voulu l'avoir en plateau?

— Il... il aurait plom... plombé l'ambiance, hein.

Il rigole.

— Il est triste, il a tou... toujours été comme ça, Alain.

— Un peu dépressif.

— Ouais c'est ça... dé... dépressif.

Je pense, moi, qu'il n'a pas voulu qu'Alain, son vieux rival, le voie diminué.

Au retour, dans l'hélico, j'ai le temps de continuer à gamberger et lui d'admirer l'horizon plein de soleil, en caressant Chipie sur ses genoux. En vol, l'altitude adoucit le réel, tout est si cohérent vu du ciel. Si Jean-Paul n'était pas allé à Granville voilà dix ans, je ne suis pas sûr qu'il aurait remarché. Nous nous serons donné beaucoup l'un à l'autre.

Arrivés à Issy-les-Moulineaux, nous nous embrassons et chacun rentre chez soi.

Quelques jours plus tard, je prends le petit-déjeuner avec Rémy Pflimlin, président de France Télévisions, qui m'a proposé de resigner pour deux ans «Vivement dimanche». Proposition rare par les temps frisquets qui courent. Patrick Sébastien a été le seul à se voir offrir aussi un tel contrat. Je demande au président comment il explique le succès de dimanche dernier.

— Écoutez... Je suis l'exemple type du téléspectateur qui avait prévu de passer l'après-midi dehors, il faisait si beau. J'ai regardé le début et, au moment de partir, je suis resté assis devant ma télé, attiré par ce visage. Belmondo nous a donné une leçon de vie... Cette star qui parle à peine, c'est tellement troublant.

Le lendemain de notre retour en Normandie, j'ai passé un coup de fil à Jean-Paul pour savoir s'il était bien rentré et je suis tombé sur son répondeur. Ça donne :

— Bon... bonjour, vous zêtes chez... – il savonne – Jean-Pauleu, je suis... – il savonne volontairement – pas... pas là.

300

On l'entend baragouiner, déclamer une phrase de théâtreux, faire le pitre, le débile comme à vingt berges.

— Voi... là... Voilà, voilààà.

Clic. Le message se coupe sur un ânonnement d'aphasique comique.

La jeunesse, c'est peut-être un truc éternel au fond.

Nous avons beaucoup ri à Granville où en 2000, devant la fenêtre, face au vide, il avait marmonné pendant que Natty rangeait ses pulls dans son placard.

— Haaaaa... je vais p't'être... faire ma dernière cascade.

Natty et moi avions fait mine de ne pas l'entendre. C'était encore de l'humour, dans le désespoir.

Comment gueuler ou se plaindre du fisc, de la politique, du temps qu'il fait, d'un mal de dos, d'un mot de travers, devant cet homme qui revient de l'enfer avec une pirouette? Le courage qu'il a eu en donne à tous. En compagnie de Bébel je me sens bien, apaisé. Il est contagieux. Avec lui on ralentit, le rythme devient étrangement agréable. On a le temps de penser entre deux phrases. De prendre des silences. Jean-Paul est devenu un antistress.

À la fin du petit-déjeuner, Rémy Pfimlin m'a dit.

— On n'oubliera jamais cet homme-là.

Il a vécu un grand bonheur puis un grand malheur qu'il a su transformer à nouveau en bonheur. Triple salto pour la légende. La totale. Il voit un film chaque jour, à quatorze heures, dans une des salles des Champs-Élysées. Collé au cinéma. Tous les exploitants sont au courant. Le chauffeur l'installe après avoir demandé la durée de la projection, et va promener Chipie avant de revenir le chercher. Il lit la presse, allume la télévision, se tient au courant de tout et connaît le septième art contemporain mieux qu'un critique professionnel.

Cette émission et cette descente à Granville m'ont filé une pêche d'enfer.

Les jours ont passé. Malgré le coup de fouet de Jean-Paul Belmondo, j'ai perçu la fatigue, comme chaque année en fin de saison. Les audiences de ma quotidienne d'humour sur Europe 1 n'ont pas été fameuses. J'ai pourtant beaucoup aimé cette heure, cette bande, une liberté de ton, un naturel auxquels je n'étais pas habitué. J'y ai trouvé une joie que j'ai tenté de faire partager. Certains auditeurs sont venus m'avouer avoir préféré l'époque où je faisais «Découvertes», des programmes de savoir, plus pédagogiques et avec davantage de fond. Ce n'est pas sur le terrain de la rigolade que le public m'attendait – mais j'aime essayer. De concert avec Denis Olivennes, le patron d'Europe, nous avons

préféré l'arrêter pour me permettre une année
sabbatique. Réfléchir. À droite, à gauche, aux journalistes, j'ai répété : « Ce n'est pas grave, cette décision est concertée. » J'étais soulagé d'alléger mes
activités. Ce que l'on dit et se dit dans ces cas-là.
En secret, j'ai accusé le coup.

Depuis des années je considérais Europe 1
comme ma maison, ma station. Au même titre que
le service public est une part de moi-même, un
engagement bien au-delà de l'activité professionnelle. Et brusquement, un matin, vous êtes devant
l'immeuble, rue François-Ier, et vous n'êtes plus
chez vous à Europe 1. En une nuit, cette grande
maison vous redevient presque étrangère, poursui-
vant sa traversée du siècle avec d'autres. C'est
étrange. Certes, je suis soulagé, ce rendez-vous
quotidien m'enchantait autant qu'il pesait sur
mon emploi du temps, mais... mais comme tout le
monde, au jour de faire mes cartons, de ramasser
trois, quatre souvenirs, j'éprouverai cette sensation
de rupture qui m'attriste. La durée se nourrit
d'habitudes. J'ai beau me dire que je pourrais
réapparaître dans les grilles l'an prochain, que
nous nous quittons d'un commun accord et bons
amis, que j'ai déjà renoncé au micro plusieurs
années durant... À la rentrée prochaine, celle
d'après, et encore après, peut-être ne retrouverai-
je plus jamais le chemin de la radio ? Peut-être ce
départ est-il définitif et qu'un territoire de ma vie
s'efface ?

L'ironie toujours. À voir le calendrier, la dernière de ma saison s'achèvera loin de Paris, en Auvergne. À la fête du casse-croûte de Salers, au milieu des monts du Cantal. Mes copains Laurent Cabrol et Jean-Luc Petitrenaud en sont des habitués. Je leur avais promis de les rejoindre pour une émission avec ma bande parmi les Salersiens... Moi qui veux toujours tirer vers le haut, qui parle d'exigence, de qualité sous l'étendard de feu Pierre Desgraupes et qui veut toujours associer culture et grand public, la dernière heure de «Faites entrer l'invité» se fera au cul des vaches, à promouvoir la viande de Salers et la tomme entre deux calembours.

Je suis descendu trois jours en Provence, faire du vélo.

En roulant, une petite idée a commencé d'accompagner mes tours de roues. Je pense à un hommage semblable à celui que j'ai rendu à Jean-Paul pour Alain Delon. Depuis dix ans, lui aussi ne tourne plus ou à peine. Delon demeure en s'effaçant.

Pour ses quatre-vingts ans, d'ici deux ans... Mais comment faire? Delon vit davantage avec ses morts qu'avec le monde, sans famille réelle sinon sa fille Anouchka. Avec ses fils, les liens ont tourné plus souvent à la guerre qu'à la paix. Être un père ne lui a pas été facile, lui qui pourtant a su et sait encore veiller sur tant de gens, soutenir dans l'ombre tant de connaissances au bout du rouleau. Le présent l'intéresse moins que le passé. À Douchy, dans sa maison sanctuaire, parmi ses tableaux de maître, je me souviens d'immenses photos en noir et blanc de Romy Schneider accrochées aux murs.

Avec Delon, durant tout un dimanche, nous pourrions retrouver d'autres grands : les Visconti, Melville, Losey... Alain viendrait en parler seul sur la banquette rouge, avec peut-être un ou deux de ses chiens qu'il préfère aux hommes pour leur sens de la fidélité. Son rapport à la mort est quotidien, obsessionnel. Il se nourrit de cette noirceur. Est-ce que je peux bâtir un «Vivement dimanche» en évoquant cette obsession et l'atmosphère particulière qui flotte autour du Samouraï désormais ? Sa grandeur à lui. Elle m'inquiète presque davantage que le handicap de Jean-Paul. Le sourire d'Alain est plus grave, plus sombre, son point de vue face au destin différent. Au fond, j'aimerais beaucoup le faire. Je commence à y penser sérieusement. À mon retour ici pour l'été, en pédalant le long des routes, l'idée va faire son chemin jusqu'à devenir mon obsession à moi. Delon, ce sera coton. Risqué. Périlleux. Alain et Jean-Paul incarnent les deux profils opposés de la gloire. Nos deux derniers monstres sacrés, chacun d'un côté du fameux borsalino, avec lequel Alain a salué Jean-Paul pour ses quatre-vingts ans. Ils ont deux ans d'écart. Oui, un jour, avec Françoise Coquet et l'équipe, nous allons nous mettre au travail sur Delon comme nous avons travaillé pour Belmondo. Puis je l'appellerai. Et nous le recevrons, j'espère. Ce sera peut-être bien mon dernier «Vivement dimanche», avec le Dernier des Siciliens sous l'œil de Gabin et Ventura. Je bouclerai ma boucle avec Belmondo et Delon, le solaire et le solitaire.

La vie d'artiste

[...]
Et maintenant tu vas partir,
Tous les deux nous allons vieillir
Chacun pour soi, comme c'est triste.
Tu peux remporter le phono,
Moi je conserve le piano,
Je continue ma vie d'artiste.
Plus tard sans trop savoir pourquoi
Un étranger, un maladroit,
Lisant mon nom sur une affiche
Te parlera de mes succès,
Mais un peu triste toi qui sais
Tu lui diras que je m'en fiche...

Léo Ferré,
paroles : Francis Claude et Léo Ferré

Je croise souvent au Tong Yen, près des Champs-Élysées, une femme que tout le monde connaît. Chaque fois je suis un peu bouleversé en l'embrassant mais j'essaie de le lui cacher. À cette table incontournable des pouvoirs politique et médiatique depuis plus de trente ans – même Jacques Chirac la fréquente encore, l'air un peu perdu de ne plus y reconnaître personne – s'élaborent midi et soir stratégies et alliances. Mais cette cliente-là, aussi aimable que discrète, n'attire pas l'attention. Certains restaurants du « triangle d'or » mêlent autant d'ambitieux que d'oubliés, raison pour laquelle il vaut mieux réserver, c'est toujours complet. Lors de notre dernière rencontre, je lui ai parlé de ce livre dont le sujet l'a fait frémir.

— ... Michel, veux-tu que je te rappelle ce qui m'est arrivé ?

Je sais bien ce qu'elle a vécu, vous le savez aussi. Elle pourrait être la championne de la lumière et de l'oubli pour avoir été virée de la télé voilà trente ans.

Lorsqu'elle en parle, les événements sont encore si précis qu'elle semble les avoir vécus hier.

— ... J'ai été limogée le 1er janvier 1982 de « Midi Première » que j'ai animé pendant treize ans, d'abord au côté de Jacques Martin quand l'émission s'appelait « Midi Magazine ».

Danièle Gilbert était une fille brillante, originaire d'Auvergne, d'abord speakerine à l'ORTF, courageuse, cultivée – avec une licence d'allemand. Au moment de son éviction elle venait de perdre son père, rescapé de Dachau. Une étudiante modèle, bien sous tous rapports, selon l'expression consacrée dans les années soixante-dix. En 1982, elle était devenue une immense vedette, au même titre qu'Anne-Marie Peysson qui avait débuté avec Guy Lux sur «Intervilles» avant de devenir une figure de la télévision et de la radio. Jamais les élites à l'ironie facile ne reconnaîtront combien ces femmes se sont ancrées dans le cœur des Français, qu'elles s'appellent Jacqueline Huet (qui se suicida encore jeune, après avoir été le dernier amour de Théo Sarapo, veuf d'Édith Piaf), Jacqueline Caurat, Simone Garnier, Catherine Langeais, Denise Fabre ou Évelyne Leclercq...

Danièle a appris son éviction en lisant *France Soir*, avant d'être remplacée à la mi-journée par Anne Sinclair. La gauche arrivée enfin au pouvoir entendait le faire savoir à la télévision. À la tête des programmes de TF1, André Harris ne fit pas de quartiers.

Au début des années soixante-dix, Danièle anime donc «Midi Magazine» avec Jacques Martin. Un matin, celui-ci lui lance :

— ... Ce serait bien d'inviter Valéry Giscard d'Estaing, le jeune et séduisant ministre des Finances ! Il vient de Chamalières comme toi, il paraît qu'il tâte même de l'accordéon !

— Ah bon ?

Danièle Gilbert le connaît à peine, contrairement à ce qui a été répété, jamais elle n'a été membre des Jeunesses giscardiennes. Le fringant ministre accepte l'invitation et vient pianoter sur l'accordéon «Je veux revoir ma Normandie» et «Je cherche fortune autour du Chat noir». Martin, qui adore ce répertoire, est ravi. Tout le monde l'est. L'émission est très remarquée, Giscard d'Estaing aussi. On sait depuis qu'il a su séduire les ménagères – ce sont les femmes qui en 1974 lui feront remporter le scrutin présidentiel.

Quand, en mai 1981, la gauche a accédé au pouvoir, le congrès de Valence qui suivit fut une véritable Saint-Barthélemy du service public. Et Danièle Gilbert, pour deux airs d'accordéon, a pris la tête d'un long convoi de charrettes en Jeanne d'Arc du giscardisme – une absurdité.

— ... Le pire, c'est qu'on ne m'a jamais dit pourquoi j'étais virée ni la raison pour laquelle on ne m'a plus rien confié.

Faute d'assumer un motif politique, les nouveaux potentats n'ont pas justifié son éviction. Longtemps – c'est moins vrai aujourd'hui – un pouvoir neuf décapitait par principe les têtes télévisuelles censées avoir trop bien servi le maître précédent et incarner le vieux monde. De toute façon, aucun prince n'est jamais satisfait de la télévision ni de ses journalistes.

Des milliers de lettres sont arrivées à TF1 et à la rédaction de *Télé 7 Jours* pour exiger le retour de la condamnée. Elle n'est jamais revenue. Aucun patron de chaîne depuis n'a eu l'idée ou l'audace de créer l'événement en la rappelant.

Danièle a disparu des antennes.

La «Grande Duduche», comme la surnommait Martin, a continué de gagner sa vie correctement, via des animations de centres commerciaux, quelques rôles au théâtre et un coup médiatique dans *Lui* – une série de photos libertines qui ont fait beaucoup jaser.

Aujourd'hui elle est sans amertume aucune. Toujours aussi «gentille», mot désuet et pourtant précieux, ayant conservé avec le public cette chaleur qui ne s'apprend pas – c'est un don.

C'était la petite fiancée des Français. Le pays se projetait dans cette blonde aux cheveux sages et aux antipodes des cénacles parisiens.

— Sais-tu, Michel, depuis 1982, quelle phrase j'entends encore le plus souvent dans la rue? «Mais pourquoi ne vous voit-on plus à la télévision?»

— Qu'est-ce que tu réponds?

— Que je n'en sais rien.

Des années plus tard, Évelyne Thomas a repris le créneau d'animatrice populaire à la mi-journée. Elle aussi a été injustement écartée, elle qui avait été jusqu'à incarner le buste de Marianne dans les mairies de la République. Son talent avait su capter le même public que celui de Danièle Gilbert. Aujourd'hui, toutes les chaînes cherchent désespérément des animatrices ayant ce profil, qui à force d'avoir été si brocardé semble en voie de disparition. À croire que le populaire ne se fabrique plus que dans la télé-réalité.

Après le congrès de Valence qui suivit la victoire de la gauche, François Mitterrand a demandé à Serge Moati, son conseiller pour l'audiovisuel, de rappeler Guy Lux, lui aussi éjecté pour fidélité à l'ancien régime. Le fait du prince a ramené l'animateur devant les caméras – comme Nicolas Sarkozy le fera plus tard pour Patrick Sabatier. Sur leur olympe victorieuse, les socialistes n'avaient personne sous la main pour faire des shows grand public aussi bons que ceux de Guy Lux. Au fond le goût populaire ne les intéressait pas. Ces deux mots leur paraissaient antinomiques.

Mais personne, et après eux non plus, n'a rappelé Danièle Gilbert. De tous ceux que j'ai vus passer dans la lucarne en quatre décennies, elle aura été la plus injustement traitée, elle dont la France entière connaît encore le nom et le visage. Sans doute parce que notre pays chansonnier et libertaire oublie moins l'injustice que le reste. J'inviterai un jour Danièle sur le canapé de « Vivement dimanche ». Certains crieront encore à la ringardise et au passéisme, mais je le ferai d'autant plus volontiers qu'en trente ans elle ne m'a jamais rien demandé.

Ce monde de trophées et de dépouilles, de grandes figures empaillées sur les cimaises de la télévision, j'en ai trouvé la métaphore féroce dans un vestibule du XVIe arrondissement. Chez Valéry Giscard d'Estaing – grand chasseur devant l'éternel et monarque au nom de qui fut sacrifiée ma consœur. Chez lui, rue de la Faisanderie, le marbre blanc se dispute avec les bêtes à cornes, à plume et à poil, toute une faune. Moi qui vis avec une femme qui refuse d'écraser une araignée et qui en caressant ses chiens ne les imagine pas chasser, la paire de défenses d'éléphant qui borne son salon me laisse perplexe. Lui-même le serait probablement devant le nombre de vélos qui encombrent mes garages. On comprend ses propres passions, en étant souvent surpris par celles des autres. Disons que moi c'est la petite reine et Giscard la gâchette.

Au fond, tous les deux cherchons l'évasion via l'adrénaline – peut-être même l'oubli. Rue de la Faisanderie – la bien nommée – j'y pensais devant deux têtes d'antilope et un faisan placide qui me dévisageaient, avec ma consœur et amie, Wendy Bouchard, star montante d'Europe 1 et de M6, journaliste pour laquelle le grand chasseur a une tendresse. Ensemble nous venions l'interviewer à domicile. J'attendais le moment où je pourrais, timidement, l'aborder sur mon autre dada dont pourtant lui ne parle pas volontiers : la chute, le gouffre, le vide.

Ce Giscard d'Estaing de mai 81 quittant son palais présidentiel, à pied et seul, sous les huées de quelques provocateurs qui mirent de l'inélégance dans ces adieux.

Seul pour aller où? Avec qui, une fois passé le coin de la rue? C'est la question que j'ai fini par lui poser.

Il prend son temps pour me répondre. Cette période n'est pas une zone où il retourne facilement.

— C'est délicat... En fait je ne savais plus rien. Je ne savais plus vivre. Je ne pouvais plus entrer dans une boulangerie acheter une baguette de pain. J'ai dû presque tout réapprendre. Heureusement j'ai toujours aimé conduire, j'avais gardé cette autonomie. Pour le reste... Après la défaite, vous vous sentez coupable et vous ressentez l'hostilité. Je la percevais partout. Où trouver ma place? J'étais jeune, encore, je n'avais que cinquante-cinq ans. Dans la semaine où j'ai quitté l'Élysée, je me souviens d'avoir été à un cocktail, ici, à deux pas de mon domicile. Je me suis dit que cela me ferait du bien de retrouver des connaissances, d'être en sympathie.

Il a un petit rire désabusé.

— ...Je suis entré, personne ne m'a adressé la parole, je n'ai vu que des dos. J'imagine que ces voisins, ces amis, ne savaient trop quoi me dire, rétrospectivement je les comprends. Sur le coup, ce fut moins évident. J'avais l'impression de gêner, et pour tout dire d'être honni... Difficile à accepter, n'est-ce pas, après avoir été au centre de tout pendant sept ans ? Le pire, c'est que chez moi aussi régnait un certain silence, parmi les miens. Ma propre famille s'est trouvée déstabilisée par le fait que je ne sois plus président. Et nous n'avons pas su en parler.

Il soupire, serre les lèvres.

— ... Qu'avez-vous fait ?

— Je suis parti...

Valéry Giscard d'Estaing reste un moment sans un mot. Sa pudeur et sa réserve ne l'entraîneront pas trop loin. Il se reprend.

— ... assez loin. En Afrique, longtemps. Je suis parti chasser, en fait.

Il tend la main vers le vestibule.

— J'en ai quelques souvenirs, comme vous voyez. J'ai même voulu acheter un terrain en Centrafrique, installer un piano et une bibliothèque au milieu de la brousse et me couper du monde...

D'un battement de paupières, il chasse l'émotion qui le gagne. Et le visage de celui qu'on appelait le pharaon s'est refermé dans un sourire aristocratique, avant de parler d'autre chose. Trente-trois ans après cet échec, je sens que la cicatrice est toujours à vif. À quoi pense Giscard aujourd'hui quand il voit passer l'ombre de Chirac, son ennemi juré, celui qui en n'appelant pas à voter pour lui l'a fait battre en 1981 ?

Dans notre métier, je le reconnais moi-même, nous parlons trop des gens en place, un peu toujours les mêmes, en boucle, toute l'année. Les professionnels, diffuseurs, producteurs, programmateurs, s'alignent sur le box-office et les notoriétés. Bien sûr nous savons que Jean Dujardin viendra assurer la promotion de son prochain film, Djamel Debbouze, Gad Elmaleh aussi. Ce sont des incontournables. Que l'actualité ramènera Omar Sy et Dany Boon à la télévision. Que Pierre Arditi fera plusieurs rentrées au théâtre, que Marc Levy sortira son nouveau livre. Une certaine routine ramène les mêmes têtes.

Voilà vingt-cinq ans, la grande époque du Splendid a révélé toute une équipe de talents qui depuis se sont séparés. Chacun a poursuivi avec succès sa carrière solo, et tous conservent table ouverte à la télévision. Christian Clavier, Josiane Balasko, Gérard Jugnot, Marie-Anne Chazel, Michel Blanc, Thierry Lhermitte, Dominique Lavanant, Martin Lamotte, Anémone... rien qu'avec l'actualité respective des ex-Bronzés on pourrait presque remplir trois mois de programmation.

Quand arrive le mois de juin et que je regarde notre panneau des programmations, je vois que les dimanches sont bouclés jusqu'à Noël. En gros, il y a cent personnes en France qu'on voit tout le temps, partout. Moi aussi j'ai parfois l'impression de tourner en rond. L'habitude s'installe pour nous et pour le public.

Le vedettariat se ritualise. En général, au début de l'été, Claire Chazal accepte un grand reportage photo dans la presse people. Nous la retrouverons soit au festival de la correspondance à Grignan, pieds nus dans les lavandes par passion des lettres, soit à la barre d'une salle de danse par passion pour le ballet. C'est l'icône féminine télévisuelle. Avant elle régnait Christine Ockrent, et avant la reine Christine, Anne Sinclair, ses yeux bleus et ses pulls mohair. Sous ses apparences sereines, je sais bien que Claire redoute le jour où elle quittera le sacro-saint fauteuil du 20 heures. Depuis quelques années, elle fait face aux commentaires insistants sur ses «remplaçantes». Dès qu'une jeune journaliste apparaît sur TF1, on lui donne pour avenir d'éclipser puis de remplacer «la Chazal».

La roue tourne lentement, mais le changement finit toujours par se faire. Les chants du cygne se mêlent aux cris de nouveaux oiseaux. Si le changement paraît si lent, c'est qu'il signifie toujours la disparition de quelqu'un. Quand un arrivant grimpe à la proue du bateau devant les caméras, en poupe quelqu'un tombe à la baille dans l'indifférence générale. Les uns et les autres s'accrochent – je sais de quoi je parle.

De la même façon, chaque année, pour le festival de Cannes, dans le luxe méditerranéen du palace de l'Eden-Roc à l'occasion du gala de charité d'Arcat Sida, Sharon Stone descendra en

France et dans *Paris Match* pour sa cover annuelle où elle aura l'air moins âgée aujourd'hui qu'à trente-cinq ans. L'an prochain, à coup sûr, elle aura encore pris un coup de jeune. Avec les grands chanteurs, les grands acteurs, idem : nous nous quittons pour nous revoir bientôt. C'est le but de la promotion : en même temps que l'on soutient le lancement des albums, des tournées ou des films, on se soutient soi-même.

En gros, dans une carrière médiatique longue, on traite cinquante à soixante têtes d'affiche toute sa vie, de la politique ou du spectacle. Et nous nous usons avec elles. Tout le monde reçoit les mêmes artistes pour les mêmes enjeux. Si le menu est identique, comment faire pour attirer dans son restaurant ? Pour que chez Ruquier, chez Sébastien, au « Grand Journal » ou chez moi, la carte séduise une large clientèle ? Faire en sorte que son établissement ne perde ni en étoile ni en fréquentation ? Chacun essaie d'aller pêcher les grosses vedettes pour assurer les grosses audiences. La différence est dans le ton, le médiateur et ses chroniqueurs. Chez Thierry Ardisson ou Laurent Ruquier, on sait que les chroniqueurs font plutôt dans le passage à tabac. Que Patrick Sébastien réunira la grande famille du music-hall sous les cotillons. Et que moi j'ai un penchant pour la nostalgie, les monuments et les oubliés inoubliables. Si j'ai choisi à « Vivement dimanche » de prendre moins de chroniqueurs désormais, c'est que je souhaite laisser de plus en plus de place aux envies et aux propos de mes invités.

Heureusement, il y a l'été pour changer de cerveau et recouvrer l'appétit. Certes, les cent incontournables continuent de se voir à l'ombre de juillet-août. Presque tout le métier défile entre la Riviera et le Lubéron, n'y faisant que passer parfois avant d'aller se réfugier dans des coins plus secrets. Cette convergence n'est pas seulement un symptôme, elle a son charme. Eux aussi, l'été, comme vous et moi, ils débranchent... et la langue de bois peut laisser place à de vrais moments de rencontre. C'est aux Baux-de-Provence que j'ai vraiment découvert Pierre Arditi et Évelyne Bouix. Josiane Balasko à Saint-Saturnin. Mimi Mathy à Vaison-la-Romaine. Patrick Bruel à L'Isle-sur-la-Sorgue. Manuel Valls et Aurélie Filippetti sont aussi des habitués des Alpilles. Quant à Charlotte de Turckheim, ma voisine, on se salue par-dessus notre grillage depuis vingt ans.
People et anonymes se croisent plus facilement en vacances. Mais je ne profite pas de l'été pour aller seulement au-devant des célébrités. Et heureusement.

À vélo, parfois, je m'arrête en pleine pinède au bord de la route pour saluer deux coureurs cyclistes. Je leur demande leur âge.

— Quatre-vingt-sept ans et Roger quatre-vingt-cinq ! On fait nos cinq, six mille par an.

— Et vous mangez quoi... ?

Nous parlons. Ce ne sont pas eux qui m'ont reconnu et approché par curiosité, mais l'inverse. Pour une fois c'est moi qui d'une certaine façon reconnais des promeneurs avec l'envie d'aller vers eux.

— ... Bah, de toute façon ma femme est contente de me voir partir, depuis que je suis à la retraite elle n'aime pas m'avoir toute la journée dans les pattes... Le soir, je rentre, on dîne léger, je regarde «Des chiffres et des lettres», un film, mais je m'endors avant la fin.

Très vite, je vois dans leurs yeux que je cesse d'être un personnage public.

— Qu'est-ce que vous mettez comme braquet, Michel ?

— 42 devant, 19 derrière.

Subitement, loin de tout, je m'aperçois que les gens n'en ont rien à fiche de moi, de la télévision. Elle les occupe, retient chaque jour un peu de leur attention, parallèle à leur vraie vie. Bien sûr qu'ils connaissent ma tête, mais leur réalité est ailleurs. On parle boutique, vélo, calories. Chaussures. Huile d'olive. Rosé du Lubéron ou melon de Cavaillon. De l'OM. De la crise qui n'en finit pas. De la page météo dans *La Provence.* J'en tire chaque fois cette impression salutaire d'être repris en main par la réalité...

Et nous repartons, dos à dos, chacun vers notre rentrée.

Entre deux saisons, quand dans le bureau des patrons de la télévision se décide qui sera la tête d'affiche du prochain grand feuilleton de la chaîne, heureusement que les acteurs soumis à ce casting ne sont pas présents. Il faut voir ce que j'ai entendu. Pas seulement l'évocation du fossé entre les «bankables» et les petits calibres... Bien pire. «Oh non, pas lui, avec le coup de vieux qu'il s'est pris!» «Ni lui, on l'a tellement vu!» «Elle a épaissi, non?» «Son dernier film a été un four.» «Il paraît qu'il picole, maintenant... pas fiable.» «Les gens en ont marre, on l'a vu partout, il a pris une tête comme un melon!» Et finalement le choix se porte sur la petite dernière ou le jeune premier que les décideurs ont vu grimper les marches à Cannes. La nouvelle coqueluche de la presse. Ceux dont tout le monde parle et qui n'ont pas encore lassé.

Le témoignage le plus saisissant que j'aurai entendu à propos de ces déserts où une personnalité n'est plus désirée est celui de Jane Birkin. Entre deux rires légers, elle m'a sidéré. C'était un dimanche soir sur les banquettes rouges de «Vivement dimanche prochain». Brusquement Jane s'est souvenue de sa cinquantaine difficile, voilà dix, quinze ans. Le téléphone – ce foutu téléphone – ne sonnait plus. Silence abyssal. Rien au cinéma, les concerts en panne. Les journées s'égrenaient lentement. Le vide, le trou. Le soir venu, quand ses filles appelaient pour avoir des nouvelles, Jane leur mentait. Elle racontait que sa tournée se poursuivait sur les routes de France. Montélimar, Arles, Montauban... «Oh, il fait beau», disait-elle après avoir jeté un œil sur la météo locale. «Les gens sont merveilleux avec moi.» «Je suis fatiguée mais c'est normal...» En vérité Jane était chez elle, seule, au téléphone, à raconter à ses enfants une vie qu'elle ne menait plus. Elle-même semblait presque ahurie par le souvenir d'un tel mensonge. «Je ne pouvais pas leur avouer que je ne faisais plus rien.»

Aujourd'hui, Jane est une icône. Et si cette icône a pu évoquer ce tunnel, c'est qu'elle en est sortie. Il n'aura été qu'une éclipse dans sa carrière splendide.

Plus rien ne dure. Plus rien n'est conçu pour traverser le temps. Le durable devient un idéal, une naïveté, qui n'est plus soutenu par les réalités actuelles. L'instantanéité des échanges, des connexions et des images, les offres qui se chevauchent, toile internet, monde global, ont profondément changé la donne et le statut des vedettes. Il n'y a plus de stars, en tout cas plus comme celles que j'ai connues. À peine est-on remarqué que la multitude vous ramène dans le rang, que déjà des outsiders apparaissent sur la crête, tremblant de stress et de se volatiliser dans un avenir proche.

Avec l'été qui vient, la presse annonce la grande tournée estivale de «The Voice». Comme huit millions de téléspectateurs, moi aussi j'ai suivi l'émission en famille. Les salles de la tournée sont bourrées, déjà vingt-huit dates dont le Zénith de Paris... TF1 annonce soixante-dix mille billets vendus. Après la télévision et sa médiatisation... enfin la scène. «The Voice» sera un des plus gros shows itinérants, avec une technique, une lumière dignes de Johnny... En même temps tous les lauréats de «The Voice» ne chantent aucune de leurs chansons. Ils ont prouvé leur talent en interprétant les grands standards, souvent en anglais. Je me souviens d'Olympe, dont le nom et la singularité ne s'oublient pas, même pas du vainqueur 2013 (Yoann Fréget). Les visages de ces jeunes artistes me sont familiers mais aucun de leurs noms.

C'est fou.

Si certains héros de ces arènes télévisuelles se sont imposés en très bons artistes, je ne suis pas loin de croire que les vedettes ayant le mieux tiré profit de ce programme sont les membres du jury, chanteurs qui viennent parfois y reconquérir une audience et un cachet substantiel, avec bienveillance et professionnalisme.

Mais les chansons, la création véritable, où sont-elles dans «The Voice» ou dans «Nouvelle Star»? Ces tubes qui tant de fois, d'un coup, ont fait naître un chanteur?

Comment perdurer sans œuvre sous une telle médiatisation quand un visage s'oublie aussi vite que la une d'un quotidien? Si Lio sera toujours Lio, c'est pour avoir chanté dans les eighties «Banana split» ou «Les brunes comptent pas pour des prunes».

Le disque est ravagé, il n'y a plus de maison de disques. Seuls les auteurs peuvent s'enraciner. Jean-Louis Murat, par exemple, si charismatique, ou Damien Saez idole de la jeunesse, deux artistes extrêmement rares à la télévision et qui se produisent partout à guichets fermés. Comme Bashung, eux gardent un public fidèle et nombreux.

Les autres se maintiennent. Avec moins de cinquante galas par an, une fois payés les frais et les musiciens, vous gagnez de quoi vivre aussi bien qu'un enseignant.

On s'arrange.

Avec un patrimoine de quatre ou cinq grandes chansons, vous avez votre assurance-vie. Le drame des interprètes, c'est qu'ils n'ont plus aucune source de revenus une fois que les lumières s'éteignent et que les tournées s'arrêtent. Et je ne saurais trop conseiller à tous les interprètes de «The Voice» qui, eux, contrairement au «jury», n'ont pas été très bien payés pendant l'émission, de mettre de côté l'argent de la tournée.

Je pensais à cela en regardant la presse évoquer la demi-finale, et bientôt la tournée, quand mon portable a sonné. C'était Ségolène Royal. Ça tombait bien. Question cruauté, elle en connaît un rayon, elle qui a bien failli être rayée de la carte politique française.

Le dernier souvenir professionnel que j'ai de Ségolène Royal est l'enregistrement de son «Vivement dimanche», début 2008, quelques mois après sa campagne présidentielle qui l'a menée à une défaite honorable sur un chemin semé d'embûches d'ordre privé. À la fin de l'émission, ma culture n'étant pas de poser des questions intimes, je me suis autorisé une allusion :

— Vous avez traversé des soucis personnels...

— Oui. Je peux en parler. J'ai toujours voulu vivre dans la vérité. C'est douloureux de changer de vie parce que dans un couple il y a toujours celui qui agit et l'autre qui subit. Ce qui est insupportable, ce sont des situations de bigamie qui perdurent et je ne veux pas de ça. En même temps c'est légitime que quelqu'un tombe amoureux d'un autre, refasse sa vie... Ce qui est horrible, je crois, pour tous ceux qui ont connu cette situation, c'est le manque de vérité, le mensonge. On ne peut plus rien négocier entre adultes, le sol se dérobe sous vos pieds... Mes enfants sont debout, je suis debout, François est debout et je lui souhaite d'être heureux. J'ai eu beaucoup de mal à le dire, à l'assumer mais aujourd'hui c'est cicatrisé... Toutes les femmes qui ont vécu ça me comprendront.

Une fois les caméras éteintes, je me suis approché d'elle.

— Bien sûr, Ségolène, le dernier échange sur votre vie privée, si vous le souhaitez, nous le couperons au montage.

— Non Michel, pourquoi? Je l'ai dit et j'assume.

Illico, elle a été critiquée pour cette confidence où certains n'ont vu qu'une habile communication... Même si un politique s'exprime toujours avec stratégie, selon moi ses paroles n'étaient pas opportunistes. J'avais trouvé sa mise au point audacieuse, exactement comme Nicolas Sarkozy, en direct sur le journal du soir de la 3 a lui aussi mis les choses au clair et sur la table, bon gré, mal gré, lorsque sa vie conjugale a défrayé l'opinion.

— Je sais très bien que la France est au courant. Ma famille et moi essayons de surmonter l'épreuve. Quel couple n'a pas vécu de tels moments?

Pour la première fois un président de la République et sa rivale aux élections, devant des millions de téléspectateurs, ont affronté l'opinion en parlant ouvertement. Une clarté impensable sous Pompidou, Giscard, Chirac... et loin de la double vie cachée de François Mitterrand. Ce jour-là, face à Ségolène Royal, je me suis dit quelque chose est en train de changer.

Cette fois, elle m'appelle pour la sortie de son livre, *Cette belle idée du courage*[1], où, derrière les portraits de Theodore Roosevelt, Nelson Mandela, François Mitterrand ou Jeanne d'Arc, elle cherche à faire passer quelque chose d'elle-même. Comme ces illustres figures, elle aussi a traversé une série d'épreuves au vu et au su de tous, dure loi des arènes. Il faut pourtant continuer à donner le change. Un artiste qui vit un enfer personnel doit assumer ses galas, certains soirs peuvent être difficiles mais au moins partage-t-il ses chansons avec son public. Ce n'est pas le cas des politiques.

Ceux-là rentrent chez eux avec parfois rien d'autre entre les mains que le goût amer de l'échec et du désaveu électoral.

Quand je songe à Nicolas Sarkozy, je ne peux pas m'empêcher de le revoir grimper sur les tribunes de sa campagne en 2007 juste après avoir échangé avec son épouse des textos tumultueux. Il tente de sauver son avenir avec la femme qu'il aime tandis que des milliers de militants scandent son nom dans la salle. Ségolène aussi a poursuivi coûte que coûte son parcours. Moi qu'un rien

---

1. Éditions Grasset.

inquiète, je ne cesse de les scruter en songeant : « Mais comment font-ils ? »

En politique tout est toujours possible... sauf si la machine casse. La machine du corps. Presque d'un coup, les flambeaux de la Chiraquie ont baissé avec l'AVC de l'ancien président. La carrière de Bill Clinton et sa stature d'homme d'État ne se sont jamais complètement remises de l'effarant vaudeville avec Monica Lewinsky. Il en a résulté pour lui un sérieux pontage coronarien et beaucoup plus tard, pour Hillary Clinton, un accident vasculaire cérébral certes léger, mais toujours alarmant. Le retrait de Michel Rocard a commencé avec son coma en Amérique du Sud. Bien des années avant, tous les observateurs savaient qu'il lui arrivait de sortir du bureau de François Mitterrand perclus de coliques néphrétiques. Les relations houleuses entre Nicolas Sarkozy et François Fillon ont bloqué le dos du Premier ministre – mal dont je me souviens d'autant mieux que lui et moi avons échangé des noms de spécialistes – en l'occurrence, je m'étais contenté de lui conseiller... le vélo. Bernard Kouchner a eu un pépin cardiaque du temps où il était aux affaires. François Léotard aussi. La liste est longue. S'ils connaissaient les véritables bulletins de santé de nos dirigeants politiques, qui affichent une allure inoxydable, les électeurs seraient sidérés. Combien d'ulcères, de troubles cardiaques, anxiogènes, insomnies et allergies, autant de maux synonymes de colères et de dépits rentrés, stigmates d'engueulades et de dissensions conjugales.

Si le premier mandat de François Mitterrand a été une victoire de l'énergie sur la maladie, le second s'est achevé en calvaire et sur une question d'État. À partir de quelle limite de souffrance et d'épuisement doit-on considérer qu'un homme ne gouverne plus ? Avant lui, Georges Pompidou n'y a pas survécu, soufflé par la cortisone il a achevé sa vie avant la fin de son mandat. La défaite à la présidentielle de Valéry Giscard d'Estaing a ouvert sous ses pieds un abîme. Devant ce champ de batailles secrètes, le premier mot qui me vient est celui de courage.

La différence entre M. Tout-le-monde et les leaders, les stars, réside dans leur capacité à gérer le stress, à surmonter n'importe quelle épreuve pour rebondir, à rester sous contrôle pour encaisser et rendre coup pour coup. Tant que la machine qui les porte tient, la partie continue. Si elle casse, fin du match.

Personne ne voyait plus Georges Moustaki... Je savais qu'il ne parvenait plus à grimper les escaliers de son appartement de l'île Saint-Louis. L'an dernier, je suis allé lui rendre une ultime visite à Montlhéry dans un centre spécialisé sur les difficultés respiratoires. Le métèque, le juif errant, le pâtre grec n'était plus qu'une ombre, perfusé à la vie grâce à une bonbonne d'oxygène portative. Comme Jean Ferrat.

La machine avait lâché.

En pensant à Renaud et à nos rencontres d'été à L'Isle-sur-la-Sorgue, je me dis que l'alcool et le tabac ont affaibli sa voix, un peu comme si un chirurgien se retrouvait avec trois doigts en moins. Et Renaud le sait. Cette déficience explique aussi son retrait dépressif. Si Johnny, lui, reste notre phénix national, c'est d'avoir gardé par miracle sa voix, son diamant.

Je songeais à toutes ces blessures en écoutant sur mon portable la voix toujours un peu réservée de Ségolène Royal.

— ... Michel, je serais heureuse de pouvoir venir vous parler de mon livre...

Je la rappelle. Nous nous connaissons bien.

— Alors, Ségolène ?

— Alors, Michel ?

— Moi aussi je finis un livre.

— Qu'est-ce que c'est, cette fois ?

— Je veux évoquer les coulisses et la dureté de nos métiers publics, si décriés. Ce qu'il faut endurer parfois quand les caméras s'éteignent.

— Beau sujet.

— Je vais sans doute vous citer, si vous le permettez.

Elle rit.

Elle n'a pas eu à parler. Je me suis lancé. Je lui ai énuméré la litanie de ce qu'elle avait vécu ces dernières années... Après un problème de couple, une belle campagne, perdre la présidentielle pour voir cinq ans plus tard François Hollande réussir là où elle a échoué, au bras d'une autre femme, cela a tout l'air d'un chemin de croix, non?

Je l'entends soupirer sans répondre, mi-amusée, mi-surprise.

— En 2007, les analystes avaient prédit que Nicolas Sarkozy perdrait ses moyens devant vous avant la fin du débat et c'est vous qui vous êtes emportée.

— Oui, mais les analystes, Michel...

— L'an dernier face à François Hollande par contre, Nicolas Sarkozy était annoncé favori lors du débat, et ce ne fut pas le cas.

— Encore les analystes...

— ... Il est élu, une nouvelle Première dame arrive et là, son fameux tweet mine votre législative à La Rochelle. Nouvelle campagne d'opinion, nouveaux remous privés, les enfants... Comment avez-vous pu vivre tout ça?

Un blanc.

— Vous encaissez et vous encaissez...

— C'est exactement ça, Michel. L'orage doit passer. Dites, il va être rigolo votre livre!... Il faut un mental de fer. Mais un mental de fer, ça ne veut rien dire sans un contexte, un soutien. Je me suis recentrée sur mes enfants. Je suis fière d'eux, tous les quatre. Sans eux, je crois que je n'aurais pas tenu le coup.

Je perçois que ce qu'elle a traversé reste en dessous de tout ce qu'on a pu en dire ou qu'elle ne l'avouera elle-même. Cette femme serait aujourd'hui légitime au perchoir de l'Assemblée nationale ou à la tête d'un ministère d'État et elle n'est toujours pas là. Bénévolement, elle continue d'agir à la Banque publique d'investissement, nommée par l'Élysée non présidente mais vice-présidente. D'autres auraient été détruites. Pas Ségolène Royal. Je lui avoue même que le temps semble sans prise sur elle. Elle reste une des femmes politiques les plus séduisantes.

Je lui parle de Mme Clinton.

À la Maison Blanche, Hillary était encore très amoureuse de son mari, jamais il n'a d'ailleurs été question qu'il la quitte pour Monica Lewinsky. Quand je l'avais rencontrée à Washington, elle aussi m'avait dit : « Comment je l'ai vécu ? Mais on n'a pas le choix. On se lève le matin, on avale un café, un deuxième, et on y va. On affiche son meilleur sourire et on le garde toute la journée. » Hillary a quand même envoyé son mari dormir plusieurs semaines à l'autre bout de la Maison Blanche.

Quelle relation peut-on avoir avec l'homme de sa vie devenu président sans être soi-même membre de son gouvernement, ni plus investie nulle part sinon comme présidente de région ?

— Ça a été très dur, Michel, mais c'est du passé.

Et les humoristes, leurs vannes perpétuelles, cette cruauté des imitateurs ?

— Qu'est-ce qui vous a le plus blessée ? Le tweet, la défaite, la presse ?

— Qu'on me fasse en permanence un procès en incompétence. Je n'ai pas pu le supporter, jamais on ne l'aurait dit d'un homme, j'en reste persuadée. C'était ignoble, surtout au sein de ma propre famille politique censée me soutenir.

Revanche des éléphants rageurs devant sa popularité qui n'ont pensé qu'à la disqualifier. Je me souviens de DSK et d'Anne Sinclair, lancés vers le pouvoir, certains de leur avenir, ironisant sur ses capacités. En « off », le couple la qualifiait de « vide sidéral ». Au même moment, d'autres éléphants moquaient Hollande, le traitant de « M. Petites-Blagues », de « Flanby », ne misant pas un kopeck sur ses chances de battre Sarkozy.

Comment se lève-t-on le matin, sonné, hors circuit ? Quand enfin, cinq ans plus tard, la grande victoire se fait sans vous ? Que vous encombrez ? Que tout le monde court après son maroquin et que vous-même échouez à la députation ? Après tant d'uppercuts, pourquoi risquer à nouveaux les coups ?

— Il faut rentrer sa colère et on en sort grandi.

Ségolène Royal aurait pu quitter la vie politique comme Mendès France, le grand homme de mes parents, parti au bout de quelques mois en son temps. Or quitter cette vie politique qui est l'engagement de toute une existence, ne serait-ce pas renoncer à tout? Est-on seulement capable de faire autre chose? Autre chose, mais quoi?

Ségolène est venue dans le dernier «Vivement dimanche» de la saison. Après la quarantaine qu'elle s'est imposée, je l'ai trouvée plus déterminée que jamais, donnant l'impression que plus rien ne pouvait l'atteindre.

Quelques jours avant, j'avais reçu l'acteur Clovis Cornillac, un enfant de la balle, fils de soixante-huitards. Son père est un metteur en scène de gauche, engagé depuis toujours dans le théâtre de rue. Avec sa femme tous les deux furent des «purs et durs». J'interroge ce chef de troupe fidèle à sa jeunesse sur cette tranche de vie où toute la famille faisait du théâtre radical dans les années soixante-dix. Un jour, la troupe jouait une pièce brésilienne sur la place d'une bourgade de Normandie et il n'y avait pas un chat. Le gosse, Clovis, huit ans, désespéré, s'est mis à hurler, hurler des cris de douleur : «Venez, mais venez voir mon père!»

Parce qu'il n'y avait personne, personne.

Aujourd'hui, ce petit Clovis est une vedette. Son père affirme que leurs rapports sont bons, tout en me glissant un aveu : «Je ne vois pas un père aller demander à son fils de l'engager pour un rôle... Mais Clovis n'a rien oublié de son enfance et de notre théâtre, c'est un homme des planches, il y reviendra, je sais qu'il est capable de reprendre la route, de remonter dans la roulotte pour aller jouer n'importe où. »

Clovis Cornillac regarde ce témoignage, assez bouleversé. Lui qui a été Astérix aux côtés de Depardieu serait-il capable de replonger dans l'ombre ? Sa réponse a fusé : « Non. »

— Je n'accepterais pas de n'être plus désiré. Si ce jour-là arrivait, le jour où on ne voudra plus de moi, je partirai. Je ne resterai pas dans un métier qui m'a aimé et ne m'aime plus. Je voyagerai, je ferai autre chose de radicalement différent, je couperai net.

Dans ses yeux passait le même caractère trempé que dans ceux du gamin hurlant sur une place de Normandie. Devant le témoignage paternel, Clovis a avoué qu'on ne redescend pas de la montagne de lumière. Être désiré par les foules est une prison. Je l'ai trouvé courageux d'être sincère. Sur mon plateau, peu d'artistes l'ont affirmé avec autant de franchise que Clovis Cornillac.

La plupart des gens célèbres jouent les détachés, en se prétendant au-dessus des addictions narcissiques, quand ni eux ni moi, pour dire la vérité, ne sommes plus libres depuis longtemps. Nous ne vivons plus que pour notre obsession.

Là encore, j'ai eu un ange gardien parce que ma femme, voilà quarante-deux ans, m'a appris la liberté de choisir. Quand nous nous sommes connus, l'actrice Dany Saval avait déjà quitté le métier. Moi, j'arrivais, heureux et fier de ma notoriété montante, je me promenais partout avec mes portraits photos à dédicacer. Je comprenais à peine ce dont Dany me prévenait.

— ... Tu ne sais pas ce que c'est que d'avoir été une tête d'affiche et de se mettre à chercher un rôle, n'importe lequel.

Très jeune, elle avait découvert autour d'elle la course, la hiérarchie perpétuelle et n'en voulait pas pour avenir. En France, elle était vedette aux côtés de Brigitte Bardot et Mylène Demongeot, trois blondes dont les longues jambes et les battements de cils brisaient les carcans. Les années soixante les adulaient. Après avoir épousé Maurice Jarre, le compositeur fameux, Dany l'avait suivi aux États-Unis sous contrat exclusif avec la Paramount. Mais être actrice au box-office ne l'intéressait pas réellement, son rêve d'enfant avait été d'être une étoile de la danse classique. Le temps a passé, la jolie Française d'Honfleur s'est lassée de la vie californienne. Elle est rentrée au pays. L'idée de se battre pour revenir au sommet ne l'a pas enchantée et elle était prisonnière de ces terribles contrats américains qui à l'époque enchaînaient un artiste à une compagnie de cinéma. L'unique clause d'annulation que reconnaissait le droit

336

américain était de renoncer au métier. Dany avait une fille, Stéfanie, qui allait devenir la mienne. Elle voulait élever sereinement cette enfant. Et elle voulait sa liberté. Tous les deux avions vingt-neuf ans. Dany a préféré miser sur moi.

— Moi j'arrête... Michel, si nous voulons être heureux, mieux vaut que je ne devienne pas une actrice qui vieillit. Et je peux te dire qu'il n'y a pas de place pour deux noms sur une affiche. Toi, tu dois faire ta carrière, moi, la mienne est faite.

J'ai tenté de la dissuader. Mais Dany avait su épargner, et avait mûrement réfléchi avant de refuser d'engager sa vie dans un système où elle ne se voyait déjà plus. Anticiper, guetter les signes avant-coureurs du déclin, c'est démoralisant. Vu que ces signes, tôt ou tard, finissent par arriver, c'est même minant, et dans nos métiers, on le sait bien, les hommes et les femmes ne sont pas égaux devant l'âge. La mienne a préféré dire non. Quelle lucidité.

À tout moment, n'importe où, dans des circonstances parfois surprenantes, je suis confronté à la lumière et l'oubli. Le milieu sportif lui aussi est plein d'ombres, de victoires et de champions oubliés.

Saint-Rémy-de-Provence, le 18 juillet, j'attends au Bistrot des Alpilles – une des tables où j'aimais aller avec mon frère Jean –, un homme dont toute la planète foot a connu le nom dans les années quatre-vingt. Manuel Amoros. Le meilleur arrière latéral du monde, pièce maîtresse de l'équipe de France de Platini qui disputa deux grandes Coupes du monde en Espagne en 1982 et au Mexique en 1986, mon cinquième et dernier Mondial de commentateur. Je ne l'ai pas revu depuis 1986. En le voyant entrer, le temps qu'il traverse le restaurant, tous mes souvenirs reviennent. La tragique demi-finale de Séville où le gardien allemand Harald Schumacher laisse inanimé pendant de longues minutes Patrick Battiston dont on craignit même qu'il ne revienne jamais à lui, et je m'entends commenter la séance de tirs au but quatre ans plus tard à Guadalajara : « Mon Petit Luis, on compte sur toi ! » C'était Luis Fernandez, qui marqua ce penalty libérateur face au Brésil, qualifiant la France pour les demi-finales. Manuel Amoros faisait partie de cette belle équipe dont Michel Platini était le métronome et qui comptait dans ses rangs des joueurs que je ne peux pas oublier, Jean Tigana, Alain Giresse, Maxime Bossis, Dominique Rocheteau, Joël Bats dans les buts...

J'ai voulu le revoir parce que j'ai appris il y a quelques mois seulement qu'il vit un cauchemar depuis dix-huit ans, poursuivi injustement par le fisc, ruiné, expulsé, comme le furent également ses parents, à qui il avait acheté une petite maison vers Saint-Rémy. Ce brillant joueur d'origine espagnole fut longtemps le fleuron de l'équipe de Monaco où il passa douze ans avant son transfert à l'OM, acheté à prix d'or par Bernard Tapie. Poursuivi par les impôts pour ne pas avoir déclaré plusieurs millions de francs correspondant à des primes de match qui apparaissaient dans la comptabilité du club mais qu'il ne toucha jamais. Ce redressement fiscal, portant sur l'équivalent de près de deux millions d'euros actuels, provoqua sa dégringolade sociale qui depuis près de vingt ans ne cesse de le tourmenter.

Manu apparaît souriant et m'embrasse comme si nous nous étions quittés le lendemain de cet inoubliable France-Brésil au Mexique. Je revois sa façon de courir, de ne rien laisser passer, ses contrôles, son toucher de balle, sa vision du jeu. Tout me revient. Et je m'entends encore : «Amoros passe à Bossis, Bossis-Giresse, Fernandez, Fernandez-Platini, Platini, Platini toujours... Les Brésiliens sont débordés, la France domine!»

Les Bleus de 1986 perpétuaient ceux de 1982, les meilleurs du monde. Mais Platini, blessé, joua son dernier Mondial avec un tendon d'Achille abîmé.

Efficace, fier comme un Espagnol, intraitable en défense, tel était Amoros, impérial. Cinquante et un ans aujourd'hui. Après avoir évoqué notre passion commune pour les Alpilles où il habite depuis sa traversée du désert, il me présente sa femme dont il me dit tout de suite avec fierté que sans elle il n'aurait pas tenu le choc, elle qui a perdu un enfant quelques semaines après que les huissiers furent venus tout leur saisir au petit matin.

Pour survivre, l'ex-joueur est parti entraîner pendant deux saisons le Koweit, puis l'équipe du Bénin, s'éloignant de sa famille, moyennant une rémunération modeste sans commune mesure avec les sommes folles que gagnent les Amoros d'aujourd'hui. Son drame n'est pas isolé dans l'histoire du sport de haut niveau. Beaucoup de champions, mal conseillés (ce qui n'est plus le cas), furent ruinés soit par des agents véreux, soit par manque de vigilance. À l'époque, la gestion des clubs de foot était déjà opaque. Mais les contrats faramineux signés aujourd'hui par les stars sont balisés par des avocats et autres conseillers fiscaux. Et pour ceux qui jouent à l'étranger, le salaire est net d'impôts, c'est le club qui les paie.

Manu Amoros reste souriant, il ne se plaint pas mais rend hommage à l'homme qui dîne avec nous, un ancien inspecteur des impôts à la retraite qui, scandalisé par l'injustice de ce cas, a décidé de le tirer d'affaire et est en train d'y parvenir. Ce monsieur espère même faire bénéficier bientôt Amoros du remboursement du trop-perçu depuis quinze ans par l'administration fiscale.

Amoros me fait remarquer que l'équipe de Zidane a gagné la Coupe du monde, pas celle de Platini dont il faisait partie. La postérité ne retient que les vainqueurs. La plupart des Bleus de Michel Hidalgo n'ont pas été invités au match d'inauguration du Stade de France en janvier 1998. Certains durent même payer leur place... dans les virages ou derrière les buts.

Dans un aéroport, il y a quelques années, Amoros se souvient d'avoir rencontré le président de la Fédération française de l'époque.

— Il m'a à peine reconnu! Quand je suis allé vers lui pour lui serrer la main, j'ai eu l'impression de le déranger.

Manu continue à jouer un peu au foot mais ne peut plus pratiquer le tennis, sa deuxième passion, après une opération de la hanche. Nous nous reverrons, il habite Châteaurenard où je passe régulièrement à vélo. Je me suis promis de l'inviter un jour sur le plateau de «Vivement dimanche» pour le remettre dans la lumière. Pourquoi pas un dimanche après-midi avec toute l'équipe de Platini?

Il a un dernier mot.

— Tu sais, Michel, le fisc a étranglé des gens plus malheureux que moi, et qui n'ont pas gagné les fortunes que j'ai gagnées.

Aujourd'hui il aimerait conseiller les jeunes, les clubs, et que le football reste au centre de sa vie. Mais tout a changé. Il ne se sent pas beaucoup de points communs avec la nouvelle génération, stars milliardaires du ballon rond qui descendent du bus, casque sur la tête, sans un regard pour les gosses qui les attendent depuis des heures en rêvant d'un autographe. Eux aussi seront oubliés.

341

Mais leur compte en banque les consolera de la brièveté de leur notoriété.

Je quitte ce dîner admiratif, ému et heureux de l'avoir retrouvé.

Il y a une trentaine d'années, m'arrêtant pour prendre de l'essence par une nuit glaciale du côté de Montluçon, une autre scène s'est gravée à jamais dans ma mémoire. Un pompiste en bleu de travail, silhouette un peu lourde, encore ensommeillé, s'est avancé vers moi. Je l'ai tout de suite reconnu.

— Bonsoir, cher Roger. Quand vous m'aurez fait le plein, j'aimerais un autographe.

J'ai vu alors le regard de cet homme d'une cinquantaine d'années transformé par une vague de joie. Oui, il avait gagné le Tour de France en 1956, oui, c'était Roger Walkowiak.

Il était stupéfait d'être reconnu en pleine nuit par un fan qui avait quatorze ans l'année de sa victoire, vingt-cinq ans plus tôt. Pendant qu'il restait à me sourire, l'essence débordait du réservoir. Il a raccroché la pompe, j'ai senti qu'il aurait bien voulu ne pas me faire payer mais c'était impossible, le compteur avait débité mon plein. Nous sommes allés dans son petit bureau pour nous réchauffer. Une affiche de lui cintré dans son maillot jaune rappelait son jour de gloire. Au moment de payer, il a sorti d'un tiroir une vieille photo jaunie qu'il distribuait à ses fans et dont il avait gardé une petite pile ; il me l'a signée, je l'ai toujours.

Soixante ans plus tard, Chris Froome, le récent vainqueur du Tour, ou Alberto Contador pourraient être actionnaires de la compagnie pétrolière qui jadis comptait parmi ses pompistes de nuit un ancien vainqueur du Tour de France.

Dans ma vie professionnelle, de Léon Zitrone à Patrick Poivre d'Arvor, de Guy Lux à Patrick Sabatier, d'Évelyne Thomas à Anne-Marie Peysson, de Roger Gicquel à Philippe Risoli, j'en ai vu des dizaines emportées par le dévissage comme des alpinistes sur la paroi d'un pic.

Mais l'histoire la plus ahurissante m'a été rappelée tout récemment par mon ami et voisin provençal Jean-Pierre Foucault. À l'époque de TF1 triomphant, il présente avec bonheur « Sacrée soirée », produit par Gérard Louvin. L'émission fait un carton chaque semaine, mais le jeunisme pointe. La directrice des études de la chaîne – on ne dira jamais assez le danger que sont certains directeurs d'études, ils ne connaissent rien au public – décide de commander une enquête d'image sur le « cas Foucault » dont le style commencerait à dater. Illico, elle réunit un panel d'une vingtaine de téléspectateurs, qui dans cet exercice se croient investis d'une mission aussi solennelle que juré aux assises. Chacun y va de sa sentence sur Jean-Pierre. Les uns trouvent son blazer «démodé», son légendaire ventilateur «ridicule», les autres la couleur de son canapé «moche» et, coup de grâce, une dame assène : «Il doit avoir les mains moites et un homme qui a les mains moites ne peut pas inspirer confiance.» Branle-bas de combat à l'état-major de TF1. On songe déjà à le remplacer par Bruno Solo et Yvan Le Bolloc'h, bien plus dans le vent. Je me souviendrai toujours de la réaction de Jean-Pierre, que je croise à la sortie d'une salle de projection. Étienne Mougeotte, patron de TF1, venait de lui transmettre ce verdict surréaliste. Mon collègue était à la fois halluciné et anéanti. Finalement, «Les Années twist» et «Les Années tubes» succédèrent à «Sacrée Soirée» avec toujours à la barre l'excellent Jean-Pierre. Puis ce fut «Qui veut gagner des millions?», au succès phénoménal. Ce qui fait dire aujourd'hui à Jean-Pierre, philosophe : «Soudain, plus personne n'a trouvé que j'avais les mains moites.»

Foucault et moi avons aussi affronté la même bête noire, Marie-France Brière. Cette grande prêtresse du divertissement l'avait trouvé trop «ringard» pour l'engager sur la Cinq de Berlusconi! Quand on connaît la suite, ce fut une aubaine pour Jean-Pierre, qui alla faire les beaux jours de TF1. Après l'effondrement de la Cinq, la même a déboulé sur France 2 où, dans l'ombre de Philippe Guilhaume, elle s'en est pris aux «vieux animateurs», race maudite dont j'étais. Après avoir voulu me relooker, elle a convaincu le patron de m'écarter. Chassé du service public, je suis allé rejoindre Jean-Pierre sur la Une, avant de revenir chez moi, sur la Deux, pour «Studio Gabriel» et plus tard la case du dimanche, jour où on vieillit moins que durant la semaine. J'y suis toujours. Quant à Mme Brière, l'oracle médiatique, je l'ai perdue de vue. À vrai dire, tout le métier l'a perdue de vue.

La saison télévisuelle 2012-2013 s'achève avec son lot de textos et de coups de fil embarrassés. Comment Philippe Lefait vit-il la fin de ses «Mots de minuit» et Nagui celle de son «Taratata» sur France 2? Benjamin Castaldi se dit heureux de se lancer dans la production aux States, mais que peut-il prétendre d'autre à l'heure où TF1 annonce ne pas renouveler son contrat? Avant de rebondir sur TMC, Julien Courbet a bien dû penser tout plaquer, écarté du service public malgré sa popularité. Et Paul Amar, dont le magazine n'est pas reconduit sur France 5? Pour répondre à l'injonction d'économie du gouvernement, les dirigeants du service public coupent les émissions culturelles jugées trop onéreuses pour trop peu d'audience.

Comment tirer sa révérence? Sans élever la voix ni crier sa rage, la révolte risquant de vous perdre définitivement. Sous l'amour-propre, la déception, la rancœur, l'angoisse de ne plus reve-

345

nir, il faut bien vivre, aussi. Les questions économiques redoublent l'inquiétude.

Et l'agent artistique qui au téléphone encourage son comédien à accepter un rôle plus humble, un cachet plus modeste. L'agent qui ment, sciemment, en vantant un projet et un réalisateur en sachant qu'il s'agit d'un gagne-pain dont la seule valeur sera d'engranger un peu d'argent dans un bilan dangereusement négatif.

Pendant des années, en télévision, vous appreniez par la presse que votre émission s'arrêtait. Dans le cinéma, pareil. Parfois, rien ne vous laisse présager le couperet. Pour ce premier rôle, c'est vous, c'est décidé, c'est sûr. Dans la dernière ligne droite, un doute, une rumeur, un autre nom apparaît dans la course et au dernier moment, non, désolé, ce n'est plus vous. Le film se tournera avec un autre. Sans arrêt votre avenir tient à un fil, un cheveu.

En politique, idem. Pour la constitution du gouvernement, jusqu'à deux heures du matin vous en êtes, enfin vous serez ministre. Vous allez vous coucher. Le lendemain vous vous relevez et ce n'est plus vous. Parfois le téléphone n'a même pas sonné, l'heure de la proclamation arrive, en écoutant les noms défiler un à un sur le perron de l'Élysée, vous entendez la liste se clore sans avoir été nommé.

On n'a pas voulu de vous. On vous a préféré quelqu'un d'autre. De mieux, de plus fort. Plus compétent. Plus pistonné. Plus beau. Plus jeune.

Ou plus expérimenté. Plus crédible. Il y a tant de raisons de se voir préférer un autre que soi.

Même douche froide pour les musiciens qui accompagnent un chanteur depuis dix ou quinze ans. Guitariste ou batteur, ceux que l'on appelle dans le jargon un «son». Soudain, consigne de changement. Les rythmes évoluent, la vedette doit rester dans le coup, innover, et puis faut changer pour changer. Alors, un soir, là encore, ce n'est plus vous. Malgré la fraternité des tournées, la route, la grande famille des musicos... vous n'en êtes plus. Ce n'est bien sûr pas votre amie la vedette qui vous annonce cette tuile. C'est le tourneur, le manager ou l'homme des basses besognes qui vient vous assener la triste nouvelle. De toute façon, quelle que soit la manière dont on vous le dit, c'est toujours la tasse.

Philippe Guilhaume, patron de France 2, lui, avait eu la décence de venir en face m'annoncer ma fin à domicile. J'avais quarante-huit ans et je vous jure que je ne les faisais déjà pas, mais pour lui j'étais un homme du passé. J'aurais pu apprécier son attention... je l'ai trouvée aussi cruelle que l'annonce par voie de presse.

Mais je n'ai pas dit le pire.

Le plus incroyable dans ces mises à mort, même si vous avouez votre révolte à quelques proches ou la clamez parfois sur les toits, c'est que dans votre for intérieur, là où ça fait mal longtemps, vous vous dites et si c'était vrai? Effectivement, peut-être que vous ne valez plus un clou. Cette fin, vous la pressentiez et elle est là. Vous aussi, au fond, vous pensez que vous êtes dépassé, usé, plus bon à rien.

Vous commencez à vous battre contre vous-même.

Le lendemain de cette affreuse visite, je me souviens d'avoir pris le Concorde avec Gérard Depardieu pour aller sur un tournage à New York. Il y a des jours dans la vie où tomber sur Gégé, ça fait sacrément du bien.

— Qu'est ce que t'as mon Mimi ?

— Rien.

— Mais si, t'es tout blanc.

— Je viens de me faire virer de France 2.

— Quoi ! Mais qui t'a dit ça ?

— Mon patron.

— Et tu lui as pas filé un coup de boule à cet enculé ?

— Gérard, je t'assure, je ne crois pas que ce soit la bonne méthode.

— Y a pas de méthode avec les cons ! Faut leur rentrer dedans. Tiens, bois un coup, sur le Concorde, c'est du bon, c'est du margaux.

Pendant tout le vol, et je gamberge, et je gamberge. Là, j'avais des raisons très valables. Je ne peux pas avaler ma salade.

— Tu manges même pas ta laitue, Mimi ? Ouh là ! Ce connard va pas te couper l'appétit quand même !... Laisse faire le Gégé.

348

Depardieu tournait un film produit par TF1. À peine arrivé à JFK Airport, il a appelé Francis Bouygues.

Une semaine plus tard j'étais avec Francis Bouygues, en train de manger un homard dans la cuisine de son hôtel particulier avenue Gabriel. Quand on signait un contrat avec Bouygues, il faisait toujours un homard pour le déguster en tête à tête avec vous dans sa cuisine. C'était son coup de rouge à lui.

La cuisinière est entrée.

— Suzanne ! Michel Drucker vient de signer chez nous, vous êtes la première à le savoir. Surtout ne le répétez à personne.

Suzanne était ravie, elle a voulu faire une photo et nous avons fait une photo, ensemble, au-dessus du homard. J'ai quitté «mon» service public en mangeant du homard. Je ne me souviens pas de m'en être vanté auprès de ma mère, elle aurait trouvé cela mauvais genre, très vulgaire.

L'annonce s'est faite en direct au 20 heures. Juste avant le maquillage, j'ai passé un coup de fil à mon ex-patron Philippe Guilhaume pour lui dire de surtout regarder le JT de TF1. Et il m'a vu sur TF1 lui dire au revoir à lui et France 2.

Je ne me suis toujours pas relooké.

Faudra que j'y pense – un jour.

Ma plus belle histoire d'amour

[...]
Elle fut longue la route,
Mais je l'ai faite, la route,
Celle-là, qui menait jusqu'à vous,
Et je ne suis pas parjure,
Si ce soir, je vous jure,
Que, pour vous, je l'eus faite à genoux,
Il en eut fallu bien d'autres,
Que quelques mauvais apôtres,
Que l'hiver ou la neige à mon cou,
Pour que je perde patience,
Et j'ai calmé ma violence,
Ma plus belle histoire d'amour, c'est vous
[...]

Barbara

Non. Moi non plus je ne veux pas qu'on m'oublie. Je ne veux pas être dans un livre, d'ici dix, quinze ans où on écrira Michel Drucker, qui s'en souvient? De mon vivant et le plus longtemps possible ensuite, je refuse l'oubli. Tant que je continuerai à travailler et qu'on pensera à moi, j'existerai. Péché d'orgueil? Oui, me dira-t-on. Probablement. Je ne suis pas un grand artiste, bien sûr que non, je suis un passeur qui souhaite laisser une trace.

« Qu'est-ce qu'on va faire de toi », me disait mon père. Eh bien, j'en suis bientôt à cinquante ans de carrière, papa. Pas si mal, hein? Et c'est encore toi qui m'avais dit quand on exerce un métier qui vous passionne, c'est irresponsable de ne pas le faire toute sa vie. Trop de gens n'ont pas pu choisir le leur et s'emmerdent en attendant que sonne la retraite.

Du coup toutes les formes de durée sont devenues obsessionnelles chez moi. Chaque jour je continue à mettre une pierre sur ma pyramide qui ne s'achèvera qu'à ma mort. Je sais, beaucoup trouveront cette vanité dérisoire, comme Pierre Bénichou par exemple. En décembre dernier, j'ai entendu cet ancien compagnon d'antenne et brillant chroniqueur de « Vivement dimanche » parler sur Europe 1 à Laurent Ruquier de l'excessive soirée que me consacrait France 2, une fiction suivie d'un documentaire. Pierre est monté dans les tours : « Quoi !? On aura tout vu, un film d'après l'œuvre de Michel Drucker ! Mais quelle œuvre ? Qu'est-ce qu'il laisse, Drucker ? On ne laisse rien à la télévision, bien sûr que non ! Rien ! »

De l'autre côté du poste, un peu blessé, j'ai eu envie de dire et toi, Pierre, qu'est-ce que tu vas laisser ? Des calambours imbibés, quelques traits d'esprit d'une voix éraillée de noctambule qui aura passé ses nuits à faire le con alors qu'il aurait pu être écrivain...

Il y a autre chose, enfin, qui me dépasse. J'ai participé à la construction d'une tour Eiffel de la télévision et aujourd'hui je crains qu'il n'y ait plus de Gustave Eiffel de la télévision. Maintenant j'ai l'impression qu'on ne construit plus que de petites tours sur du sable. Les hommes n'incarnent plus les programmes, machinisés, les animateurs servent des concepts, des cibles, des tranches d'âge, des parts de marché, des audiences... J'ai peur que ma télévision soit en train de disparaître – tout disparaît, vous me direz.

Au moment où Internet libérait la parole partout, la télévision s'est formatée de plus en plus. Comme s'exclame la marionnette de PPD aux Guignols sur Canal, « Bonsoir, vous regardez l'ancêtre d'internet ! » J'ai l'impression que les carrières comme les nôtres sont révolues. Je me trompe peut-être. L'universalité, la polyvalence, la pérennité, le long compagnonnage à travers les générations, je crains que toutes ces notions soient en train de s'écrouler. Que l'amour véritable entre un animateur et son public ne puisse plus avoir lieu. Seuls Patrick Sébastien et Laurent Ruquier en sont les derniers exemples. À mon petit niveau, j'ai pu m'inscrire parmi les pionniers passionnés. Je laisse de petites choses. Une certaine télévision. Une émission avec Simone de Beauvoir, une avec Cassius Clay, une des rares apparitions télévisées d'Hergé, le dernier tête-à-tête avec Jacques Chirac ou Brigitte Bardot. Des milliers d'heures de divertissement qui ont rempli leurs bons offices. Quelques dérapages. Quelques fous rires. Toute cette télévision avait un sens des valeurs qui me dépassait, c'était l'héritage que m'avait résumé Pierre Desgraupes avant d'être licencié par le pouvoir : «être populaire et digne». Mon père, lui, amoureux fou de la France, n'a cessé de me seriner un autre sésame : «Quoi que tu fasses, Michel, autant que tu peux, tire vers le haut!»

Construire sur le savoir et pas sur le néant est la mission du service public, à l'opposé de la télé-réalité de l'enfermement et du vide qui a tant contrarié mon frère Jean, créateur de la chaîne où ces programmes sont nés en France.

Je cherche à faire des émissions haut de gamme en restant proche du public. Plaire au plus grand nombre et aux plus exigeants, cette pierre philosophale dont on ne retient aujourd'hui que la première partie de la promesse.

Quand je suis allé à «On n'est pas couché» un samedi soir pour présenter une anthologie de la télévision cosignée avec Gilles Verlant[1], j'ai été surpris par l'accueil de Laurent Ruquier, qui n'est pas complaisant : «Maintenant on va accueillir le patron, la mémoire vivante de notre métier.» En coulisses, les cinq mille heures de programmes que j'ai engrangés au compteur me sont revenues. Au fond de moi j'ai senti un clic : ma boucle s'est bouclée.

Voilà, c'est fait. Je suis là, un des derniers rescapés en activité du premier siècle de la télévision, et j'ai de moins en moins peur.

J'ai passé ma vie à être complexé par toutes sortes de personnes, celles qui étaient bien nées, qui avaient réussi leurs études, les chics, les prestigieux. Moi, le gendre idéal, bien lisse et propre sur lui, j'ai même envié les branchés, les brillants impertinents, les favoris du *Monde,* de *Télérama* et du *Nouvel Obs* dont ma mère a été toute sa vie la fidèle abonnée.

Aujourd'hui, je connais mes envies et j'ai autant envie de recevoir Michel Galabru que Juliette Binoche. En deuxième partie d'après-midi, à «Vivement dimanche prochain», nous pouvons aborder tous les sujets. Diane Ducret vient parler

---

1. *Les 500 émissions mythiques de la télévision française,* Flammarion.

de la sexualité des dictateurs[1]. Leïla Bekhti et Géraldine Nakache de leur rêve américain à New York[2], Erik Orsenna des discours qu'il écrivait pour Mitterrand, le jeune humoriste Olivier de Benoist se moque des féministes devant Jane Fonda. Souvent, à dix-neuf heures, on fait du culturel devant quatre millions de personnes. Nous parlons de tout, allons partout. Sans complexes.

J'ai gagné ma liberté sur France 2. Mais désormais comment imprimer votre patte quand vous n'êtes qu'un présentateur interchangeable, jetable au premier trou d'air, dépendant des diffuseurs et de producteurs pressés, pleins de préjugés?

Nous en sommes à la treizième année. Quand tout le monde perd de l'audience pour cause de concurrence, nous gagnons un point de plus de parts de marché que voilà deux ans. Si le public nous avait lâchés, comme n'importe qui j'aurais subi les pressions habituelles. Des analystes seraient venus m'entretenir de rajeunissement, de rythme plus syncopé, de séquences plus courtes, davantage d'images et moins de culture, etc. Ce conformisme ambiant aurait creusé notre échec et comme tant d'autres j'aurais été poussé vers la sortie.

---

1. *Femmes de dictateur*, Perrin.
2. *Nous York*, film écrit et réalisé par Géraldine Nakache et Hervé Mimran.

Lorsque Jane Fonda est venue chez nous, elle a dit : « Je vis la période la plus heureuse de ma vie. J'ai soixante-quatorze ans, je suis amoureuse d'un homme, je me sens encore jeune, j'ai une sexualité, des désirs, des amis, et je sais. »

Elle vit pleinement ce qu'elle appelle le troisième acte.

Je veux être comme Jane Fonda.

Je ne suis expert en rien mais je peux inviter tous ceux qui le sont – ma spécialité est de ne pas en avoir, comme me disait Zitrone. Je suis journaliste. Et je bosse, comme un gars de la vieille école. Comme Ruquier, que j'ai vu lors de mon dernier passage à « On n'est pas couché » manipuler le pavé de trois cents pages entièrement annoté par lui de Charlotte Valandrey, son invitée[1]. Hors antenne, il était crevé. Mais plus on travaille, plus on peut aller vers les gens. Plus on travaille, plus on est juste.

Aujourd'hui, je dois parfois lutter pour ne pas oublier mes parents. Je sens quelque chose en train de s'effacer. Je ne voudrais pas en gommant mes souvenirs gommer l'essentiel. Je ne voudrais garder que les bons côtés de mes racines, la part de soleil de mon enfance, même si la souffrance fait partie de la transmission. Mais c'est révolu. Le

---

1. *N'oublie pas de m'aimer, n'oublie pas de t'aimer*, Le Cherche-Midi.

«troisième acte» se dessine, que je ne distingue pas encore très bien.

Je suis allé au cimetière, hier, sur la tombe de Jean, je m'aperçois que j'y vais peut-être un peu moins, comme si j'en avais terminé avec les douleurs du passé. Jean, Abraham et Lola me comprendront puisqu'on s'aime. La dernière ligne droite je veux qu'elle soit festive et je veux la vivre pour moi, qu'elle soit ma dernière ligne droite. Il est temps. Je veux devenir égoïste. J'en ai marre de rendre des comptes depuis cinquante ans.

En finir avec la douleur. Le juif errant malheureux, qui s'excuse d'être là, toléré, survivant d'Europe centrale et du XXᵉ siècle qui traîne avec lui son mal-être, son masochisme. J'en ai marre de ne pas être mieux doué pour le bonheur. J'ai envie d'être heureux et le bonheur vient de la liberté. Pendant tant d'années j'ai beaucoup pensé au qu'en-dira-t-on, à l'image... Léo Ferré m'avait dit : «Tu mettras quarante ans pour être toi-même et qu'on sache qui tu es.»

Je ne peux pas être tout à fait sûr de quoi demain sera fait mais je m'en doute et j'ai envie d'en décider de façon plus personnelle. Ce dont je suis certain, c'est d'être au bord de la page la plus blanche de ma vie, la dernière. J'ai évolué aussi en écrivant mes livres avec mon ami Jean-François Kervéan et mon éditrice Françoise Delivet. Je sais qui est qui, je connais les imposteurs, j'ai vu tomber les masques. Je resterai hypocondriaque – il y a des choses sur lesquelles on ne se refait pas. Mais je voudrais être dans mon métier celui que je suis dans la vie aussi.

Je voudrais être détendu. Enfin.

Avec Françoise Coquet, nous avons des envies.

Je sais ceux que j'ai envie de voir et ceux dont je pourrais me passer. La vie a fait le tri. Maintenant je me sens moins obligé. On a réussi sa vie quand on correspond au fond à son image, quand on vit bien dedans parce qu'il n'y a plus de différence entre soi et l'apparence – on est synchro. J'espère pouvoir offrir ce que j'attends de moi-même en ne décevant personne.

J'aime de plus en plus les gens et de moins en moins les gens célèbres. Normal, je viens de passer avec eux la moitié d'un siècle – un bail. Depuis quelques années, mes vedettes sont ceux que je rencontre par hasard et grâce auxquels je suis resté à l'antenne. La reconnaissance que m'offrent ces personnes anonymes est ma grande découverte. Je savais qu'elles avaient de l'affection pour moi mais au fond je n'y prêtais pas vraiment attention. Leur amitié était cachée par le cercle doré de ceux qui ont tous quelque chose à vendre. Le lien vital s'est tissé avec ceux et celles qui derrière les barrières vous attendent pour vous serrer la main ou prendre une photo.

Aujourd'hui je vois bien qu'ils sont là comme ils l'ont toujours été.

Et tant qu'ils seront là, moi aussi.

Les copains d'abord

[...]
C'étaient pas des anges non plus
L'Évangile, ils l'avaient pas lu
Mais ils s'aimaient tout's voil's dehors
Tout's voil's dehors
Jean, Pierre, Paul et compagnie
C'était leur seule litanie
Leur Credo, leur Confiteor
Aux copains d'abord.
[...]

Georges Brassens

Je sais par ses proches que Roger Hanin, qui a désormais des difficultés pour se déplacer, passe le plus clair de ses après-midi chez lui à visionner des épisodes de «Navarro», série culte dont il était le roi. Hanin se regarde avoir été. Dans quinze ans, en Provence, perclus par un lumbago qui m'empêchera d'aller rouler à vélo, est-ce que je regarderai en boucle «Vivement dimanche» et «Champs-Élysées» dans une chambre aux volets clos?

Les acteurs qui ne jouent plus, les chanteurs qui ne chantent plus, les animateurs qui n'animent plus, les présidents qui ne président plus n'ont-ils d'autre recours que de se contempler au temps de leur splendeur, comme Gloria Swanson sur *Sunset Boulevard* ou Maria Callas derrière les rideaux tirés de son appartement de l'avenue Georges-Mandel? Ou Marlène Dietrich que son ami Louis Bozon m'avait proposé d'aller rencontrer chez elle, avenue Montaigne, à la fin des années quatre-vingt.

— Mais tu ne la verras pas, Marlène te recevra cachée derrière un rideau.

J'avais décliné, un peu effrayé, préférant la mémoire de l'Ange bleu à celle d'un rideau.

Je sais que Jean-Paul Belmondo ne se regarde pas au temps de sa jeunesse, il ne le faisait déjà pas à ses débuts. Par contre Delon, si, il se revoit. D'ailleurs, il n'a pas le choix. Depuis que la maison Dior a fait de lui, éblouissant à l'époque de *La Piscine*, l'emblème de sa campagne pour une eau de toilette masculine, on voit sur tous les abribus parisiens le jeune homme qu'il fut.

Je sais aussi que les rares actrices qui ont refusé leur «Vivement dimanche» l'ont fait souvent pour ne pas subir l'épreuve de la rétrospective. Si Isabelle Adjani, sans m'avoir dit non, n'est jamais venue, c'est sans doute pour cette raison. Venir pour une actualité, oui, pas trois heures durant pour voir défiler sa carrière et sa jeunesse évanouie. Catherine Deneuve ne souhaite pas se revoir dans Truffaut, Buñuel, Demy... ni évoquer la mort tragique de sa sœur Françoise Dorléac. Beaucoup d'actrices ont cette résistance. En réunion préparatoire, certaines nous demandent même de ne pas diffuser les images des films où elles ont trente, quarante ans de moins. Elles ne veulent pas laisser le public opérer une comparaison qu'elles connaissent trop bien. Les mêmes contrôlent leur image avec un soin maniaque, se déplaçant au bouclage d'un magazine pour rester penchées sur l'épaule du directeur artistique chargé des retouches photos.

Quand les gens me disent : «Vous ne changez pas», je sais bien que c'est faux. Tout le monde change, si je me laissais aller à l'oublier, l'Ina et ses archives me le rappelleraient. Simplement, quand vous vieillissez avec les gens au jour le jour, ils ne s'en aperçoivent pas. Vieillir se dilue dans l'habitude.

Je suis donc allé en Auvergne à la fête du sandwich pour ma dernière émission de l'année sur Europe 1. L'avion s'est posé vers vingt-deux heures à Aurillac, une troupe folklorique du Cantal est venue nous accueillir avec une bourrée avant que nous prenions la route de Salers, capitale mondiale de la vache rouge de Salers.

Avec tout le vin et la viande saignante que j'ai ingurgités, je pense avoir réduit à néant des années de pratique diététique. J'ai été reçu comme on ne l'est plus qu'en province, et je me suis dit qu'au fond je pourrais très bien venir ici me refaire une dernière vie. Les gens du coin m'ont même proposé une bicoque à louer, dans les monts du Cantal. Je m'y reconvertirais en ouvrant une maison du casse-croûte avec mon ami Laurent Cabrol, une belle personne, qui connaît la France, la nature, la météo et les animaux par cœur... À ceci près que proposer de la côte de bœuf sanglante serait probablement un cas de divorce avec ma femme. Dany ne fréquente plus que des végétariens. Elle rêve de rencontrer Aymeric Caron, chroniqueur chez Laurent Ruquier, qui se pose des questions de conscience avant d'avaler ne serait-ce qu'un œuf. Ma femme l'adore presque autant que ma mère aimait Jacques Chancel – c'est dire. On n'est jamais le roi chez soi. Je finirai peut-être seul, à Salers, alcoolique sur le tard et ravagé par le cholestérol. Et ce serait une belle fin, parmi des gens qui, ici, prennent la vie comme elle vient.

Venus en avion, en voiture, en bus, en cerfs-volants, soudain autour du micro j'ai vu surgir mes chroniqueurs de l'année, au grand complet et rigolards, prêts à lever le coude avec toute l'Auvergne. Ce qu'ils ont d'ailleurs fait. Je veux les citer tous : Jérôme Commandeur, Mathieu Madénian, Willy Rovelli, Charlotte Gabris, Camille Chamoux, Matthieu Noël, mais aussi la directrice financière de la station, Anne Fauconnier, et le fidèle Olivier Desch. Ma copine Julie était restée à Paris pour assurer les pubs, mais je sais qu'elle était émue aux larmes quand elle a entendu les chroniqueurs entonner une adaptation écrite pour la circonstance de «La montagne» de Jean Ferrat. Moi qui m'inquiétais de finir au cul des vaches et du car Europe 1, sous les piles de casse-croûte, j'ai bouclé la meilleure émission de la saison. Une échappée radiophonique. Quand, pour la dernière fois, au milieu des flonflons, des meuhhh, du cantal, des copains, des gens, des jeunes, des enfants j'ai rendu l'antenne, euphorique, je n'ai même pas eu le temps d'être ému. J'ai souri en pensant à Rochefort et à Jugnot dans le film génial de Patrice Leconte, *Tandem*, où un animateur vieille école achève sa carrière au bout du bout d'un ciel de province avec son assistant. J'ai dédicacé ma photo, empilé dans mon sac toutes les bouteilles d'alcool local et les tommes de cantal offertes en me disant : C'était bien, c'était vachement bien. Et j'ai repris un dernier coup, «pour la route». À Paris, j'avais un dîner d'anniversaire.

Guy Bedos est né le même jour que Johnny, un 15 juin. Cette année, il a tenu à le fêter dans l'intimité avec les vieux amis qu'il avait retrouvés

365

autour de Jean-Paul Belmondo à «Vivement dimanche». Rendez-vous est pris rue des Gravilliers, dans un restaurant du Marais baptisé «Derrière». Ce qui fait dire illico à Belmondo, au téléphone.

— Tu... tu viens la semaine prochaine? On va au c... cul!

Je ne connaissais pas ce restaurant branché choisi par Guy et son épouse Joe. Quand j'arrive, tous les deux sont déjà installés dans la cour intérieure. Évidemment, pour un cadeau d'anniversaire, mieux vaut éviter l'impair, surtout avec un ami qui prend de l'âge. Avec les hommes j'ai recours au pull cachemire, un classique sans risque, quoique j'aie souvent un doute sur la taille. Pour Guy, je me suis dit : Medium ou large? Bedos n'est pas grand mais avec l'âge on épaissit. Je me suis renseigné auprès de Véronique, sa secrétaire – medium, m'a-t-elle dit – avant de lui offrir un pull lavande, couleur de la Provence.

— Comment tu me trouves? me fait Guy.

— Mince, en forme.

Trois mots qui mettent n'importe qui en joie. Guy se lève pour accueillir Jean-Pierre Marielle.

— Alors voilà!... Ce soir je fête mes soixante-dix-neuf ans, j'entre dans ma quatre-vingtième année, et je voulais vous annoncer que je ferai ma dernière sur scène le 23 décembre prochain. Je vais continuer le cinéma et les bouquins mais le stand-up, c'est terminé.

Illico, je lui propose un «Vivement dimanche» pour ces adieux.

Joyeux, arrive Jean-Paul sur sa canne, sourire éclatant, costume d'été gris clair, écharpe mauve – le Magnifique.

— C'est bien ici, le c... cul!?

Les clients se retournent, et lui qui n'a plus aucun complexe quant à son handicap salue toute la terrasse avec un sourire éclatant. Le ciel devenant nuageux, on nous ouvre au-dessus de la table de grands parasols. Décor, cuisine, clients, service, ici tout est branché et Bébel ravi de cette expédition loin du VIIIᵉ et de Saint-Germain-des-Prés, ses quartiers.

— C'est to... top le c... cul!

La voix sépulcrale de Marielle retentit :

— Mais toi t'as toujours été au cul, Jean-Paul! Ça a commencé comme ça et ça n'a plus cessé pendant deux heures.

Jean-Pierre Marielle, de temps en temps, a des absences, et vous êtes incapable de discerner les moments où il en joue de ceux où il est franchement à l'ouest. C'est à la fois fascinant et hilarant. Sa voix résonne dans la cour.

— Alors Guy, t'as 79? Quel coup de vieux t'a pris!

Marielle, 81 ans. Jean-Paul 80. Guy 79... et moi avec mes petits 70 je goûte la joie rare d'être le benjamin du quatuor. En les scrutant, je vois des regards de gamins, leurs yeux frisent en lançant le festival des souvenirs, cocasses, scabreux. Soixante années de carrière et d'amitié se mettent à fuser.

— Entre nous, je suis sûr que vous ne m'avez pas tout dit à « Vivement dimanche ».

Marielle opine, l'air d'un pape.

— Pas tout à fait. Par exemple je peux te dire que c'est rue Blanche que j'ai baisé pour la première fois une Noire, hein, Jean-Paul !

— Ouais... ouais...

C'est parti. Et ils n'ont même pas encore picolé. Par petits gestes insistants, Guy fait signe à ses potes de la mettre en sourdine devant sa jeune femme et sa fille Victoria qui vient de nous rejoindre. Peine perdue. Jean-Paul rayonne.

— C'é... c'était va... vachement bien mon anniversaire à « Vivement di... dimanche ».

La lenteur de son débit lui donne du charme. Chacun guette les mots sur ses lèvres et ses chutes de phrases. Marielle ne parle pas vite non plus, mais d'une voix de stentor.

— On était des têtes de nœud et on est restés des têtes de nœud.

— Ça... ça continue...

Une jeune femme frôle la table, canon. Jean-Pierre sursaute avant de me chuchoter :

— Dis donc, le jeune, qui c'est celle-là ?

— ...Je ne sais pas, je crois que c'est la restauratrice.

— Elle a ce qu'il faut où il faut. Je pourrais lui dire en lui ôtant sa petite culotte, comme dans *Les Galettes de Pont-Aven* : «Quel cul!» Mais je ne vais pas oser... hélas.

— C'est ça, n'ose pas, lui dit Guy. T'es plus à Pont-Aven.

La soirée commence à être mémorable. Ils parlent fort, les gens se retournent. Certains s'approchent pour demander un autographe. Une fille fort jolie qui fête ses vingt ans à l'autre coin de la cour vient demander, timide :

— Excusez-moi, je peux vous prendre en photo? Moi aussi c'est mon anniversaire.

Marielle dresse un sourcil.

— Bien sûr, mademoiselle, si vous voulez, mais alors moi seul car je ne fais pas de photos avec ces cons.

J'aimerais avoir dix ans de plus pour avoir connu avec eux leurs années de Conservatoire. Le dîner passe comme un rêve, mais vers onze heures, ma règle de couche-tôt me reprend. En tapotant ma montre, je me penche vers Marielle.

— Jean-Pierre, je vais rentrer...

— Mais où tu vas, Michel?

— Ben, je vais me coucher.

— Avec qui?

Marielle me regarde avec son drôle d'air, perplexe... Plaisante-t-il?

— Tu fais quoi dans la vie, toi, maintenant?

— Enfin, Jean-Pierre... Je fais toujours de la télé, tu sais bien, je t'ai reçu il y a un mois pour l'anniversaire de Jean-Paul.

— ... Rochefort était là ?

— Oui. Rochefort était là.

— Oh, le pauvre. Parce que lui aussi il a pris un sacré coup, hein. De nous tous, je veux dire, c'est quand même lui qui fait le plus vieux. On dirait un arbre.

Tout le monde se marre.

— Bon ben le jeune va se coucher, il n'est qu'onze heures et demie. Mais qu'est-ce que tu fais la nuit, Michel ?

— Je dors.

— Moi je ne dors plus depuis des années.

— Pourquoi ?

— Parce que je me fais chier en dormant. Oui, je me fais chier. Puisqu'on passe une bonne partie de sa vie à dormir, je ne vais quand même pas me faire chier tout ce temps-là, alors je ne dors plus...

Marielle se penche encore à mon oreille.

— Dis... ils te fatiguent pas, les deux autres vieux, là ?

Non, vraiment non. Nous ne faisons que rire, comme des lycéens. Guy est heureux entre ses deux potes. C'est avec Jean-Paul qu'il est parti en tournée pour la première fois de sa vie, une tournée abracadabrantesque, sans aucun succès. Mais le trio n'a rien de trois anciens combattants, ils sont plus jeunes que la plupart des gars que j'ai vus toute la journée.

— Michel?

— Oui, Jean-Pierre...

— Dans l'émission, l'autre jour, t'as demandé celui qui avait dépensé le plus en pension alimentaire... Finalement je crois que c'est encore Rochefort.

Belmondo éclate.

— Aaaahhhh non! Parce que moooi... les gon... gonzesses, elles m'ont coûté ch... cher!

Je lui demande s'il se souvient du moment où je l'ai interrogé à ce sujet, devant les caméras, en 2008, pour la sortie du film *Un homme et son chien*.

— Aaaahhhh voui... Tu m'as bien aidé, je par... parlais beau... beaucoup moins bien que maintenant.

Guy nous interrompt.

— Comment vous avez fait pour l'interview?...

— Jean-Paul et moi nous sommes vus deux fois, pour la préparer en amont. J'ai suivi un abécédaire, qui suscitait des réponses faciles, de quelques syllabes. Je disais A comme... et Jean-Paul répliquait... amitié! P comme... parents, son père et sa mère. S comme Stella, sa fille, son étoile. Etc. Chaque fois, il répliquait d'un mot.

— Pfffff... un boulot de cacatoès, soupire Marielle.

— Ouais! Mi... Michel a fait ça! Je répétais tout ce qu'y me disait. Y me disait F... et mo... moi

371

je répondais : « Oh les ffffemmes, j'en ai connu des belles ! »

— Et tu te rappelles ma dernière question, Jean-Paul ? À l'époque tu partageais ta vie avec une compagne flamboyante.

Jean-Paul sourit et se tait.

— Je te disais : « Tu vis aujourd'hui avec une très belle jeune femme... » J'esquissais des courbes féminines en forme de guitare. Tu devais faire mine d'apprécier en connaisseur, et répondre : « Ah... elle... elle a ce qu'il faut... »

— J'... j'ai bien répondu !

— Oui... Mais après il y a eu un léger blanc...

Jean-Paul s'étouffe de rire, je me retourne vers les deux autres.

— Et soudain Jean-Paul a demandé... « Mais comment qu'elle s'appelle déjà ? »

La table est aussi stupéfaite que toute l'équipe pendant l'enregistrement. Guy Bedos n'en revient pas.

— Michel, qu'est-ce que t'as fait ?

— Je lui ai soufflé... Barbara.

— ... C'est ça, Barbara ! crie Jean-Paul, hilare.

— Ce n'était pas en direct. On tournait dans le musée consacré à son père.

Marielle pousse un sifflement.

— Putain... Elle était là, la gonzesse ?

— Euh... heureusement non ! C'était Bar... ba... ra ! – Jean-Paul prend l'air débile – Ben quoi ! J'étais fa... fatigué.

— T'as pas laissé ça, Michel ?

— Non, j'ai coupé, Guy. Mais sur le coup ça a jeté un froid.

Et Bébel de conclure.

— ... Eh ben, vu ce qui s'est passé avec elle après, t'au... t'aurais dû laisser !

Il est presque minuit et je ne pars pas. Je ne peux pas les quitter. Nous ne faisons que rigoler entre des conneries et des silences.

— Jean-Paul, tu fais quoi cet été ?

— Je vais à Ca... Cannes, voilà.

Guy le montre du doigt :

— Tu fais attention, hein.

— Ouais ouais, je fais att... attention.

— T'es avec qui maintenant ?

— Je suis tout... tout seul et c'est b... bien agréable.

Marielle, brusquement, se réveille.

— Et toi, Michel, t'es toujours marié avec Dany ?

Je réponds un petit oui, sentant venir la vanne lourde.

— ... Depuis quarante-deux ans.

— Dis donc, c'est les coulisses de l'exploit. Quarante-deux berges, une éternité ! C'est les noces de quoi, ça ?

Joe, la femme de Guy, Victoria et moi nous rions aux larmes. Sans arrêt, je relance la conversation, je ne veux pas qu'elle finisse.

— Et le film avec Lelouch, tu le fais quand, Jean-Paul?

— Ja... jamais! J'ai trop attendu. Claude a même pas une idée du film, il me promet parce que avec mon nom, il pen... pense pouvoir le monter... Résultat, y tourne avec Johnny, avec Mitchell et ben qu'y... qu'y tourne... Moi je suis très bien comme ça.

Je pense à Pierre Brasseur, Charles Vanel, Jean Gabin, à tous les géants du cinéma. En terrasse, les gens s'attardent en leur jetant des regards.

— À la télé, j'étais content vrai... vraiment que Stella soit là, Mi... Michel.

— Quand même, c'est une Belmondo!

— Sur... surtout que c'est mon dernier enf... enfant.

Guy est heureux de son anniversaire, heureux de sa vie. Il attend son fils Nicolas en nous racontant l'époque où devant la glace du salon, Nicolas jouait les Michel Drucker en lançant «Champs-Élysées», avec une brosse à cheveux en guise de micro... En le regardant je revois passer une foule de gens, des amis, des coups de gueule, des passions, des femmes que j'ai connues à ses côtés, Sophie Daumier, sa fille Leslie dont la mère, Karen, mannequin ravissant, s'est éteinte seule dans une chambre d'hôtel à New York. Et maintenant Joe, qu'il a rencontrée en dansant avec elle un slow sur mon plateau. Guy a maintenant autour de lui sa femme, sa fille, trois copains de toute une vie et il attend son fils, qui n'est pas dénué de talent, dans un dîner qui pourrait avoir été dialogué par Michel Audiard.

J'ai passé la soirée avec les derniers des Mohicans, des Mohicans qui n'en ont plus rien à foutre de rien. Je me lève enfin pour partir.

Marielle me lance son regard impénétrable.

— Faut pas dormir, on se fait trop chier.

— Tu dis ça parce que tu fais des cauchemars ?

— Même pas... Je fais de rêves.

— Quel rêve ?

— Que je dors.

Le taxi traverse la Seine. Je connais par cœur chaque monument, presque chaque coin de rue le long des quais de Paris. Tout en regardant filer les façades des immeubles qui s'endorment, je me demande si nous ne devrions pas monter tout un «Vivement dimanche» avec Jean-Pierre Marielle. Évidemment ce serait casse-gueule, avec ses fausses et vraies absences, ses instants de décrochage et son humour dévastateur. L'idée me paraît périlleuse et me fait un peu peur. Je pars samedi pour Eygalières, j'y réfléchirai là-bas, l'idée fera son chemin. Je vais appeler Françoise pour savoir ce qu'elle en pense. Les rues sont calmes, la nuit fraîche. Le mois de juin a été pourri. Je retrouve mon quartier, place des Invalides, les carrés de pelouse sombre, le pont Alexandre-III illuminé et la beauté des verrières du Grand-Palais. Je rentre chez moi. Je ne suis pas crevé. Je me sens bien, j'ai bu pas mal, je me demande si je ne suis pas un peu soûl. Je vais peut-être redescendre promener ma chienne Isia... Pour Marielle, un «Vivement dimanche» devrait être possible, avec le montage qu'est-ce qu'on risque ?

Vivement la rentrée !

Crédits

Page 11, *Quand je serai KO*, Alain Souchon. Paroles et musique : Alain Souchon. © Éditions Alain Souchon / Universal Music Publishing BMG France.

Page 15, *Mistral gagnant*, Renaud. Paroles et musique : Renaud. © Mino Music / Warner Chappell Music France.

Page 21, *Les trompettes de la renommée*, Georges Brassens. Paroles et musique : Georges Brassens. © Universal Music Publishing BMG France.

Page 51, *Des ronds dans l'eau*, Annie Girardot et Nicole Croisille. Paroles : Pierre Barouh. Musique : Raymond Le Sénéchal. © Associees SOC / EMI Catalog Partnership France.

Page 65, *Entrer dans la lumière*, Patricia Kaas. Paroles : Didier Barbelivien. Musique : François Bernheim. © Pole Music S A / SM Publishing / Good Good Music.

Page 85, *Je m'voyais déjà*, Charles Aznavour. Paroles et musique : Charles Aznavour. © Éditions Raoul Breton.

Page 99, *Nous nous reverrons un jour ou l'autre*, Charles Aznavour. Paroles : Jacques Plante. Musique : Charles Aznavour. © Éditions musicales Djanik.

Table

La photocomposition de cet ouvrage
a été réalisée par
GRAPHIC HAINAUT
59163 Condé-sur-l'Escaut

Impression réalisée par

La Flèche

pour le compte des Éditions Robert Laffont
en septembre 2013

Dépôt légal : octobre 2013
N° d'édition : 53375/01 – N° d'impression : 3001023
Imprimé en France